PAPISAS Y TEÓLOGAS

PAPISAS Y TEÓLOGAS

Mujeres que gobernaron el Reino de Dios en la Tierra

Ana Martos

nowtilus

Colección: Historia Incógnita
www.historiaincognita.com

Título: Papisas y teólogas
Subtítulo: Mujeres que gobernaron el Reino de Dios en la Tierra
Autor: © Ana Martos

Copyright de la presente edición: © 2008 Ediciones Nowtilus, S.L.
Doña Juana I de Castilla 44, 3º C, 28027 Madrid
www.nowtilus.com

Editor: Santos Rodríguez
Coordinador editorial: José Luis Torres Vitolas

Diseño y realización de cubiertas: Carlos Peydró
Diseño del interior de la colección: JLTV
Maquetación: Claudia Rueda Ceppi

ISBN-13: 978-84-9763-454-0
Fecha de edición: Marzo 2008

Printed in Spain
Imprime: Estugraf Impresores, S.L.
Depósito legal: M-6761-2008

Índice

Prólogo

Este libro narra los hechos de numerosas mujeres que, aun siendo laicas, influyeron decisivamente en los destinos de la Iglesia o en la trayectoria del cristianismo. Algunas ejercieron su influencia directamente sobre la Iglesia; otras, sobre los hombres que la regían, ya fueran o no religiosos; y, otras, sobre los hombres que dirigían los destinos de los países que, de alguna manera, configuraban el ámbito del cristianismo en una época en que la religión y la política eran prácticamente lo mismo.

Estas mujeres influyeron unas veces para bien y otras para mal. Algunas, como Clotilde o Teodolinda, arrastrando a sus pueblos a la adopción de la fe católica. Otras, como Irene o Pulqueria, inmiscuyéndose en los negocios religiosos y proclamando leyes sagradas. Otras, como Marozia o Teodora, quitando y poniendo papas en la silla de San Pedro.

Es bien conocida la existencia de amantes y concubinas de papas y cardenales durante el Renacimiento y en épocas posteriores, como Julia de Farnesio o Cristina de Suecia. Pero ellas no influyeron en los destinos de la Iglesia, ni bautizaron pueblos, ni nombraron papas, ni presidieron concilios. Las de nuestra historia, sí.

Para llegar a comprender cómo pudieron las mujeres de nuestra historia llegar adonde llegaron y hacer lo que hicieron, es necesario conocer las circunstancias históricas, sociales y religiosas de aquellos tiempos y de aquellos lugares.

Entre los siglos VIII y XI, fue tal la cantidad de acontecimientos que tuvieron lugar en el seno de la Iglesia, que sus mismos historiadores han denominado a esa época los Siglos Oscuros, porque, en ellos, la Iglesia romana se hundió en el mismo caos en el que se hallaba sumido Occidente.

En cuanto a Oriente, las mujeres manipularon los negocios religiosos como resultado del cesaropapismo, una situación lamentable que puso la religión en manos de gobernantes laicos e incluso paganos, como el mismo emperador Constantino I, que dirigió los destinos de la Iglesia sin siquiera bautizarse.

Entre los siglos VIII y XI, época en la que se basa la mayor parte de esta historia, ocurrieron cosas que hoy parecen increíbles, pero que en aquellos momentos y en aquel contexto resultaron totalmente viables, como el Sínodo del Cadáver, la redacción de las Falsas Decretales o la Querella de las Imágenes.

Sumida en la oscuridad de Occidente o deslumbrada por la luz de Oriente, la Iglesia perdió su rumbo en aquellos siglos, porque quienes la guiaban se habían apartado de su meta y el Espíritu se desentendió de sus actos.

Exordio
Las mujeres callen en la Iglesia

En las reuniones de tertulia y calceteo que solía celebrar en La Coruña la condesa de Espoz y Mina, se quejaba la ilustre Concha Arenal de que la misma Iglesia que reconocía a la mujer la alta dignidad de ser madre de Dios, mártir y santa, la creía indigna del sacerdocio.

Un siglo más tarde, la presidenta de la Sociedad Teológica de los Estados Unidos protestó airadamente por el hecho de que el Derecho Canónico impidiera a la mujer ser siquiera monaguillo. Con ella, los teólogos de la liberación denunciaron la doctrina sexista de la Iglesia Católica y varias organizaciones religiosas internacionales abogaron por el sacerdocio de la mujer. Pero la Iglesia se declaró vehículo de la verdad y no su propietaria. Y la verdad no cambia. Busquemos, pues, el origen de esta prohibición, retrocediendo en la historia eclesiástica.

En el siglo XVII, Sor Juana Inés de la Cruz se dolía de que no fuera lícito a las mujeres predicar en los púlpitos ni interpretar las

Sagradas Letras, por serles dañina la sabiduría, al igual que a los malévolos, que, cuanto más estudian, peores opiniones engendran.

En el siglo IV, el primer historiador de la Iglesia, Eusebio de Cesarea, escribió que no se permitía a las mujeres leer pública- mente en las iglesias ni predicar, porque, en los albores del cristia- nismo, el rumor de su enseñanza doctrinal molestó al apóstol y este las mandó callar. Eusebio no especifica de qué apóstol se trata, pero, a juzgar por los datos que exponemos más abajo, entendemos que se trata de San Pablo.

Las *Constituciones de los Apóstoles,* manual litúrgico del siglo II, dedica un capítulo a señalar la disposición de los asisten- tes a la asamblea, nombre que entonces se daba a la reunión de los cristianos, y en él especifica que las mujeres han de estar separa- das de los hombres, y en silencio.

Pablo de Tarso escribió su primera Epístola a los Corintios en el año 55. Al final de la carta y antes de la despedida, encontra- mos un texto titulado *Respuestas a preguntas de los corintios* con instrucciones pastorales, probablemente incorporadas en el siglo II para establecer lo que sería la posterior doctrina de la Iglesia respecto a la mujer y al celibato. Una de estas instrucciones señala el papel de la mujer en los actos de culto (14,34): "Las mujeres callen en las asambleas, pues no les está permitido hablar, sino que se muestren sumisas, como manda la ley". Hay otra carta atri- buida a Pablo de Tarso y dirigida a Timoteo de Listra con órdenes contundentes (*1 Timoteo* 2,12): "No permito que la mujer enseñe ni que ejerza autoridad sobre el hombre, sino que debe permane- cer en silencio."

Eusebio de Cesarea interpreta que el rumor de las mujeres que enseñaban la doctrina cristiana en las iglesias perturbaba el silencio del templo y por eso el apóstol las mandó callar. Pero hay que tener en cuenta que en la época a la que Eusebio alude no había iglesias ni templos, porque la primera iglesia cristiana se construyó en 256 y, hasta entonces, los cristianos se reunían en sinagogas, cuando las había, y en cementerios y catacumbas cuando no las había. Luego, fuera quien fuera su autor, la orden no indicaba que las mujeres guardasen silencio "en las iglesias" como dice Eusebio o "en las asambleas" como se ha traducido más tarde, sino que estuviesen siempre calladas "en la Iglesia," que es el conjunto de todos los cristianos. Calladas significa que no se pronuncien, que no tengan voz ni voto.

Y calladas siguen. Pero es de destacar que, aunque oficialmente la mujer no tenga ni haya tenido ni tendrá nunca voz ni voto en la Iglesia, hubo muchas que no solamente no se callaron, sino que influyeron, dominaron, mandaron, obligaron, convocaron, proclamaron y decidieron, no solamente negocios seglares y humanos, sino negocios divinos. De los que, según la doctrina eclesiástica, estaban reservados a los hombres.

Capítulo I
La oscuridad frente a la luz

Cuando Miguel Cerulario, patriarca de Constantinopla en el siglo XI, vio llegar a su sede a los legados papales enviados desde Roma por León IX para discutir doctrina y liturgia, los describió con mucha precisión: personas impías que habían venido de la oscuridad de Occidente al reino de la piedad, como jabalíes, para derrotar la verdad.

Esa era la visión que Oriente tenía entonces de Occidente, y la verdad es que no le faltaban razones. En la alta Edad Media, Europa se desmoronaba día a día bajo el analfabetismo, la incultura y la barbarie, mientras que el Imperio Bizantino resplandecía con luz propia. Y no es de extrañar que aquellos refinados bizantinos mirasen con desdén y repugnancia a los desharrapados e ignorantes occidentales. Cabe imaginar el gesto de repulsión que debió hacer el emperador Alejo Comneno cuando vio llegar a su suntuoso palacio de Constantinopla a los cruzados, aquellas hordas de guerreros hirsutos, vociferantes y malolientes que pretendían reconquistar Jerusalén a los turcos.

Pero sabemos que Europa no nació astrosa e inculta sino todo lo contrario. Europa nació romana, y romano, todavía en nuestro tiempo, es signo de progreso y civilización. De hecho, podríamos decir que gran parte del éxito de Roma para anexionarse las tierras de tantos pueblos bárbaros se debió al interés de aquellos pueblos por formar parte del Imperio Romano, llegar a llamarse ciudadanos de Roma y poder algún día lucir insignias. Un excelente ejemplo de ello es el del temible rey de los hunos, Atila, en cuya corte hubo poetas romanos y griegos, como Orestes, su secretario, y cuya mayor aspiración fue llegar a ser reconocido como romano, cosa que nunca consiguió.

Ese fue también uno de los motivos de la rápida propagación del cristianismo entre los galos, los godos, los francos, los germanos, los eslavos e incluso los vikingos, porque cristianizarse equivalía entonces a romanizarse, y romanizarse era signo de cultura y de civilización.

LA DEBILIDAD DEL AMO DEL MUNDO

Las causas del derrumbamiento del Imperio Romano han sido siempre motivo de discrepancia y debate, porque historiadores y estudiosos señalan distintos motivos para este desastre. Para unos, la culpa fue de Constantino el Grande, que se llevó la capital del imperio a Oriente y dejó a Occidente abandonado a su suerte. Dante le atribuye en la *Divina Comedia* haber hecho volar las águilas al contrario de su curso natural, es decir, de Oeste a Este, ya que trasladó las águilas romanas de la *Pars Occidentalis* a la *Pars Orientalis* del Imperio.

No está claro que las águilas prefieran volar en uno u otro sentido, pero lo cierto es que Occidente cayó en manos de los bárbaros un siglo después del traslado, mientras que Oriente se mantuvo en pie diez siglos más. Por otro lado, Constantino no fue el primer emperador romano que descubrió que en Oriente se vivía mucho mejor que en Occidente. Ya Diocleciano había decidido tiempo atrás que no había lugar tan hermoso en el mundo conocido como Nicomedia, una ciudad situada en la actual Turquía.

Otros autores señalan como causa del derrumbamiento el hecho de que el Imperio se dividiera entre varios gobernantes que no siempre se conformaban con la parte que les había tocado gobernar y probaban a despojar a los demás de la suya.

Al principio, el poder de Roma se repartió entre los triunviratos y, más tarde, entre las tetrarquías. Los triunviratos, como el que formaron César, Pompeyo y Craso, terminaron en luchas por el poder, pero al menos no dividieron el Imperio en pedazos de forma tan decisiva. Sin embargo, las tetrarquías se lo repartieron como si se tratase de una herencia.

Mientras los gobernantes se repartían el poder, los bárbaros de Galia y Germania atacaban a los condes romanos en la frontera septentrional del Rin y derrotaban a los batallones de hérulos y bátavos que luchaban en nombre de Roma. Valentiniano I hubo de construir fortificaciones a lo largo del Rin, pero entonces aparecieron unos nuevos piratas marinos con los que nadie había contado, los sajones, asolando las costas europeas y adentrándose por el coladero que formaban los ríos navegables.

El historiador latino Amiano Marcelino describe la desgarradora escena de rebaños de mujeres romanas empujadas a latigazos por los bárbaros. Eran parte del botín.

Todavía se pudo recuperar el Imperio de Occidente gracias a la fuerza de los ejércitos de Roma, pero ya había prendido la mecha de la sublevación y los bárbaros habían averiguado que no era imposible atacar al amo del mundo.

A finales del siglo IV, el emperador Teodosio, llamado el Grande, murió en Milán, y su testamento dividió el Imperio entre sus dos hijos, Arcadio en Oriente y Honorio en Occidente. Honorio era un niño de once años de aspecto bobalicón, pero ya su padre había considerado que la *Pars Occidentalis* que heredaba no sería más que un satélite del verdadero imperio, la *Pars Orientalis* que heredaba su hermano Arcadio.

Poco después entró Alarico en escena, un gigante pelirrojo que vestía la lóriga romana y mandaba el tropel de los godos. Asustados, Honorio y su hermana Gala Placidia trasladaron la capital del Imperio occidental a Rávena, una pequeña ciudad situada en la marisma pantanosa de las bocas del Po, donde las miasmas de las charcas de los pinares se ocuparían de defenderles de los bárbaros mejor que sus "ángeles", sus guardias de seguridad personal de élite (JOSÉ PIJOÁN. *Summa Artis*. Tomo VII).

Les aseguraron que aquel lugar malsano bastaría para hacer retroceder al peligro godo, pero nadie se imaginó que el mismo emperador moriría de fiebres poco después, aunque oficialmente se dijo que murió de hidropesía, que era entonces una especie de cajón de sastre.

Así terminó el Imperio de Occidente. Hasta entonces, pese a las sublevaciones, los ataques y las invasiones, el Imperio había subsistido porque la capital, Roma, había permanecido intacta. Pero en 410, Alarico se atrevió a violar a la Urbe, acampando ante sus murallas y azuzando a sus huestes con la promesa de que allí encontrarían el paraíso godo de Muspellheim.

El Imperio Romano se circunscribió prácticamente a Oriente, quedando reducida la *Pars Occidentalis* a Rávena y a algunas ciudades más, rodeadas por godos, vándalos, hunos y francos. El augusto de Occidente apenas tenía espacio para moverse entre tantos extraños, que además le amenazaban por todas partes y a los que ya poco podía ofrecer a cambio de alianzas pacíficas. En 476 puede decirse que el Imperio de Occidente vio su fin porque el último monarca, Rómulo Augústulo, tuvo que dejar el poder a una coalición de germanos mandada por el ostrogodo Odoacro. Un escritor italiano del siglo XIX, Cesare Balbo, describe esa fecha como el inicio de la independencia de los pueblos italianos del poder de Roma.

Un juguete para el sumo pontífice

Otra de las causas del derrumbamiento del Imperio Romano que muchos historiadores señalan fue el hecho de que los emperadores utilizaran el cristianismo no ya como un aglutinante de los pueblos sobre los que reinaban o como un modo de extender su dominio sobre el mundo, sino como un juguete con el que satisfacer su hambre de dirimir disputas doctrinarias.

Constantino el Grande fue el primer emperador romano que, sin molestarse en pasar por el agua bautismal, se proclamó sumo pontífice de la Iglesia cristiana a cambio de dar al cristianismo cierta preponderancia sobre los numerosos cultos que coexistían en Roma.

¿Habría algo más deseable para un soldado inculto, hijo de una tabernera, vestido de púrpura, lleno de afeites y con un manto enjoyado, como le describe su sobrino Juliano (GORE VIDAL. *Juliano el Apóstata*. Salvat), que hacer y deshacer en algo tan inalcanzable para la mayoría de los mortales como son los misterios religiosos? ¿Y qué mejor que presidir concilios y dictar "verdades" rubricadas por obispos de toda la cristiandad?

El cesaropapismo o, lo que es lo mismo, la superioridad del emperador sobre el papa en asuntos religiosos, se inició, pues, con Constantino I, y se consolidó en el siglo VI con Justiniano, quien también se valió de su posición de sumo pontífice de la Iglesia para imponer sus ideas teológicas.

Por tanto, a la pregunta de qué hacía el augusto mientras sus enemigos se aprestaban a atacar al Imperio por todas sus fronteras, no faltaría quien respondiera: inmiscuirse en asuntos escatológicos que no le concernían y, además, exponerse a perder el trono. Justiniano estuvo a punto de perderlo en una revuelta popular de carácter político y religioso.

Roma se había dormido en los laureles, orgullosa de su fuerza y segura de su inviolabilidad. Creyéndose invencible, se abandonó a las luchas internas, al reparto de poderes y, finalmente, al juego de los asuntos religiosos. Y pagó su abandono con la pérdida de la mitad del Imperio.

Donde Dios comparte su morada con los hombres

"Ciudad de ciudades, célebre en todo el orbe, espectáculo ultramundano, madre de Iglesias, princesa de la fe, duquesa de la religión verdadera, alumna de la erudición dotada de todas las bellezas".

¿A qué ciudad podría referirse un historiador de principios del siglo XIII si no es a Constantinopla? Así es como la describió Nicetas Choniates en 1204.

Más de medio millón de habitantes tenía Constantinopla en el siglo VI y dicen que era la única ciudad europea que se hubiera podido comparar a una ciudad moderna. Constantino construyó, sobre las ruinas de la antigua ciudad griega de Bizancio, en la encrucijada del Bósforo y a caballo entre Europa y Asia, la más magnífica metrópoli que cabe imaginar, cuyas joyas principales fueron el palacio imperial o Palacio Sagrado y la basílica erigida a la Santa Sabiduría de Dios, la Santa Sofía, que sobrepasó con creces en esplendor al suntuoso templo de Salomón, al menos después de las reformas y mejoras que le agregó Justiniano. Él mismo lo dijo.

Pero Nicetas Choniates fue un historiador bizantino y, al fin y al cabo, se podría creer que le cegaba el patriotismo. Otra descripción impresionante del esplendor de Constantinopla fue la que hicieron los emisarios del príncipe Vladimiro de Kiev, cuando este, según cuentan, los envió a recorrer los países civilizados y a analizar las distintas religiones existentes en el mundo para elegir la mejor: "Aún hoy nos sentimos incapaces de olvidar tanto esplendor. No sabíamos si estábamos en el cielo o en la tierra, porque en la tierra no se encuentra semejante belleza. Solo podemos decir que es allí donde Dios comparte su morada con los hombres."

El brillo dorado de Bizancio

Oriente fue, sin duda alguna, la cuna de muchas culturas. Babilonia, Egipto, Grecia, China, Persia, todas son culturas cuyo solo nombre sugiere refinamiento y sabiduría.

Todos los conocimientos clásicos, todo el saber acumulado por siglos de filosofía, de literatura, de política, de medicina, de ingeniería, de música, de matemáticas, de arte, de historia, de teatro, de química; todos los inventos y descubrimientos de los sabios, de los filósofos, de los artistas de esas culturas permanecieron afortunadamente en el Imperio de Oriente mientras la Europa occidental cristiana quedaba gobernada no solamente por reyes bárbaros, sino por tal ignorancia y oscuridad cultural que la mayoría de los eclesiásticos apenas sabía el suficiente latín para poder decir la Misa sin demasiados errores. El Imperio Romano que fue heredero de todo aquel cúmulo de conocimientos se lo llevó consigo a Bizancio.

Por eso, el inculto y brutal Occidente de la Edad Media no solamente trató de imitar al exquisito Oriente en lo que fue capaz, sino que también envidió su sabiduría, su refinamiento y sus tesoros.

A manera de ejemplo, tenemos constancia de casos como la frustración que sufrió el obispo Liutprando de Cremona, embajador de Alemania en Constantinopla, quien escribió a finales del siglo X una carta a la emperatriz Adelaida, esposa de Otón I de Alemania, quejándose del trato humillante que había recibido en Bizancio y de cómo el *basileus* Nicéforo II había menospreciado al emperador alemán dándole el rango de rey y no el de emperador.

También fue notoria la inmensa diferencia intelectual y cultural entre Oriente y Occidente, que tuvo mucho que ver en las disensiones que se produjeron entre ambas Iglesias y que culminaron con el cisma de Oriente. Los cristianos de Bizancio eran cultos, educados y refinados y gustaban de participar en las discusiones cristológicas, mientras que los de Occidente, zafios e iletrados, seguían aferrados a las formas exteriores de la religión cuyos elementos solo comprendían mezclándolos con sus dioses, sus ritos y sus creencias anteriores. Nunca hubiera podido discurrir un godo que el Espíritu Santo procediera del mutuo amor que se profesaban el Padre y el Hijo. Y nunca se le hubiera ocurrido a un franco que Cristo pudiera tener una o dos naturalezas.

Hay que considerar el sentimiento de inferioridad y de asombro que debía producir la distinción bizantina a los iletrados e incultos príncipes europeos, así como la admiración y la codicia que despertaron en los cruzados los tesoros del palacio imperial de Constantinopla.

Precisamente, el emperador Alejo Comneno cometió la indiscreción de enseñarlos a los latinos que llegaron a Constantinopla en 1097 para la primera Cruzada y, después, el emperador Manuel I cometió la misma imprudencia mostrando sus joyas en 1171 al rey franco de Jerusalén, Amalrico I.

Es probable que los dos augustos mostraran el tesoro para admirar a los cruzados, pero no previeron que aquellos señores sin señorío, aquellos príncipes sin principado, no habían aprendido a controlar su codicia y que un buen día dejarían a un lado el combate contra los turcos y se dedicarían a saquear Constantinopla y a repartirse sus ricos tesoros.

Ana Comnena, la hija de aquel imprudente Alejo que mostró un día los tesoros a los cruzados, sí se dio cuenta del riesgo que corrían tan pronto los vio de cerca. En su *Alexiada,* la princesa bizantina dice que ya había oído hablar de la volubilidad, del carácter mercenario y de la trivialidad de la conversación de los bárbaros, pero que conoció su carácter cuando tuvo contacto con ellos. Enseguida se dio cuenta de que no iban a Oriente a liberar el Santo Sepulcro, sino a arrebatar a Bizancio todas las tierras que pudieran.

No iba desencaminada. Uno de los primeros cruzados, Bohemundo de Tarento, no perdió el tiempo y se coronó rey de Jerusalén. Y doscientos años después, otro cruzado, Balduino de Flandes, se coronó emperador de Bizancio.

El mariscal Godofredo de Villehardouin incluyó en sus *Memorias* el lamentable episodio del saqueo de Constantinopla, contando que desde que el mundo había sido creado, nunca se había hecho tanto botín en una ciudad, y resumiendo en una frase el objetivo que realmente perseguían los cruzados: "Los que habían estado en la pobreza, nadaban ahora en la riqueza y el lujo". En cuanto al tesoro del palacio imperial, también otra frase lo resume: "Del tesoro que había en el palacio más vale no hablar, porque no tenía ni fin ni cuento" (GEOFFREY DE VILLEHAR-DOUIN. *Memoirs*)

UN PROTOCOLO SOFISTICADO

El protocolo bizantino era muy sofisticado y complejo y lo conocemos gracias a un emperador que fue también arqueólogo y erudito, Constantino VII Porfirogeneta, que reinó en el siglo X y nos dejó una obra impagable, *El Libro de las Ceremonias*.

Una de las cosas interesantes que narra este libro es la importancia de la orfebrería en Constantinopla. El barrio más lujoso y visitado era la Mese, el barrio de los plateros, que ocupaban los pórticos con lujosas tiendas cuyos mostradores ofrecían las más preciosas exquisiteces. También los bárbaros occidentales habían oído hablar del lujo y la riqueza de este barrio, porque fue, después del palacio imperial y Santa Sofía, lo primero que saquearon los cruzados en 1204.

La elegancia de los bizantinos ha quedado plasmada en los numerosos mosaicos y esmaltes guardados en palacios e iglesias. En todos ellos aparecen vestidos con gran lujo, profusión de adornos y tantas joyas como podían llevar. Todos los altos funcionarios, los miembros de la familia imperial, los clérigos y los adinerados eran clientes habituales de las tiendas de la Mese.

Las joyas del palacio imperial, las que aquellos dos augustos inconscientes mostraron a los latinos, se guardaban bajo la custodia de varios tesoreros eunucos. Entre ellas estaban las diferentes coronas que el emperador debía lucir en las distintas ceremonias y ocasiones. Estaba la corona circular llamada *stefanos,* que podían

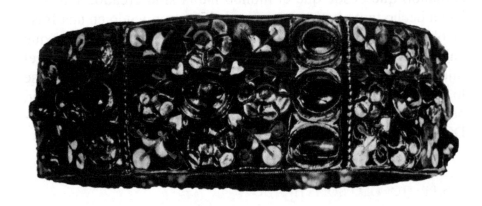

La corona de hierro de los longobardos estaba formada por seis placas de oro esmaltado con piedras preciosas montadas sobre un aro de metal. Con ella se coronaron durante siglos los reyes de Italia. El aro de hierro tenía orificios para colgar hasta cincuenta pendientes de perlas y piedras preciosas. Napoleón también se coronó con ella, pronunciando las palabras rituales: "Dios me la ha dado, ¡ay de quien la toque!".

también llevar los césares y los déspotas feudatarios. La *stemma* era la corona que luce Justiniano en los célebres mosaicos de Rávena. También estaban la *epanoleistos* y la *camelaukion*. Había coronas decoradas con placas de esmalte que representaban al emperador, a su familia, a santos, a personajes bíblicos, virtudes o incluso figuras danzantes.

Y el *Basileus* no solamente debía llevar puesta la corona correspondiente en cada ocasión, sino quitársela y ponérsela en los distintos actos de cada solemnidad, según marcase el protocolo (JOSÉ PIJOÁN. *Summa Artis*. Tomo VII).

Mientras, en Occidente, Carlomagno, coronado rey de Italia, exhibía con inmenso orgullo la corona de hierro de los longobardos, una corona sencilla formada por seis placas de oro esmaltado con pedrería montadas sobre un aro de hierro.

LAS DISCUSIONES BIZANTINAS

Tanto o más sofisticadas y complejas que el protocolo de los bizantinos eran sus discusiones. Se trataba con frecuencia de cuestiones teológicas, porque la vida en Bizancio estaba impregnada de religión y no se concebía una disputa en la que no interviniesen elementos religiosos. Bizancio era un estado teocrático y el emperador, representante del mismo Dios en la tierra, era quien daba el ejemplo. Además, las cuestiones teológicas ofrecían siempre la posibilidad de demostrar y refutar el mismo argumento, lo que las hacía interminables.

Los concilios ecuménicos invirtieron tiempo y energías en dilucidar asuntos tan etéreos e improbables como si el Verbo nació en vísperas de la Creación o era de generación eterna, o bien si el Verbo procedía de Dios por emanación o por creación, y así sucesivamente, una agudeza teológica tras otra.

Las discusiones que enfrentaron a Oriente y Occidente pusieron de relieve las enormes diferencias culturales entre ambas partes del Imperio. Oriente siempre consideró a los occidentales no solamente advenedizos, sino bárbaros iletrados incapaces de comprender las sutilezas de la Teología, mientras que Occidente consideró a los orientales herejes sofisticados más expertos en los placeres y en el lujo que en la verdadera religión.

DOS VICARIOS DE DIOS EN LA TIERRA

Otro de los conflictos que surgieron entre Oriente y Occidente fue el de la corona del Imperio. El emperador era, en el mundo medieval, vicario de Dios en la tierra para los asuntos mundanos como el papa lo era para los asuntos espirituales y, por tanto, no podía haber dos emperadores ni dos papas.

Sin embargo, en la Navidad del año 800, Carlomagno recibió la corona del Imperio Romano reconquistado para ponerlo al

EL PACTUM

El Pactum fue un tratado entre el rey de los francos Pipino el Breve y el papa Esteban III. Ambos se necesitaban mutuamente y llegaron a un acuerdo que se estableció en el año 754 en Carisiacum, un lugar que hoy se llama Quierzy-sur-Oise y que se encuentra al norte de París.

Pipino era, en realidad, un usurpador, gobernador del rey merovingio Childerico III. Pero Childerico formó parte de la dinastía que se denominó "de los reyes holgazanes", que dejaron el gobierno en manos de los llamados mayordomos de palacio para dedicarse a la holganza, a la caza y a la diversión.

Pipino encerró en un convento a Childerico III y se coronó rey de los francos. Pero antes de acometer tal acción, había solicitado la bendición papal. Ya en 749 había enviado una embajada al papa Zacarías, para preguntarle si creía mejor considerar rey al que lo era por nacimiento pero no gobernaba o al que no lo era por nacimiento pero gobernaba efectivamente. El papa Zacarías no solamente le contestó lo que él pretendía, es decir, que era mejor considerar rey al que gobernaba, sino que redactó un acta en la que eximía a los súbditos del rey merovingio Childerico III de su juramento de fidelidad. En otras palabras, dio permiso oficial para deponer al rey holgazán y sentar a Pipino en el trono de los francos.

En 752, el obispo de Maguncia, San Bonifacio, había ungido rey a Pipino para sacralizar el nombramiento. Pipino fue el primer rey franco que empleó la unción sacramental, tomando de la Biblia el rito que convertía al ungido en interlocutor entre el mundo divino y el humano. San Isidoro de Sevilla había proclamado en el concilio IV de Toledo la fórmula bíblica que salvaguardaba a los ungidos de las ambiciones de los no ungidos. "No toquéis a mis ungidos. ¿Quién extenderá la mano contra el ungido del Señor y será inocente?". La unción convertía al ungido en ángel de Dios en la tierra. Era la sacralización del monarca.

Pero Pipino, a pesar de la unción, era un usurpador y necesitaba una gran ceremonia de coronación que asegurase a los francos la permanencia en el trono, no solamente a él, sino a sus hijos. Su intención era fundar una nueva dinastía y acallar para siempre las pretensiones de los merovingios y, de paso, las de los descendientes de otros mayordomos de palacio.

Por su parte, el papa Esteban III llevaba mucho tiempo sufriendo amenazas de su vecino, el rey longobardo Astolfo, que era arriano y, además, feroz y ambicioso. Había asolado Rávena a sangre y fuego, había ocupado todos los territorios de la Italia bizantina situados entre el Po, el Adriático y los Apeninos y acababa de invadir y arrasar el ducado de Roma.

El Papa había pedido auxilio a su emperador, Constantino V, pero este se hallaba engolfado destruyendo imágenes e iconos, en plena fiebre iconoclasta que describiremos en el capítulo IX, y no le prestó la atención debida. Lo que el Papa necesitaba era dinero para pagar a Astolfo la exorbitante suma que exigía por renunciar a entrar en Roma, o bien un ejército que le defendiera de los ataques.

En vista de que no obtenía ni lo uno ni lo otro, aunque sí buenas palabras, Esteban III decidió recurrir al rey franco, quien le recibió con los brazos abiertos, comportándose con él como decían que siglos atrás se había comportado Constantino el Grande con el papa Silvestre, llevando la rienda de su montura, como, según la Biblia, David había llevado la del rey Saúl.

Allí, en Carisiacum, llegaron a un acuerdo importantísimo, el *Pactum,* que originaría dos hechos que determinaron el giro de la Historia: la restauración del Imperio Romano de Occidente y el establecimiento de los estados pontificios.

No parece que ambos discutieran esos términos, pero sí es cierto que lo que acordaron dio lugar a ambos hechos. Fue una alianza entre el estado franco y la Santa Sede, que implicaba una serie de compromisos por ambas partes.

Pipino, su esposa Bertrade de Laon y sus hijos Carlos y Carlomán recibirían el título de patricios de romanos, es decir, protectores oficiales de la Iglesia, con la misión espiritual de defender y propagar el catolicismo, junto con la unción sacramental que sacralizaría la dinastía carolingia, que al principio se llamó pipínida, pero pronto tomó el nombre del personaje más famoso de la familia, Carlos el Grande, Carlomagno. El tratado incluía la excomunión de los francos si se atrevían a elegir rey a alguien que no fuera de la familia pipínida.

En cuanto a Carlos, recuperaría un día el Imperio de Occidente, sacralizado por su alianza con la Santa Sede, lo que lo convertiría en el Sacro Imperio Romano que, algún tiempo después, recibiría el añadido de Germánico, al entrar en escena los emperadores alemanes.

El Papa tampoco iba a salir mal parado del acuerdo. En primer lugar, obtuvo el apoyo incondicional de los reyes francos, aliados perpetuos y oficiales de la Santa Sede. En segundo lugar, las tierras que Astolfo había arrancado a los bizantinos no volverían a Bizancio. Al fin y al cabo, el *Basileus* no se merecía más que desprecio por su desidia y su abandono. Las tierras que Astolfo había arrebatado a Bizancio serían recuperadas, sí, pero para San Pedro, para constituir el *Patrimonium Petri*.

La importancia de este pacto, aparte de lo que ya hemos dicho, se entiende mejor si se tiene en cuenta el concepto medieval del mundo, según el cual, el hombre se compone de dos principios: un principio material, que es el cuerpo, y un principio espiritual, que es el alma. Los mismos principios rigen el mundo. El principio material es el Imperio y, el espiritual, la Iglesia. Separar esos principios en el hombre, equivalía a la muerte. Separar el Imperio de la Iglesia equivaldría a la ruina de la Humanidad.

Sin embargo, la Historia ha demostrado que no solamente ambos principios no marcharon coordinados en unión y amistad, sino que se enfrentaron en luchas encarnizadas que duraron desde el siglo XI hasta el XIX y que empezaron por la Querella de las Investiduras y terminaron por la Querella por el Dominio del Mundo.

servicio de Dios. Esto formaba parte del convenio que acordaron en su día Pipino el Breve y el papa Esteban III.

Sin embargo, cuando el Papa coronó emperador a Carlomagno lo hizo considerando que el trono de Bizancio estaba "vacante," puesto que lo ocupaba una mujer que lo había usurpado a su propio hijo, la emperatriz Irene (ver capítulo IX). Y una mujer, además usurpadora, no era un emperador, ya que no podía ser representante de Dios en la tierra. Por tal motivo, el Papa coronó a Carlomagno emperador, lo cual no fue óbice para que el siguiente emperador bizantino, Nicéforo I, se coronara también cuando llegó el momento y, además, se negara a reconocer la corona imperial de Carlomagno.

El conflicto de los dos emperadores se solucionó en el siglo X, al darse cuenta de que cada uno necesitabael apoyo del otro. Entonces Otón I reconoció como emperador de Oriente a Juan Zimisces, llegado al trono bizantino tras el asesinato del emperador anterior y necesitado de reconocimiento internacional. Y Otón, que también venía solicitando reconocimiento y alianza de Bizancio, realizó el intercambio y obtuvo el reconocimiento del *Basileus* como emperador de Occidente.

Sin embargo, algunos autores afirman que Carlomagno hizo todo lo posible por no necesitar al papa para llegar a emperador y que incluso recurrió, sin éxito, a pedir la mano de la emperatriz viuda de Bizancio, Irene, con el fin de conseguir la corona del Imperio, porque depender de San Pedro siempre se vio como una debilidad entre los francos, a pesar de todas sus alianzas y amistades.

Otros aseguran que Carlomagno no quería la corona y que fue el papa León III quien le tendió una dulce trampa, coronándole por sorpresa durante la Misa solemne de la Navidad del año 800. Y otros sostienen que todo fue una escena teatral entre el papa y el rey franco, para hacer creer que no ambicionaba la corona del santo Imperio Romano. Juan de Bergua relata la escena de Carlos ascendiendo de rodillas los escalones que conducían al atrio de la basílica de San Pedro *in Batecanum,* besando los escalones uno a uno, y llegando a la meseta donde el papa le esperaba con los brazos abiertos. Hay historias para todos los gustos.

Los *Anales de Lorch* recogen una realidad menos teatral y es que Carlomagno aceptó la corona de emperador, en primer lugar, por estar el trono imperial bizantino ocupado por una usurpadora y, en segundo, porque, siendo rey de los francos, él era señor de las antiguas provincias y residencias imperiales de Italia, Galia y Germania.

De todos modos, los *Anales Reales* no mencionan reuniones ni asambleas que discutiesen o mencionasen el restablecimiento del Imperio y, además, existen actas y documentos emitidos en

Rávena a partir de 801 que indican claramente *Gobernans Imperium* y no *Imperator,* es decir, Carlomagno fue gobernador del Imperio, que no es lo mismo que emperador (Sociedad Chilena de Estudios Medievales. *Libro de fuentes de Historia Medieval*).

Capítulo II
Las archipapisas

Las mujeres fueron, como hemos dicho, reducidas al silencio en la Iglesia. Pero ellas no solamente no callaron, sino que algunas impusieron su criterio en las asambleas, en las iglesias, en las reuniones y en los concilios. Y no solamente su criterio, sino que elevaron hasta lo más alto en la jerarquía eclesiástica a quien les convino o hicieron descender hasta lo más degradado a quien les llevó la contraria.

Algunas emperatrices y reinas emplearon todo su poder para conseguir que un papa o un concilio ecuménico proclamasen un dogma de fe que se ajustara a sus creencias personales, bien por haberlo discurrido ellas mismas o bien por haberlo aprendido de un teólogo pensador. Y tanto daba que tales creencias fueran rectas o equivocadas, porque hubo concilios para proclamar una verdad en una época y después otros concilios que proclamaron la verdad opuesta. Y hubo papas y teólogos que declararon herética una doctrina y posteriormente otros papas que la declararon verdadera.

EL MAGISTERIO DE LA IGLESIA

La Iglesia tiene tres maneras de ejercer su magisterio.

1. El magisterio ordinario y universal lo constituyen las predicaciones de los obispos, que son los sucesores de los apóstoles. Aquí, las mujeres se encontraron con el veto de la doctrina eclesiástica, aunque algunas atrevidas consiguieron enseñar abiertamente, como la monja medieval Hildegarde von Bingen, la papisa Juana o nuestra Santa Teresa. Otras tuvieron menos suerte, como Sor Juana Inés de la Cruz, a quien sus superioras advirtieron que tanta sabiduría podía ser cosa de la Inquisición.

2. El magisterio extraordinario se ejerce, a su vez, de dos maneras. Mediante el juicio solemne de un concilio ecuménico, que reúne a todo el colegio episcopal en comunión con el papa. Aquí es donde encontraron las mujeres una forma de participar de ese magisterio extraordinario de la Iglesia, ya que hubo reinas y emperatrices que convocaron y presidieron concilios ecuménicos.

3. La otra manera de ejercer el magisterio extraordinario de la Iglesia se da cuando el papa habla *ex catedra,* es decir, cuando define dogmas de fe. Aquí también pudieron las mujeres intervenir, puesto que hubo papas nombrados por emperatrices, con la condición de que proclamasen el dogma que a ellas les interesaba. De todas maneras, la posibilidad de que el papa proclame dogmas por sí mismo, es decir, la infalibilidad personal del papa fue promulgada por Pío IX ya en el siglo XIX. Hasta entonces, era el concilio el que decidía por encima del mismo papa.

Esto sucedió con numerosas de las herejías que se produjeron en Oriente debido a la inclinación de los teólogos a cavilar sobre asuntos místicos, como Eutiques, Arrio o Nestorio. Sus doctrinas fueron unas veces heréticas y otras no. O fueron heréticas en Oriente pero no en Occidente o viceversa, muchas veces, merced a la intervención de un laico, emperador o emperatriz, que estaba o no de acuerdo con el teólogo que había puesto en circulación esa idea.

En Occidente, donde los príncipes eran en su mayoría iletrados al igual que las reinas, la intromisión laica en asuntos religiosos se limitó a nombrar y deponer papas, a consagrar o destituir obispos o a convencer a un líder político para convertir a todo un país a una idea religiosa. Es decir, el cesaropapismo fue bastante moderado. Pero, en Oriente, donde los príncipes eran cultos y las reinas y emperatrices, cultísimas, la intrusión fue mucho más importante, porque, aparte de nombrar y deponer patriarcas, obispos y papas, las princesas intervinieron en la proclamación de dogmas de fe, convocaron y presidieron concilios incluso ecuménicos, es decir, universales, donde se dictaminaron doctrinas que hoy siguen considerándose válidas.

GALA PLACIDIA

Cuentan que la primera vez que Ataúlfo, el cuñado de Alarico, vio a Gala Placidia en el palacio del emperador Teodosio el Grande, creyó que era una diosa, una mezcla de niña y de ídolo. La segunda vez que la vio era la prisionera de su cuñado Alarico, un rehén muy valioso que el caudillo godo había capturado al tomar Roma. Este segundo encuentro se produjo en la Galia Narbonense. Ella, naturalmente, ni se acordaba de aquel mozalbete bárbaro, tímido y tosco, que la debía de mirar como quien contempla una visión celestial.

Cuando Ataúlfo pidió su mano, el emperador Honorio se consideró ofendido. ¿Cómo se iba a casar su hermana con un bárbaro? Pero después, cuando ya no hubo solución posible a enlace tan desparejo, sus asesores le hicieron reflexionar y llegar a la conclusión de que no se trataba de un bárbaro cualquiera, sino de uno que garantizaba la paz y la devolución de muchos rehenes. Por eso accedió, a pesar de que ya había prometido la mano de Gala a Constancio, *magister militum ilyricum,* quien gozaba de su amistad y era su mejor general.

Se casaron en Narbona. Dicen que a ella le agradaron las maneras de Ataúlfo. Debía de resultar muy excitante para una princesa romana ver en los ojos del joven caudillo bárbaro una veneración sin límites, sobre todo si le comparaba con su otro pretendiente, Constancio, que era gordo, viejo, comilón y grosero.

Ella no era precisamente una santa. La primera mención oficial que aparece de Gala Placidia en las crónicas es la condena a muerte de Serena, la viuda del general Flavio Estilicón, un germano a quien, a falta de generales romanos fieles, Honorio había puesto al frente de sus ejércitos y, en la práctica, del Imperio. Gala tendría entonces alrededor de veinte años y Serena era su prima. Culta, fuerte y ambiciosa, Serena se hizo con todo el poder de Roma y gobernó el Imperio en los últimos años, como lo había gobernado su esposo, a fuerza de ambición. Estilicón había llegado a ser omnipotente en tiempos de Honorio, pero lo acusaron de querer elevar al trono de Oriente a su hijo Euquerio, en lugar del hijo del emperador Arcadio, el pequeño Teodosio II el Joven. Dijeron entonces que Estilicón seguía siendo un contumaz pagano aunque se fingiera cristiano y que su mujer, Serena, había robado unas placas de oro del templo de Júpiter Capitolino. Lo acusaron de traición y lo decapitaron en 408. Serena le siguió una vez que la Augusta firmó su condena a muerte.

Tras su matrimonio, Gala Placidia y Ataúlfo se trasladaron a Barcelona, por lo que se les considera los primeros reyes de España, si bien, de la España visigoda. Pero Ataúlfo murió por orden de Sigerico, quien le sucedió en el mando. Y cuentan que murió pidiendo que devolviesen a la princesa romana a su hermano Honorio.

Sigerico no cumplió su petición, más bien se portó como lo que era, como un asesino usurpador que maltrató y humilló a la

La puesta en escena pública de Gala Placidia fue la firma de la condena a muerte de su prima Serena. Junto con su esposo Estilicón fue acusada, entre otras cosas, de intrigar para poner a su hijo Euquerio en el trono de Oriente, en lugar del heredero Teodosio II.

viuda de su antecesor durante los siete días que duró su mandato, porque pronto probó su propia medicina y Gala Placidia volvió al palacio de su hermano Honorio, instalado por entonces en Rávena. Pero antes, Honorio tuvo que pagar doscientos mil sacos de trigo para que los godos le devolvieran a la Augusta.

Allí se casó Gala, por fin, con su primer pretendiente, Constancio, con el que tuvo dos hijos, Honoria y Valentiniano, el futuro Valentiniano III. Teodosio, su primer hijo habido de Ataúlfo, murió a los pocos meses de edad.

Constancio fue emperador durante siete meses. Murió en 421 y Gala, enemistada con su hermano[1], se refugió con sus hijos en Constantinopla. En 423, después de morir Honorio de aquellas fiebres imprevistas, Gala Placidia consiguió que su sobrino el emperador de Oriente, Teodosio el Joven, hijo de Arcadio, reconociera el derecho de Valentiniano a ser emperador de Occidente.

VALENTINIANO III, FUTURO EMPERADOR

Así pudo Gala Placidia regresar a Rávena y ser regente durante la minoría de edad de su hijo. Y también durante su mayoría de edad, porque Valentiniano desarrolló una personalidad muy débil y apenas se atrevió a contrariar a su madre.

Pero la regencia o el reinado, según se mire, de Gala Placidia no fue político ni militar, porque la Augusta no se interesaba por tales asuntos. Si prolongó la regencia no fue para dirigir los destinos de lo poco que quedaba del Imperio de Occidente, sino para dirigir los asuntos religiosos. Gala empleó el tiempo en perseguir las numerosas herejías de la época, sobre todo el arrianismo.

El obispo de Rávena, Pedro Crisólogo, fue uno de los mejores colaboradores en la nueva actividad teológica de la Augusta. Y el general Flavio Aecio, que anteriormente fue su enemigo a causa

---

[1] Hay quien dice que su hermano, que nunca superó la edad mental de un chicuelo, la acosó con intenciones incestuosas. Otros dicen que fue Flavio Aecio quien la persiguió por su amistad con los godos.

de su matrimonio con Ataúlfo, se convirtió en el hombre fuerte que Gala Placidia necesitaba para el gobierno del imperio. También pudo contar con la ayuda de Bonifacio, un general de carrera que se había enfrentado en Marsella, en su momento, al ataque de Ataúlfo.

Con el soporte de estos tres inestimables paladines, Gala Placidia pudo dedicarse a lo que realmente le interesaba, la religión. Hay que tener en cuenta que ella era católica ferviente y que, en aquella época, ser católico significaba, ante todo, ser antiarriano[2]. Y Gala había sido la reina de un pueblo de arrianos, los godos, en un país de arrianos, Hispania. Tuvo que sufrir más de lo que cuenta la historia, porque no consiguió sacar a unos ni a otros de su creencia herética. Hispania no fue católica hasta la conversión de Recaredo, en 589, y solo parcialmente.

Su antiarrianismo y sus ansias de hacer expiar sus errores a todos los herejes la llevaron a promover concilios y a instigar a su hijo Valentiniano para que publicase edictos favorables al catolicismo y desfavorables a las otras doctrinas imperantes, las de Arrio, Nestorio y Dióscoro. Había mucho que luchar, porque, además de las doctrinas de estos tres herejes, se estaban extendiendo las de los pelagianistas, donatistas, maniqueos y priscilianistas.

Mejor hubieran hecho la madre y el hijo ocupándose de otros invasores menos espirituales, pero ya dijimos que uno de los peligros del cesaropapismo era entretener a los gobernantes en negocios místicos que los distraían de los que verdaderamente deberían interesarles, los políticos y militares. Justamente por entonces se habían recrudecido los ataques de los vándalos, sin que disminuyeran los de los francos y los longobardos. Y pronto aparecería Atila en escena para completar el desastre.

Además, Aecio y Bonifacio, los dos generales en los que la Augusta y su imperial hijo confiaban plenamente, rivalizaban para conseguir los favores de los emperadores. El primero en actuar

---

[2] Arrio negó el dogma de la Santísima Trinidad, según el cual, Dios es uno en esencia y trino en persona. Muchos pueblos bárbaros no consiguieron entenderlo y prefirieron la doctrina arriana por ser más simple.

por celos había sido Flavio Aecio, que hizo creer a Bonifacio que la Augusta le iba a acusar injustamente de traición y este, aterrado, se refugió en África, peligrosamente cenca de los vándalos. Ya Aecio se había refugiado anteriormente junto a los hunos, al caer en desgracia en Rávena, y por eso mantenía cierta amistad con Atila. En aquellos tiempos era fácil aliarse y hacer amistad con los enemigos y enemistarse con los propios. Hay incluso autores que aseguran que fue el mismo Bonifacio quien invitó a los vándalos a atravesar el Estrecho de Gibraltar y abalanzarse sobre el imperio. En 442, Valentiniano tendría que reconocer el dominio de los vándalos como antes Roma había reconocido a los galos y a los godos.

Así, mientras Genserico, el jefe de los vándalos, se preparaba para atacar lo que quedaba del Imperio de Occidente, y Clodión, el rey de los francos, se colaba por el Rin invadiendo Galia, Gala Placidia insistía en condenar a Nestorio en el concilio de Roma.

Y, como la Augusta se dedicaba a jugar a ser papisa en nombre de su inútil hijo, tuvo que ser el papa quien se enfrentase a Genserico. El mismo que un día se enfrentó a Atila y le convenció para dar marcha atrás, León I, hizo frente también a Genserico. A Atila le había convencido con un buen bocado del tesoro de San Pedro, pero Genserico no fue tan fácil de convencer. Exigió el derecho a saquear Roma y el papa le autorizó con la condición de no matar a las víctimas ni torturarlas para que confesaran dónde habían escondido sus tesoros.

Y cuentan que Genserico se maravilló al ver Roma y que no cesaba de proferir exclamaciones como: "¡Cuántas cosas que robar!"

Gala Placidia y sus dos hijos. Gala Placidia fue reina de España y regente del Imperio Romano de Occidente durante la minoría de edad de su hijo Valentiniano III, al que anuló para conservar el poder y dedicarse plenamente al ejercicio del cesaropapismo.

PULQUERIA

Gala Placidia no estaba sola luchando en Occidente contra las herejías. En Oriente, otra mujer ocupaba el poder político y religioso, Pulqueria. Igual que Gala Placidia se apoyó en Flavio Aecio, Pulqueria lo hizo en Antemio, prefecto del Pretorio. E igual que Valentiniano III dejó el poder en manos de su madre para dedicarse a la holganza y al jolgorio, Teodosio II lo dejó en manos de su hermana para dedicarse a rezar.

Ambas augustas dedicaron grandes esfuerzos a establecer dogmas religiosos conforme a sus propias creencias. Y ambas estuvieron de acuerdo, porque creían lo mismo. En lo único que parece que hubo desacuerdo fue en un edicto que publicó Valentiniano III, es decir, Gala Placidia, señalando la supremacía de la cátedra romana, porque el interés de Teodosio II, es decir, de Pulqueria, era mantener la supremacía del patriarcado de Constantinopla, que en su día le concediera Constantino el Grande.

Pulqueria era hija del emperador Arcadio, sobrina por tanto de Honorio y de Gala Placidia, que fueron hijos de Teodosio I el Grande. A la muerte de Arcadio, que había heredado el imperio de Oriente, le sucedió su hijo Teodosio II el Joven, que debía tener un carácter similar al de su primo Valentiniano III, porque, al poco tiempo de ser coronado, ya era su hermana Pulqueria quien le aconsejaba y dirigía la política del Imperio.

Cuentan que Teodosio el Joven era tan devoto que había convertido el palacio imperial en una especie de convento. Se levantaba cantando himnos sagrados y discurría largo tiempo la forma de descifrar los misterios religiosos. Y no prestaba atención alguna a los asuntos del gobierno, hasta el punto de firmar documentos sin leerlos previamente. Eso le vino muy bien a Pulqueria, que era inteligente y ambiciosa y gobernó con mano de hierro todo el tiempo que su hermano se mantuvo soltero, porque, cuando Teodosio se casó, ella tuvo que apartarse del poder para entregarlo a su cuñada Eudocia. También resultó positivo para el imperio que Pulqueria se comportase como lo hizo, porque al menos hubo quien gobernara.

EUDOCIA, LA ORADORA

Teniendo en cuenta la ineptitud de Teodosio II, la emperatriz Eudocia no debió gobernar mal, al menos en el aspecto cultural. A ella se debe la Universidad de Constantinopla inaugurada en 425. Era griega, hija de un maestro de retórica de Atenas llamado Leoncio. Debía de ser muy hermosa porque cuentan que su padre, al morir, le legó solamente dos mil piezas de oro diciéndole que su hermosura era un tesoro mucho mayor y que le proporcionaría lo que otras mujeres no podrían alcanzar.

Tampoco debió de hacer las cosas mal en el terreno social porque, un día, Pulqueria se dio cuenta de que perdía influencia y de que el pueblo aclamaba mucho más a Eudocia que a ella. Y no le quedó más remedio que idear un método para apartarla del poder de Bizancio.

Mientras Eudocia peregrinaba a la Ciudad Santa en 438, se detuvo en Antioquia para dar una charla sobre Homero y agradó tanto a los ciudadanos que erigieron una estatua de oro en honor de la oradora. Las mujeres griegas eran muy dadas a la oratoria y había muchas que llevaban el título de maestras y enseñaban incluso a los hombres. El mismo Sócrates acudía a escuchar las peroratas de Aspasia de Mileto y las clases de filosofía de Diotima de Mantinea, que fue maestra pitagórica en Atenas. También Hipatia de Alejandría fue maestra de matemáticas. Quizá por eso, las griegas eran las mujeres que menos se convertían al cristianismo que venía a privarlas de un derecho adquirido. Eudocia se bautizó solamente para poder casarse con Teodosio.

Eudocia y Teodosio habían tenido una hija, Licinia Eudoxia, que se había casado con Valentiniano III, el emperador de Occidente. En su peregrinación a Jerusalén, Eudocia consiguió las cadenas de San Pedro, una de las muchas reliquias recuperadas por Santa Elena. Envió la mitad de las cadenas a su hija Licinia Eudoxia, quien las entregó al Papa, el cual inició con ellas la construcción de la iglesia de San Pedro *Ad Vincola*, que hoy guarda el *Moisés* de Miguel Ángel.

Cuando volvió a Constantinopla, Pulqueria había urdido una historia de adulterio de Eudocia con Paulino, el maestro de oficios. El emperador, que creía cuanto le contaba su hermana, mandó matar a Paulino y exiliar a su esposa a Palestina. Eudocia vivió en Jerusalén hasta su muerte, dedicada a escribir poemas, entre ellos uno dedicado a la victoria de Teodosio el Joven sobre los persas. Focio, que fue patriarca de Constantinopla y uno de los hombres más cultos de su tiempo, incluyó en su biblioteca las paráfrasis que Eudocia escribió sobre la Biblia y un poema en el que contaba la vida de Jesús en hexámetros homéricos.

Y, además, no sabemos si por vengarse o por llevar la contraria a su cuñada o porque realmente estaba convencida, fue Eudocia quien propagó la herejía monofisita entre los cristianos de Palestina.

SANTA PULQUERIA, VIRGEN

En 450 murió Gala Placidia, unos dicen que en Rávena y otros que en Roma. Los que creen que murió en Rávena opinan así porque en la iglesia de San Vital de Rávena se encuentra todavía el llamado Mausoleo de Gala Placidia, que es el monumento bizantino más antiguo que se conserva en esa iglesia. Pero el nombre de Mausoleo de Gala Placidia le viene grande al monumento, porque el *Liber Pontificalis* del siglo IX dice que fue enterrada en San Nazario de Rávena, no en San Vital. El *Liber Pontificalis* es una especie de historia oficiosa de los papas, oficiosa porque la Iglesia no lo admite oficialmente, pero, en lo que concierne a descripciones de hechos laicos, parece que mantiene un rigor aceptable.

Por tanto, Gala Placidia murió en Roma y fue enterrada en Rávena, en la iglesia de los Santos Nazario y Celso, donde su cuerpo embalsamado quedó intacto y pudo contemplarse durante más de mil años a través de una abertura. Pero la momia reposaba sobre un escalón de madera de ciprés y estaba envuelta en mantos y tejidos reales que ardieron como la yesca el día en que un devoto demasiado entusiasta acercó un hachón a la abertura, para comprobar si la Augusta seguía tan vívida como decían.

En 450 murió también el emperador Teodosio II el Joven a consecuencia de una caída de caballo, y entonces obtuvo Pulqueria todo el poder para ella sola. No se había casado porque había hecho voto de castidad, por lo que volvió a consagrar todo su ímpetu y toda su energía a gobernar el Imperio de Oriente. El primero que padeció bajo su poder fue Crisafo, un eunuco que había gozado de toda la amistad y la consideración de Teodosio y a quien Pulqueria mandó decapitar para eliminar obstáculos. Además, Crisafo era también gran amigo del patriarca Eutiques, que gozaba de las simpatías de todo el mundo excepto de la Augusta porque era monofisita, es decir, participaba de la corriente teológica que afirmaba que en Cristo había una única naturaleza y no dos, como señalaban los duofisitas y no porque Cristo tuviera una sola naturaleza, que muchas razones había para que tuviera dos, sino porque la naturaleza divina absorbía y anulaba la naturaleza humana.

Dado que una mujer sola no podía gobernar, Pulqueria se casó con un soldado inteligente y valiente de origen oscuro, Marciano de Tracia. El gobierno del Imperio requería grandes dosis de valentía para manejar los peligrosos asuntos políticos y militares, ya que Pulqueria prefirió ocuparse de los espirituales. En cuanto a inteligencia, Marciano no se interesaba en absoluto por los negocios doctrinales y, además, su mujer no estaba dispuesta a tolerar que interfiriese en sus decisiones religiosas. Así llegaron a un acuerdo de matrimonio místico de conveniencia, en el que ella podría mantener su voto de castidad y él recibiría la corona imperial. Cuando fue coronado emperador de Oriente, Marciano mandó inscribir en su palacio, con letras de oro, esta frase digna de las Naciones Unidas: "Los reyes no deben hacer la guerra cuando puedan obtener la paz."

Si el objetivo de Marciano era conseguir la paz, el de Pulqueria era eliminar a Eutiques y poner en su lugar a un patriarca que aceptase la doctrina de las dos naturalezas de Cristo. Pero no podía hacer que lo decapitasen como a Crisafo, porque Eutiques era muy querido por clérigos y seglares. Era preciso eliminarle por medios espirituales, es decir, convocar un concilio que le proclamara hereje y le destituyera de su cargo.

CONCILIOS Y CONTRACONCILIOS

Antes de morir, Teodosio II había tenido enormes dudas acerca de cuál sería la verdad entre tantas cavilaciones sobre las naturalezas de Cristo. Los concilios y contraconcilios que se celebraban no solamente giraban en torno a los asuntos piadosos, sino a la lucha por el poder, como ya había denunciado Tertuliano en su momento: "La rivalidad en el episcopado es la madre de las escisiones."

El hecho de que un número de clérigos se agrupase bajo la bandera del monofisismo y otro grupo bajo la del duofisismo suponía que, si el monofisismo era declarado dogma de fe, sus partidarios ascendían automáticamente al poder, su líder se convertía en patriarca y los demás, en obispos, mientras que los contrarios, al ser declarada su doctrina herética, eran excomulgados y exiliados, lo que conllevaba el embargo de sus bienes.

Esto es lo que sucedió en Constantinopla siendo Nestorio patriarca y teniendo de su parte a la mayoría de los clérigos, todos ellos partidarios de que María era madre solamente de la naturaleza humana de Cristo[3].

Pero el obispo de Alejandría, Cirilo, no estaba de acuerdo. Empezó por escribir largas cartas a Nestorio exponiéndole argumentos convincentes acerca de la coexistencia de dos naturalezas en Cristo, unidas de forma "hipostática," que era la fórmula que había discurrido para dilucidar aquel asunto. Cirilo envió también al papa Celestino sus conclusiones, y este falló a su favor, es decir, condenó a Nestorio en el concilio de Roma, aquel que

---

[3] Eutiques negaba que Cristo tuviera dos naturalezas, divina y humana. Nestorio aceptaba que tuviera dos naturalezas, pero negaba que María pudiera ser madre de la naturaleza divina, porque Dios no puede proceder de mujer.

entretuvo a Gala Placidia mientras Genserico asomaba a las puertas del Imperio. Y como ya Valentiniano III había proclamado el edicto que daba a Roma la supremacía, había que acatar la decisión del papa.

Naturalmente, Nestorio no la acató, porque a él no le habían convencido en absoluto los argumentos de su oponente. Entonces Cirilo pidió a Teodosio, es decir, a Pulqueria, que convocara un concilio ecuménico en Éfeso en 431, al que acudió con varias docenas de obispos que participaban de su parecer y con una turba de monjes fanáticos y belicosos dispuestos a "convencer" a los partidarios de Nestorio. Detrás de ellos llegaron varios carros cargados de regalos preciosos encaminados a poner de su parte a los representantes imperiales. Dice el historiador ruso Bolotov que los recursos de que disponía Cirilo le daban la posibilidad de sobornar a los eunucos de la corte imperial y que solamente los presentes destinados a los cortesanos hubieran costado al menos un millón de rublos de oro.

Y cuenta el mismo historiador que uno de los "argumentos" utilizados por Cirilo para convencer al emperador Teodosio de la bondad de su doctrina fue dificultar el transporte de cereales de Egipto a Constantinopla. No olvidemos que Cirilo era obispo de Alejandría. Aquel hecho provocó revueltas populares que obligaron al Emperador a transigir con las demandas del Obispo (A. KRYVELE. *Historia Atea de las Religiones*).

Cirilo tuvo la suerte de que algunos obispos orientales llegasen tarde a Éfeso, por lo que pudo abrir el concilio en su ausencia, leer rápidamente sus tesis y exigir que se aprobasen en aquella misma jornada, al mismo tiempo que se suscribía la condena y deposición de Nestorio.

Cuando llegaron los obispos retrasados, su dirigente, Juan de Antioquia, organizó un contraconcilio que dictaminó lo opuesto de lo proclamado en el concilio de Éfeso, incluyendo la deposición y excomunión de los oponentes. Y todo ello acompañado de tumultos populares, porque el pueblo bizantino era muy dado a participar en los debates religiosos y se tomaba las controversias místicas del mismo modo que hoy se toman los asuntos deportivos. Las actuales luchas entre partidarios de los clubes o peñas futbolísticos son heredadas de aquellas batallas campales que se organizaban en nombre de uno u otro líder religioso y de su creencia.

En aquel caso, lo que impulsaba al pueblo a intervenir en contra de Nestorio era la maternidad divina de María, y lo que impulsaba a los clérigos alejandrinos era el interés por conseguir el dominio del mundo cristiano para la Iglesia egipcia.

No sabemos si fue Teodosio o su hermana Pulqueria quien decidió acabar con la controversia y cerrar ambas asambleas, porque empezaban a desarrollarse sesiones simultáneas en el concilio y en el contraconcilio, en las que unas condenaban a las otras. El perdedor final de la contienda fue Nestorio, quien resultó exiliado, y sus seguidores deportados a Persia, adonde partieron llevando consigo la Escuela Metódica de Medicina que un día rendiría un gran servicio cultural a Occidente, porque los persas sasánidas se mostraron mucho más tolerantes que los cristianos y pusieron a disposición de los exiliados todos los medios necesarios y los recursos de la ciudad de Gondisapor, donde pudieron desarrollar tanto su secta religiosa como sus estudios científicos. Siglos más tarde, los árabes recogerían aquellos estudios junto con textos de los autores clásicos, para traducirlos y llevarlos consigo a la España musulmana.

A pesar del destierro, de la excomunión y del cierre de las asambleas, el asunto coleó hasta 433, porque Cirilo desde Alejandría y Juan desde Antioquia siguieron discutiendo hasta que intervino un ermitaño famoso, Simeón el Estilita, aquel que, según Teodoreto, vivía en lo alto de una columna de 17 metros de altura que le aislaba del mundo. El Estilita, cuya autoridad nadie ponía por entonces en duda por más que hoy nos hubiera parecido un delirante, hizo firmar a los dos oponentes un documento llamado

El concilio de Éfeso proclamó herética la teoría de Nestorio, a quien excomulgó y deportó a Siria. Él y sus seguidores se refugiaron tiempo después en Persia, donde fundaron la escuela de medicina de Gondisapor.

Fórmula de acuerdo en virtud del cual se terminaron las discusiones, pero solo de momento, porque el asunto siguió en pie muchos siglos después. Los nestorianos extendieron su doctrina entre los cristianos de Persia, de China, de Palestina y de Arabia. Incluso se ha dicho que todo lo que Mahoma sabía sobre el cristianismo lo había aprendido de ellos.

Los partidarios de Cirilo encontraron poco después un nuevo oponente, un tal Eutiques, un monje dispuesto a dejarse matar antes que admitir que en Jesucristo pudiera haber una naturaleza divina que coexistiera con la humana en forma hipostática. Hemos visto a Eutiques siendo patriarca de Constantinopla en tiempos de Teodosio II.

Al morir Cirilo, le sustituyó Dióscoro, quien continuó la lucha para hacer sobresalir la iglesia de Alejandría por encima de las demás Iglesias. Pero lo hizo a su manera, porque ya no se trataba de si Cristo tenía una sola o dos naturalezas, sino de la forma en que ambas coexistían, como había discurrido Cirilo. Dado que Dióscoro no alcanzó a desentrañar las propuestas de Cirilo, entendió que Cristo tenía una sola naturaleza y en eso acertó a ponerse de acuerdo con Eutiques.

Volvieron, pues, las discusiones, los disturbios callejeros, las turbas de monjes, las facciones y las presiones sobre el emperador, hasta conseguir convocar un segundo concilio en Éfeso en el año 449. En él, Dióscoro y Eutiques condenaron a todos los que se atrevieran a dividir en dos la naturaleza de Cristo. La consigna del nuevo concilio fue "Partid en dos a los que dividen en dos la naturaleza de Cristo". Eutiques ascendió a la silla patriarcal de Constantinopla, y Dióscoro, a la de Alejandría.

Entonces fue cuando murieron Gala Placidia en Occidente y Teodosio el Joven en Oriente, y Pulqueria se hizo con todo el poder, esta vez definitivo, porque se casó con Marciano para evitar intrusiones.

Por entonces, Cristo tenía una sola naturaleza y todo Oriente adoraba en él la naturaleza encarnada del Verbo. Pero había dos personas que opinaban que tenía dos. Una era el papa León I que, aunque más diplomático y militar que religioso como demostró con Atila y Genserico, hay que suponerle al menos autoridad para opinar sobre cosas divinas. La otra era la emperatriz Pulqueria quien coincidió con la opinión del papa, por lo que sus ideas triunfaron.

Por un lado, la iglesia de Alejandría había alcanzado un poderío que empezaba a hacer daño a Constantinopla, porque Marciano había decidido, como Constantino anteriormente y como Justiniano posteriormente, hacer de ella una nueva Roma, la *Nea Roma Constantinopolitana*. Por tanto, había que quitarle poder a los egipcios y demostrarles que era Constantinopla quien decidía si Cristo tenía una naturaleza o dos.

Por otro lado, Pulqueria estaba segura de que tenía dos, por lo que era necesario proclamarlo dogma de fe, para que ella se viera libre de herejía.

La proclamación de las dos naturalezas de Cristo tenía, según vemos, dos vertientes. Por una parte, se disminuía el poder de la Iglesia de Alejandría al decidir que sus ideas eran heréticas y al deponer y excomulgar a Dióscoro, su patriarca. Por otra parte, la emperatriz podría tener la conciencia tranquila en cuanto a sus creencias y, además, podría eliminar a Eutiques, quien no solo era su oponente ideológico, sino amigo de aquel aborrecido Crisafo.

Por último, el obispo Dióscoro que ya dijimos que no había entendido los argumentos teológicos de Cirilo, tergiversó varios asuntos que se atrevió a discutir con el papa León I y este decidió que era preciso deshacerse de tan funesto personaje. Después de largas discusiones, el Papa emitió un documento en el que denominó al último concilio de Éfeso el "Latrocinio de Éfeso," un concilio celebrado para "robar la verdad," al que Marciano denominó a su vez "Concilio de los Desalmados," suponemos que por sugerencia de Pulqueria. Él era un soldado y seguramente tanto le daría que Cristo tuviera una naturaleza como dos.

Así pues, ya tenían enfrente los monofisitas a tres enemigos poderosos. Pulqueria convocó un nuevo concilio ecuménico, aquella vez en Calcedonia, en octubre de 451. Roma envió una

Al morir Teodosio II,
su hermana Pulqueria
se casó con un militar tosco y
honrado, Marciano,
en cuyo nombre ejerció el
cesaropapismo, llegando
a organizar los concilios
ecuménicos de Éfeso y
Calcedonia.

pequeña delegación presidida por el obispo de Sicilia, Lilibeo. Pequeña, porque el Papa no estaba muy conforme con que el concilio se celebrase en Oriente. Él hubiera querido celebrarlo en Occidente, pero hasta allí no hubiera llegado la influencia de Pulqueria.

Sin embargo, oficialmente no fue Pulqueria quien lo convocó, sino el Papa, después de recibir una serie de cartas firmadas por Marciano, en las que le llamaba "reverendísimo obispo de la no menos victoriosa ciudad de Roma," después de proclamarse él y de proclamar al débil Valentiniano III "victoriosos, triunfadores augustos y siempre llenos de gloria."

El concilio de Calcedonia obligó a todas las Iglesias de Oriente a aceptar la cristología de la iglesia de Occidente, es decir las dos naturalezas de Cristo y la forma en que ambas coexisten, que tiene cuatro bases: indisolubilidad, inmutabilidad, inseparabilidad e indivisibilidad. Ambas naturalezas conviven en una sola persona.

Después vendrían las emperatrices Aelia Zenonis y Teodora y los patriarcas Focio y Miguel Cerulario a proclamar todo lo contrario, es decir que en Cristo no hay más que una naturaleza, porque la divina absorbe la humana, y que la idea de que ambas conviven de forma hipostática era un sofisma inventado por Cirilo y sostenido por los zafios e incultos clérigos latinos.

Por su parte, las Iglesias de Antioquia, Armenia y Egipto nunca aceptaron la resolución de Calcedonia, llegando incluso a levantarse una multitud en Alejandría contra el sucesor del depuesto Dióscoro, Proterio de Calcedonia. Hubo derramamiento de sangre, pero finalmente se sofocó la revuelta. En Palestina, los sublevados monofisitas bajo el liderazgo del monje Teodosio mantuvieron una lucha armada durante años contra los soldados imperiales, no porque el emperador Marciano tuviera interés alguno en imponer las resoluciones del concilio de Calcedonia, que seguramente solo su esposa comprendía y compartía, sino porque, para él, el hecho de que no se aceptaran tales resoluciones en Palestina o Egipto suponía una disidencia grave, es decir, un peligro para la unidad política y, por tanto, para la corona.

Todo esto desembocó en una división de las Iglesias "no calcedonianas," ya a finales del siglo VI, que separó Armenia, Persia, Siria, Etiopía y la Iglesia copta de Egipto, las cuales permanecen separadas actualmente.

Esta división doctrinal sería otra de las bases teológicas que separarían para siempre la Iglesia de Oriente y la de Occidente en el cisma definitivo del siglo XI. Pero la decisión que no gustó en absoluto al papa León I fue la que separaba los intereses de las dos emperatrices, Gala Placidia y Pulqueria. Para contrarrestar el edicto por el que Valentiniano, mejor dicho, Gala Placidia, había proclamado en Occidente la supremacía de Roma, el concilio de Calcedonia elaboró el canon número 28, según el cual, al tener Constantinopla al emperador y al Senado consigo, su obispo debía tener prerrogativas especiales y ser el segundo en rango después del de Roma. Por tanto, solo el obispo de Constantinopla podía consagrar a los obispos de las diócesis de Ponto, Asia y Capadocia.

Los delegados papales protestaron alegando que el papa León I les había dado instrucciones claras sobre este extremo, porque el canon 28 violaba las prerrogativas de los patriarcas de Alejandría, Antioquia y Jerusalén.

Nadie les hizo caso, porque precisamente era eso lo que Constantinopla perseguía. Eutiques y Dióscoro fueron desterrados.

EL CONCILIO DE LOS DESALMADOS

El concilio celebrado en Éfeso en 449 tuvo sesiones que merece la pena citar. Se habla de terrores y desórdenes, de un tal Varsuna que encabezó el grupo de monjes fanáticos que apalearon al principal oponente de Dióscoro, Flaviano, al que el mismo Dióscoro pateó personalmente.

Cuentan que los padres conciliares tuvieron que firmar, bajo amenazas, una hoja en blanco y que, a los que se negaron, los notarios les pincharon con puntas metálicas. Rábbulas, obispo de Edesa, aseguró que firmaron un papel en blanco porque les hicie-

LOS CONCILIOS

"Concilio" es la traducción latina de la palabra griega "sínodo", aplicada a una reunión o asamblea deliberativa. El concilio o sínodo es la asamblea de los obispos, sucesores de los apóstoles, a quienes Cristo aseguró asistir siempre que se reunieran. En Mateo 28,20 podemos leer: "He aquí que yo estoy con vosotros todos los días hasta la consumación de los siglos". En Mateo 18,20 podemos asimismo leer la promesa de Jesús de estar en medio de los suyos, siempre que se reunieran dos o tres.

La asistencia de Cristo y del Espíritu Santo a la asamblea de los apóstoles y, posteriormente, a la de sus sucesores los obispos es la base de la infalibilidad de la Iglesia cuando se pronuncia en concilio sobre fe, moral o costumbres.

Históricamente, los primeros concilios de la Iglesia datan del siglo II y tuvieron lugar en Oriente, siendo convocados para combatir errores o herejías. En el siglo III sabemos que se convocaron numerosos concilios en Cartago y Antioquia, a los que acudían obispos de muchas provincias del imperio.

A partir del siglo IV, los concilios se multiplicaron no solamente en Oriente, sino también en Occidente, incluso antes de que Constantino emitiera el Edicto de Milán permitiendo todos los cultos y religiones.

ron muchas cosas desagradables, que pusieron su sello no voluntariamente, sino porque les mantuvieron encerrados en la iglesia amenazados por soldados con palos y por monjes violentos.

Hay historiadores que disienten de este hecho. Una de las versiones es que Rábbulas firmó el acta convencido de que Dióscoro tenía razón, pero que más tarde se arrepintió y comprendió que la razón estaba de parte de Cirilo, por lo que se avino a firmar en el concilio de Calcedonia lo contrario de lo que había firmado en Éfeso (*Enciclopedia Católica*. Edición en línea).

Lo mismo les pudo suceder a cuantos firmaron la doctrina opuesta en Calcedonia, porque para entonces habían aparecido ya los escritos de un famoso teólogo llamado Teodoro de Mopsuestia, quien supo demostrar con más claridad que Cirilo la teoría de la existencia hipostática de la naturaleza divina de Cristo con la humana. Por este y otros motivos, Cirilo fue elevado a los altares. Y también Pulqueria, como virgen y santa.

Pero, para otros, los malos modales empleados en el segundo Concilio de Éfeso fueron similares a los empleados en el primero, en 431, cuando Cirilo acudió con regalos, guardaespaldas y su turba de monjes violentos. Probablemente se tratase de la misma turba de monjes fanáticos y asesinos que destrozaron el cuerpo de Hipatia de Alejandría con caracoles afilados, hasta que murió desangrada. Y la mataron por ser mujer, matemática, filósofa y, además, pagana, y por negarse a abrazar el cristianismo y a rechazar el conocimiento griego. Lo cuenta Sócrates el Escolástico, historiador cristiano del siglo V. Edward Gibbons sugiere que fue San Cirilo quien azuzó a los monjes, celoso de la influencia y de la popularidad de Hipatia.

AELIA ZENONIS, UNA MALA INFLUENCIA

Por mucho que los padres conciliares insistieran en condenar el monofisismo, siempre hubo un frente de resistencia que se fue prolongando a lo largo de los siglos. Hemos hablado anteriormente de Eutiques, que fue patriarca de Constantinopla en tiempos de Teodosio II, monofisita hasta la médula, condenado por hereje y desterrado junto con sus seguidores y con los seguidores de la doctrina monofisita que ya dijimos que eran muchos, siendo, por cierto, los más intransigentes los seguidores de Eutiques.

A la muerte de Marciano en 457, le sucedió León I que era de origen isáurico. Los isáuricos procedían de Isauria, una región de Asia Menor que, según Juan Luis Posadas, estaba habitada por gentes incultas y montaraces, lo que las hacía muy belicosas. Una de las empresas de León I fue castigar a Genserico, el jefe de los vándalos al que vimos anteriormente relamiéndose ante el abundante botín de Roma. Además de saquear la Urbe, el vándalo se había atrevido a raptar a la emperatriz viuda Licinia Eudoxia, aquella hija de Teodosio II y Eudocia que se había casado con el débil Valentiniano III, quien, por cierto, había sido asesinado durante unas prácticas de tiro con arco en el año 455, en represalia por haber permitido el saqueo vándalo de Roma. Sus propios guardias, amotinados, se ocuparon de eliminarlo.

La expedición que se envió a Cartago, capital de los vándalos, para castigar a Genserico fue muy grande para la época. Se habla de una operación anfibia de más de 1.000 naves con más de 100.000 soldados. Fue importante pero resultó un fracaso estrepitoso. El emperador León I prestó atención a las sugerencias de su esposa Aelia Verina y nombró general de todo aquel ejército a Flavio Basilisco, hermano de la emperatriz, quien sufrió una derrota espectacular por parte de Genserico, que era un gran militar y un buen estratega. Basilisco terminó huyendo y regresando a Constantinopla con tal halo de cobardía y descalabro que el pueblo intentó lincharse y tuvo que refugiarse en recinto sagrado para salvar la vida, concretamente en la basílica de Santa Sofía. No sería la última vez que recurriera a suelo santo para librarse.

La mancha de la derrota cayó sobre Basilisco, pero no sobre el emperador, porque los isáuricos continuaron ganando poder en Bizancio. A la muerte de León I le sucedió Zenón, que se había casado con su hija Ariadna. Y cuentan que su reinado fue tan opresivo y dictatorial que, a pesar de haber dado fin a la guerra contra los vándalos, el nuevo emperador se hizo sumamente impopular. Además del rechazo del pueblo, Zenón hubo de enfrentarse a los intereses de Aelia Verina, quien deseaba el trono para su amante, Patricio, y también a los del mismo Basilisco, que ya había probado las mieles del poder en una ocasión y no quería renunciar a alcanzar la cúspide.

Pero, además, Zenón tenía un enemigo con el que no había contado, Ilo, isáurico como él y general muy apreciado por la tropa. Ilo sí contaba con el apoyo del Senado y de la Iglesia así como con el del Ejército. Tres pilares que se unieron para empujar a Basilisco a arrojar a Zenón del trono de Bizancio y a ocuparlo mediante una usurpación aceptada y bendecida, porque Basilisco fue coronado emperador el 9 de enero del año 475.

Zenón fue emperador de Bizancio en dos ocasiones. Destronado por el usurpador
Flavio Basilisco, recuperó el trono al cabo de veinte meses.
Su venganza fue terrible.

Entonces fue cuando se empezó a sentir la influencia de la nueva emperatriz, Aelia Zenonis, una mujer que no hubiera sobresalido en la Historia de no haber sido por sus dos grandes debilidades: su amante, el joven Armacio, sobrino, por cierto, de su esposo, y su fe ciega y férrea en la doctrina monofisita, la de Eutiques, el patriarca condenado por hereje.

Aelia Zenonis movió los hilos de su influencia sobre el emperador para conseguir dos objetivos: el nombramiento para el joven Armacio de *magister militum,* algo así como comandante en jefe de los ejércitos, y la anulación de la condena que pesaba sobre Eutiques y sus seguidores, lo que suponía su rehabilitación.

Lo malo era que, si Eutiques no era hereje, los que le habían condenado debían serlo, porque defendían doctrinas opuestas. Es decir, si Cristo resultaba tener una sola naturaleza, la afirmación de que tenía dos según varios concilios dejaría de ser cierta y, por tanto, sus seguidores se convertirían en herejes. Esto sucedió, como vemos y seguiremos viendo, en varias ocasiones, porque después de Aelia Zenonis aún vendría otra emperatriz, Teodora, a reivindicar la doctrina del monofisismo.

A todo esto, Basilisco ya había empezado a cavar su propia tumba. Dicen que, ya el mismo día de su coronación, un oráculo auguró que su reinado no duraría ni dos años. Duró veinte meses. El primer paso hacia su perdición fue enemistarse con su propia hermana, la viuda de León I, Aelia Verina, que conservaba numerosos apoyos y amistades de los isáuricos. Pero Basilisco, tan pronto accedió al trono de Bizancio, decidió eliminar a todos aquellos que pudieran hacerle sombra o disputarle la corona y precisamente uno de ellos fue Patricio, el joven de quien la viuda de León I estaba perdidamente enamorada y para quien había deseado el trono. Basilisco le hizo asesinar con lo que se ganó no solamente la enemistad, sino el odio de su hermana.

El segundo paso hacia el fin se lo proporcionó su propia esposa con su insistencia en hacer regresar del exilio a los seguidores de Eutiques. Cuenta Zacarías Escolástico, obispo de Mitilene, que, al conocerse la muerte del emperador León I, un grupo de monjes egipcios monofisitas intransigentes, seguidores de Eutiques, habían viajado desde Alejandría a Constantinopla para entregar al nuevo emperador, Zenón, una solicitud a favor del restablecimiento de su doctrina y la propuesta de un nuevo patriarca, Timoteo, pero comoquiera que al llegar a Constantinopla se encontraron con que Zenón había sido destronado por Basilisco, acudieron al nuevo emperador. Y, precisamente, uno de los monjes egipcios tenía un hermano que gozaba del favor de Basilisco. Teoctisto, el médico imperial. Entre él y la emperatriz le convencieron para que retirase la pena de exilio a los eutiquianos.

Pero aceptar el monofisismo suponía enfrentarse a la Iglesia, no solamente a la oriental, sino también a la occidental, porque ambas habían suscrito el concilio de Calcedonia en el que se condenó esa doctrina. No obstante, Basilisco publicó un edicto anulando las condenas que los concilios anteriores habían impuesto a Dióscoro y a Eutiques, lo cual sentó muy mal a la Iglesia. Lo peor fue que Aelia Zenonis no se conformó con un decreto, sino que pretendió a toda costa convocar un concilio que revocara lo acordado por Calcedonia. Aquel fue el segundo paso hacia la pérdida del trono.

Y el tercer paso, el definitivo, lo procuró un personaje siniestro, su propio sobrino Armacio. Dicen que era joven y bello, afeminado, insustancial, vanidoso y cruel. La emperatriz y él se enamoraron tan pronto se conocieron y mantuvieron un largo romance gracias a las artimañas de Daniel, un eunuco complaciente, y María, la partera que había ayudado a Aelia Zenonis a dar a luz a sus tres hijos, Marco, Zenón y León. Entre los dos facilitaron encuentros frecuentes en los que la pareja se entregaba a los más dulces deleites. Ella le protegió, como vimos, obteniendo para él el cargo de *magister militum* y cuantas prebendas pudo conseguir. Él, por su parte, hizo ostentación de aquellos favores, pavoneándose ante la tropa y el pueblo, que le puso un apodo burlón, "mejillas sonrosadas," algo que no iba nada bien con un comandante en jefe del ejército, pero que Armacio, estúpido y vano, tomó como un cumplido.

LOS OSTROGODOS

Después de Odoacro reinó un ostrogodo, Teodorico, siguiendo la línea de actuación de la época, es decir, matando con sus propias manos al gobernante anterior.

En tiempos de Teodorico, los ostrogodos se habían asentado en los Balcanes y el emperador Zenón, temiendo la amenaza que suponían para el Imperio, animó a Teodorico a que conquistase toda Italia. Roma había seguido más de una vez la política de enfrentar a sus enemigos entre sí y espolear a los unos contra los otros.

En aquel caso, tal política fue un acierto, hasta el punto de que Teodorico se identificó con la cultura romana, vistió la toga y nombró consejeros a dos romanos nobles y cultos, Boecio y Casiodoro.

Pero Teodorico no triunfó porque no intentó unificar los restos del Imperio de Occidente, sino que quiso crear una confederación de estados germanos. Se lo impidió el rey de los francos, Clodoveo, quien no se mostró dispuesto a formar parte de otro reino ni estado, sino de regentar el suyo propio.

Los numerosos favores que Basilisco concedió a los partidarios de Eutiques, a instancias de su esposa, le costaron caros. Su intento de convocar el nuevo concilio levantó a la Iglesia y al ejército. En aquella ocasión los griegos se aliaron con los ostrogodos para devolver el trono al emperador destronado, Zenón, que se había refugiado en Isauria.

Coaligados, pues, decidieron coronarle nuevamente, lo que produjo el segundo enfrentamiento entre Basilisco y Zenón, pero aquella vez todo estaba a favor de Zenón. Por muy impopular que hubiera sido en su día, al menos no tocaría el orden religioso establecido, algo que ya dijimos que iba unido íntimamente a la política, tanto a nivel del gobierno como a nivel del pueblo. La lucha no fue larga pero tuvo consecuencias funestas para Basilisco y su familia, y también para Roma.

Huyendo de su enemigo, Basilisco se refugió por segunda vez en la basílica de Santa Sofía, junto con su esposa Aelia Zenonis, su hijo Marco que ya había sido declarado césar y asociado al trono como co-augusto, y sus otros dos hijos Zenón y León.

El único socorro que podían esperar, al menos la Augusta, era el de Armacio, quien, como dijimos, era *magister militum,* pero ya Zenón se había ocupado de incitarle a pasarse a sus filas, prometiéndole mantenerle en el cargo de forma vitalicia y, además, nombrar césar a su hijo que, irónicamente, también se llamaba Basilisco.

No hubo auxilio, por tanto, solamente hubo negociaciones. Se prometió el perdón a toda la familia imperial si accedían a salir del recinto sagrado de Santa Sofía, donde ningún militar hubiera osado entrar a prenderles, pero, una vez que salieron, los apresaron y los enviaron a Cucusus, en Capadocia, donde Zenón les hizo encerrar en una cisterna previamente vacía y seca. Allí murieron de hambre, de sed y de frío.

En cuanto a Roma, el hecho de hallarse peleando Zenón y Basilisco les distrajo de lo que estaba sucediendo en la *Pars Occidentalis* del Imperio donde Odoacro, el jefe de los hérulos, depuso al último emperador romano, Rómulo Augústulo, quien esperó en vano la ayuda del emperador de Oriente. Así se perdió el Imperio de Occidente, porque Zenón llegó tarde y lo único que pudo hacer fue nombrar duce de Italia a Odoacro. Esto pasó en septiembre de 476.

El traidor Armacio tuvo, no obstante, su recompensa, aunque por poco tiempo, porque cuando exigió lo que le habían prometido, su hijo Basilisco recibió el nombramiento de césar y él se mantuvo como *magister militum* el resto de su vida, que resultó mucho más corta de lo esperado, ya que Ilo, el isáurico, convenció a Zenón para quitar de en medio a tan desleal personaje. El hermano de Odoacro, Onulfo, que era *magister milutum* de Iliria, se ocupó de asesinarlo. Su hijo Basilisco debió espantarse del visible futuro que le esperaba, porque renunció al poder y entró en un monasterio.

La basílica de Santa Sofía fue erigida en Constantinopla por Constantino I y engrandecida por Justiniano I. Está dedicada a la Santa Sabiduría de Dios. En ella se refugió por dos veces el emperador Flavio Basilisco huyendo de la muerte.

También Zenón aprendió la lección, porque cuando los monofisitas de Alejandría se dirigieron a él para presentarle la candidatura de un tal Pedro Mongo como patriarca, el emperador no solamente se negó a reponer cargos monofisitas, sino que hizo detener a Pedro Mongo y, además, en 482, publicó un documento llamado *Henotikon,* una carta imperial dirigida a los obispos, clérigos, monjes y seglares de Alejandría, Egipto, Libia y Pentápolis, en el que aprobaba los doce anatemas que Cirilo de Alejandría emitió en su momento en contra del monofisismo, y en el que también proclamaba la única verdad de Calcedonia y ratificaba las condenas contra Nestorio y Eutiques.

Aquel documento sirvió, sin duda, para mantener a Zenón a salvo de sospechas de monofisismo, algo que tan caro le costó a Basilisco. Sin embargo, no sirvió para nada más porque ni Pedro Mongo en Alejandría ni Calendión en Antioquía ni muchos otros en otras iglesias orientales aceptaron la orden imperial que les conminaba a abandonar el monofisismo. Ya dijimos que Oriente contó siempre con filósofos y pensadores dispuestos a oponer sus propias elucubraciones a las elucubraciones oficiales.

TEODORA, MUJER FATAL Y ARCHIPAPISA

Como todo personaje destacado, sobre todo siendo mujer, Teodora, la más famosa de las emperatrices de Bizancio, tuvo sus detractores, como también los tuvieron Lucrecia Borgia y Catalina de Rusia. El detractor más conocido de estas últimas fue Víctor Hugo. El de Teodora, Procopio de Cesarea, quien, en su *Historia Secreta,* describió con todo lujo de detalles los métodos de los que Teodora, la más depravada de todas las cortesanas, se valió para enamorar a Justiniano. A la luz de la historia parece que los inconmensurables pecados de Teodora se redujeron, antes de casarse, a aparecer en el teatro con escasa ropa, además de a coquetear con actores y personajes del mundo teatral. Procopio dice de ella que abortó varias veces y narra otras intimidades que no sabemos cómo consiguió averiguar. Cuando el emperador la conoció se enamoró de ella hasta el punto de modificar la legislación para poder elevarla al trono.

Fuera como fuera, lo que sí parece cierto es que Teodora, una vez elevada al rango de emperatriz, se dedicó a las obras benéficas, fundó hospicios, hospitales, albergues para peregrinos y casas de acogida para mujeres arrepentidas. También parece que, antes de casarse, no solamente se dedicó a enseñar su intimidad en los escenarios, sino que fue una bailarina de talento, que viajó con una *troupe* de artistas célebres en su tiempo, muchos de los cuales llegaron a alcanzar una posición elevada en la corte de Bizancio, como Johana, Crisomalia, Macedonia, María y Antonina, esta última, esposa del general Belisario. Además, Teodora influyó en su esposo para la implantación de una serie de leyes que protegieran a las mujeres de Bizancio, como la pena de muerte para los violadores, la capacidad de la mujer para administrar su herencia y otras de esa índole. Ella fue quien animó a Justiniano a defender su trono de los rebeldes en la Sedición de la Nika, y sabemos que le aconsejó la elección de asesores humildes pero eficaces, en lugar de los encumbrados y corruptos que solían abundar.

No debió de ser ni tan depravada como la pintó Procopio ni tan bondadosa como la han descrito otros historiadores basados en testimonios agradecidos. Lo cierto es que, si Justiniano intervino en los negocios espirituales de la Iglesia, su mujer no fue menos y dejó una huella muy profunda sobre todo en la historia de dos papas, Silverio y Virgilio. No en vano, el historiador Mauricio de la Chàtre la llamó "archipapisa."

EL IMPERIALISMO DE JUSTINIANO

El tránsito entre el imperio antiguo y el medieval tiene un nombre: Justiniano, quien reinó entre 527 y 565 y fue el único emperador bizantino que adoptó una actitud claramente imperialista respecto al mundo conocido, es decir, al mundo mediterráneo. Su política expansionista y su actividad, tanto administrativa como jurídica, tuvieron un objetivo claro: reconstruir el Imperio Romano con todo su esplendor, pero no solo en lo territorial y político, sino también en lo cultural.

Lo primero que hizo fue restablecer la paz con los persas, que era el imperio con el que siempre estaba Bizancio en pugna. Después se dedicó a restituir la unidad marítima del Imperio Romano, lo que llevaron a cabo los generales Narsés y Belisario con bastante éxito.

En 533, desmantelaron las bases de los vándalos en África y en Sicilia. Recordemos que África era un centro importante para la Iglesia cristiana, pues de allí procedían muchos de los Santos Padres, como San Agustín, que fue obispo de Cartago, y, además, los obispos africanos tenían mucha fuerza. Después veremos que llegaron a excomulgar al papa Virgilio I. Y la Iglesia de Alejandría, en Egipto, tuvo también una gran importancia para Oriente, como hemos visto en los episodios protagonizados por San Cirilo.

En 539, Belisario y Narsés terminaron con el reino ostrogodo de Rávena. Esta fue durante dos siglos la capital de la *Pars Occidentalis* del Imperio, y la basílica de San Vital era también un lugar de grandes devociones. Son famosos los mosaicos bizantinos que adornan San Vital y que representan a Justiniano y a Teodora con sus respectivos séquitos, aunque parece que la emperatriz nunca se decidió a viajar a Rávena. No eran tiempos seguros.

Cuando Belisario reconquistó Rávena la convirtió en la sede de un exarcado. También reconquistó parte de la Hispania romana, desde el Guadalquivir hasta el Júcar. Pero esto no lo hizo el mismo Belisario, sino el general Liberio, que tenía su base en las Baleares.

Es una lástima que tanto esfuerzo y tanta reconquista no perdurasen, porque los sucesores de Justiniano tuvieron que abandonar los territorios occidentales ante el avance imparable de los musulmanes aglutinados por Mahoma bajo el estandarte de una única religión y animados por el *Corán* a pelear contra los infieles.

Pero Justiniano no se limitó a restaurar el imperio física y políticamente, sino que también hizo compilar, con la dirección de Triboniano, un importante cuerpo de textos legales, el *Corpus Iuris Civilis*, que constituyeron la base jurídica para la restauración del Derecho en la Edad Media. Algo que se había perdido y que estaba haciendo mucha falta en Occidente.

De forma indirecta, Justiniano fue responsable de la decadencia de Atenas y de que aquella urbe, que había sido el referente cultural más importante durante siglos, se convirtiera en una ciudad apagada y aburrida. La reconversión de los templos paganos en iglesias cristianas y de los sabios paganos en profesores cristianos obligó a los más tenaces a emigrar a Persia, cuyos gobernantes ya dijimos anteriormente que eran mucho más tolerantes.

Hemos hablado del cesaropapismo y de cómo llegó a su punto culminante en la persona de Justiniano. Probablemente fue el emperador que más intervino en los asuntos de religión y que más contribuyó a la profunda brecha que se fue haciendo cada vez más honda entre la iglesia de Oriente y la de Occidente y que, como hemos dicho, culminó con el cisma de Oriente.

LAS DEBILIDADES DE JUSTINIANO

Los críticos y los comentaristas se pusieron de acuerdo en su día en que la única debilidad de Justiniano había sido casarse con Teodora, unos años antes de acceder al trono imperial.

Pero, para unos, esa debilidad era indigna de quien encabezaba un imperio cristiano, del representante de Dios en la tierra, mientras que, para otros, Justiniano había dejado al menos ver que era un ser humano, un hombre capaz de enamorarse hasta el punto de elevar al trono imperial a una mujer de mala fama, y que no era solo un frío y calculador estadista sin otros intereses que la expansión del imperio.

Para compensar su debilidad ante los que no le creían digno de representar a Dios, Justiniano emprendió la obra religiosa más importante de Constantinopla, tanto, que superó a Santa Sofía, hasta entonces tenida por la mejor: la iglesia de los Santos Mártires Sergio y Baco.

No parecen unos santos demasiado conocidos, pero decían que habían sido mártires en tiempos de Maximiano, y Justiniano les tenía un fervor especial porque, según él, le habían salvado de la pena de muerte cuando, antes de ser emperador, había conspirado contra el entonces emperador Anastasio, junto con su tío Justino.

Cuentan que, justamente la víspera de la ejecución, los Santos Sergio y Baco se habían aparecido al emperador Anastasio ordenándole perdonar la vida a los conspiradores. Aunque tal aparición no sea más que una leyenda, lo que sí sabemos es que el anciano emperador perdonó a los conjurados, porque Justino fue después emperador con el nombre de Justino I, y Justiniano le sucedió en el trono.

Por ese motivo tan importante, Justiniano puso la primera piedra de la iglesia dedicada a ambos mártires, en el mismo año de su coronación. Y fue tan hermosa y similar a la basílica de Santa Sofía, que la llamaron "la pequeña Santa Sofía." En su interior, Justiniano mandó poner una inscripción que honraba al mismo tiempo a los Santos Mártires y a su adorada esposa, su debilidad, porque la inscripción, después de alabar la valentía de los mártires, les ruega que mantengan alerta al soberano y que "aumenten las fuerzas de su consorte Teodora para que nunca se canse de socorrer a los necesitados."

Ya dijimos anteriormente que Teodora no debía ser en absoluto una mala mujer, porque había fundado un hospicio para mujeres arrepentidas, un hospital y un albergue para peregrinos. Y el emperador no solamente hizo mención de los actos piadosos de su esposa en la inscripción de la iglesia de los Santos Sergio y

La casa del papa se encuentra hoy en la Ciudad del Vaticano, pero en el siglo VI, hubo una casa del papa en Constantinopla, un palacio construido por Justiniano junto a la iglesia de los Santos Sergio y Baco, en la que se alojaban los papas cuando visitaban Bizancio.

Baco. Sabemos que el altar de Santa Sofía estaba cubierto por una magnífica tela con un bordado precioso que representaba a Teodora y a Justiniano visitando hospitales e iglesias.

Aparte del fervor y del agradecimiento que Justiniano pudiera sentir por los santos que le libraron de la pena capital, hubo también en la construcción de esta suntuosa iglesia otro interés que no emergió hasta algún tiempo después. Puesto que el centro litúrgico y político de la Iglesia de Occidente en Roma se centraba en el par de apóstoles San Pedro y San Pablo, Justiniano quiso asociar el par de mártires romanos San Sergio y San Baco al centro litúrgico y político de la Iglesia de Oriente en Constantinopla. Hay mapas antiguos de la ciudad que denominan a esta iglesia "casa del papa," *domus Papae,* porque en ella, mejor dicho, en un palacio adjunto a ella que mandó también construir Justiniano, residieron los legados papales y los mismos papas cuando visitaron Oriente.

Justiniano tuvo, pues, dos debilidades, su mujer y su religión. Si es cierto que bebió los vientos por su mujer, también lo es que se expuso a perder la corona por entretenerse en negocios religiosos, como dijimos en el capítulo I.

UNA ACTRIZ MONOFISITA

A pesar de lo que dijera Procopio de Cesarea, Teodora no fue una simple payasa o una bailarina vulgar, sino una actriz que brilló en el mundo teatral bizantino como hubiese brillado en otro siglo. Dice el historiador José Pijoán que fue una buena bailarina, similar a nuestras bailarinas de *ballet*. Al principio, actuó junto a su hermana, pero después pudo participar en representaciones muy importantes, gracias a los viajes que emprendió el grupo de artistas al que pertenecía. Cuenta Procopio que su padre fue Acacio, el guardián de las fieras del anfiteatro, y que Teodora debió de recibir la vocación artística del entorno en el que vivió de niña. También heredó de su padre algo muy importante, la herejía monofisita y la tendencia política del partido de los Verdes. Importante, porque

Justiniano apoyó al partido opuesto, el de los Azules, entre otras cosas porque eran duofisitas, es decir, creían en las dos naturalezas de Cristo. Pero ya hemos dicho que en Bizancio todo el mundo gustaba de pensar y de elucubrar y que, aunque una creencia fuera declarada herética, podía seguir teniendo adeptos.

Según Procopio, Teodora llegó a admirar a Bizancio por su gracia y su belleza y a escandalizarlo por sus terribles orgías. Pero esto último no solamente no es seguro, sino que pocos historiadores lo admiten.

Cuando murió Acacio dejó tres hijas, Comito, Teodora y Anastasia, la mayor, de 7 años. La madre volvió a casarse, pero Arsenio, que era el jefe del partido de los Verdes, no permitió que el nuevo padre de Teodora siguiera con el mismo trabajo que Acacio y entregó el puesto a otro que le había sobornado previamente para conseguirlo. El puesto de guardián de fieras debía de ser un cargo más importante de lo que puede parecer.

Pero la madre de Teodora, de la que sin duda ella heredó el arte de la seducción, esperó la siguiente representación circense, colocó sendas guirnaldas de laurel sobre las cabezas de las niñas, dio a cada una de ellas una ramita del mismo árbol y las sentó en el suelo en actitud de súplica.

Parece que los Verdes no se conmovieron ante las tres huerfanitas, pero los Azules, sí, aunque era el partido contrario o quizá precisamente por eso, por molestar a los Verdes, el resultado fue que dieron al nuevo padre de Teodora el trabajo de guardián de las fieras de su partido. Constantinopla estaba tan dividida por los dos partidos, que hasta los puestos de trabajo se duplicaban en el circo.

Cuando las niñas fueron creciendo, la madre las hizo salir a escena a medida que fueron teniendo la edad apropiada para ello. Y en este punto es donde Procopio de Cesarea recrudece sus ataques, porque insiste en que Teodora no aprendió a tocar el arpa ni la flauta ni a bailar, sino que se dedicó a entregar su juventud a quien se la pidiese y a participar en las más vulgares obras de teatro, aceptando sin sonrojo los papeles más escandalosos, incluyendo algunas actuaciones de rebuscada pornografía.

Sigue contando Procopio que hacía ese papel que divierte a todos dejándose abofetear en escena, algo similar a los payasos, pero que además sabía levantarse las faldas y mostrar los secretos femeninos sin pudor pero con gracia. Y que no esperaba a que vinieran a solicitarla, sino que ella misma provocaba a todos con chistes procaces y movimientos maliciosos.

Y, a continuación, el cronista se explaya contando la desvergüenza de la joven Teodora, su lujuria desmedida, su procacidad desenfrenada y su capacidad para librarse de embarazos inoportunos. Cuenta que se lió con Hecebolo, un tirio que era gobernador de Pentápolis, al que sirvió de la manera más vil y el cual terminó por echarla cuando se cansó de ella.

Cuando volvió a Constantinopla, enamoró a Justiniano siendo primero su concubina y después su mujer. Entonces ella se dedicó a amasar una enorme fortuna y a gastar dinero exprimiendo al pueblo, dando el control del Estado al partido de los Azules, al que ambos pertenecían.

Procopio comete varios errores en su crónica y en ello demuestra su enemistad y su falta de objetividad. En primer lugar, Teodora nunca fue partidaria de los Azules, sino de los Verdes. Fue monofisita por encima de todo, como veremos más tarde. En segundo lugar, es cierto que Justiniano oprimió a su pueblo con impuestos, pero no fue para que su mujer se enriqueciera, sino para levantar todos los monumentos religiosos y civiles que levantó y, sobre todo, para pagar los enormes gastos de la restauración del Imperio de Occidente.

Es cierto que el género teatral al que se refiere Procopio de Cesarea, el mimo, había degenerado hasta el punto de utilizar reos de muerte para torturarlos y matarlos en la escena cuando el guión requería matar a alguien. Y seguramente cosas peores. Pero ya dijimos que Teodora no se dedicaba al mimo sino que fue actriz de cierto rango y, probablemente, bailarina. Además, ¿cómo se entiende que la madre iba a dejar de preparar a sus hijas para luego lanzarlas al escenario como simples busconas, cuando todos vivían del espectáculo y ese era su medio natural? Si esperaba a que tuvieran la edad adecuada para dedicarlas al espectáculo, lo lógico es que las preparase mientras crecían.

Lo cierto es que Teodora era brillante, inteligente, culta y que sabía controlar sus emociones, a juzgar por el papel que desempeñó, ya siendo emperatriz, junto a Justiniano en el momento tremendo de la Sedición de la Nika, cuando él perdió los nervios y ella los mantuvo contra viento y marea. Y eso es mucho más difícil que triunfar en el mundo del espectáculo con talento y arte.

Primero fue amante de Justiniano, como Elena lo había sido de Constancio Cloro, pero con la diferencia de que Constancio Cloro no se casó con Elena y hubo de abandonarla para poder ser coronado emperador, mientras que Justiniano se casó con Teodora, convenciendo para ello a su tío Justino I de que modificase la legislación, de manera que le permitiese casarse con una mujer de clase ínfima.

Procopio señala que la entonces emperatriz, Eufemia, esposa de Justino I, puso el grito en el cielo cuando supo que su sucesor y sobrino pensaba casarse con aquella mujer de tan mala fama, pero hay que señalar que la misma Eufemia había sido esclava de su marido antes que esposa, por lo que, de ser cierto, se hubiera podido aplicar el dicho "no sirvas a quien sirvió". Por su parte, al emperador Justino no le pareció mal y, de hecho, modificó las leyes necesarias para complacer a su sobrino. Es sabido que los hombres suelen entenderse casi siempre en asuntos de faldas.

Teodora fue la consejera más importante que tuvo el emperador, y los funcionarios del imperio hubieron de prestarle juramento de fidelidad, lo que ella aprovechó, como veremos después, para enredar a Belisario en su guerra privada de religión.

Ella fue quien supo rodear a su marido de colaboradores tan importantes como el gran estratega y diplomático eunuco Narsés[4],

---

[4] Los eunucos eran una parte muy importante de la vida pública bizantina, aunque en Occidente menospreciaban su valía y se burlaban de ellos.

y como el general Belisario, al que casó con su mejor amiga y ex compañera de teatro, Antonina.

Ella fue la que comprendió que había que terminar con la política belicosa con Siria y Egipto y atraer a ambos países mediante tratados y medidas de conciliación. Su talento político ha sido admitido y alabado por los historiadores que no se dejaron engañar por la saña con que la juzgó Procopio.

LA SEDICIÓN DE LA NIKA

La Sedición de la Nika fue probablemente el suceso más importante que puso de relieve el temple de la Emperatriz. Es, cuando menos, el que citan todos los historiadores para insistir en las dotes de liderazgo de Teodora. Todos, excepto Procopio de Cesarea, quien, como era de esperar, la culpa incluso del incidente.

Constantinopla estaba dividida en los dos partidos menciona-dos, que eran al mismo tiempo políticos y religiosos, los Azules y los Verdes, y ambos sostenían disputas perpetuas en las que mediaba el emperador. Los Verdes eran monofisitas y partidarios del pueblo, mientras que los Azules eran duofisitas y partidarios de la aristocracia.

Justiniano había iniciado una reforma administrativa que tenía el objetivo de conseguir dinero para las arcas imperiales. Dinero imprescindible no solamente para sostener el tren de vida de la corte y aquel protocolo tan sofisticado y elegante del que hablamos en el capítulo I, sino también para pagar los gastos militares, que eran muy elevados. El encargado de tal reforma y también de conseguir los fondos era Juan de Capadocia, un hombre honrado que tuvo también que acabar con la corrupción del fisco, entre

La emperatriz Teodora practicó el cesaropapismo nombrando y deponiendo papas para conseguir que la doctrina que ella profesaba, el monofisismo, fuera declarada dogma de fe. Antonina fue su compañera cuando se dedicaba al teatro y, después, su dama de confianza y esposa del general Belisario.

otras cosas, porque los funcionarios corruptos no entregaban a las arcas imperiales todo el dinero que recaudaban, sino que se quedaban con grandes sumas.

Pero la reforma de Juan de Capadocia consistió en aumentar la presión fiscal sobre los súbditos del imperio. Además, Justiniano había apoyado al partido de los Azules cuando todavía no era emperador, pero, una vez en el trono, le empezaron a pesar las contiendas, debates y solicitudes de ambas facciones y comenzó a recortar sus libertades y a reprimir sus acciones. Sin embargo, si hubiera tenido que elegir, Justiniano se hubiera pronunciado por los Azules, lo que también pesaba en el ánimo de los Verdes.

Y, un día, ambos partidos se encontraron con que tenían un enemigo común, el emperador, porque, fueran partidarios del pueblo o de la aristocracia, ambos estaban formados por gente del pueblo, y ya sabemos que el pueblo era quien pagaba de sus bolsillos las grandiosas obras de Justiniano.

Además, la reforma de Juan de Capadocia, que tenía también la finalidad de recortar el poder de los latifundistas, no tuvo éxito, porque las grandes propiedades siguieron creciendo en detrimento de los pequeños propietarios, y no digamos ya de los que no poseían propiedad alguna.

Y a la hora de estimular el comercio exterior, en lugar de dirigirse a Occidente, que no tenía de nada y necesitaba de todo, las transacciones se centraban en la riqueza de Oriente, que tenía mucho que ofrecer, lo que había supuesto un aumento de las hipotecas, porque, aunque Bizancio exportaba telas y otros objetos, el gusto por el lujo y el refinamiento de los bizantinos les llevaba a interesarse por los hermosos y costosos artículos orientales, lo que inclinaba la balanza decididamente a favor de las importaciones.

Todo esto tenía que estallar por algún sitio y en algún momento. El sitio elegido fue el hipódromo de Constantinopla, lugar proclive a las revueltas y sediciones por ser la sede de las celebraciones multitudinarias. En cuanto al momento, fue el 13 de enero de 532.

Los doce barrios de Constantinopla se habían alistado en cuatro facciones que correspondían a los dos partidos Verdes y Azules y a sus respectivas subdivisiones en Blancos y Rojos. Los Verdes y Blancos eran partidarios del pueblo y, además, monofisitas, es decir, partidarios de la creencia en una única naturaleza en Cristo. Los Azules y Rojos eran partidarios de la aristocracia y, además, duofisitas, que aceptaban, con la Iglesia de Occidente, la creencia en la dos naturalezas de Cristo, la humana y la divina.

En el hipódromo, los partidarios de las cuatro facciones tenían derecho a protestar ante el emperador de lo que juzgaran ilícito, y este tenía que escucharlos desde su palco. La acusación o petición debía ser pronunciada por el jefe del partido, el *demarca*. A veces, el derecho de acusación consistía en dirigir al emperador auténticas regañinas que él tenía que soportar y a las que respondía a través de un mediador o *mandator*.

La Sedición de la Nika se inició con una de estas sesiones, en las que el *demarca* de los Verdes interrogó al *mandator* que representaba al emperador (JOSÉ PIJOÁN. *Summa Artis*. Tomo VII).

El *demarca* empezó quejándose de la actitud de un funcionario, quejas, por cierto, expresadas en un lenguaje soez e insultante, a lo que el *mandator* respondió recriminándole sus insultos. De las ofensas al funcionario pasaron a atacar al prefecto, Juan de Capadocia, que les subía los impuestos, y al cuestor, Triboniano, cuyas veleidades a la hora de dar y quitar cargos también habían enojado a la gente. Y de insultar a funcionarios y autoridades, el pueblo de Constantinopla, convertido en una chusma enfurecida y brava y no en la multitud aborregada que, como han pintado muchos historiadores, se limitaba a escuchar y a creerse todo lo que les contaban los teólogos, se lanzó a vilipendiar abiertamente a los culpables de la situación, los augustos.

Y en esto se unieron las cuatro facciones, gritando "¡Nika! ¡Nika!", que era el grito de "¡Vence! ¡Vence!", con el que se animaba a los gladiadores y a los luchadores. Justiniano mandó castigar a los cabecillas Verdes, y siete de ellos fueron ajusticiados, pero no sabemos si fue porque el verdugo era nuevo en el oficio o simplemente porque se puso nervioso, el caso fue que dos de los ahorcados cayeron al suelo, todavía con vida. Aquello terminó por enfurecer también a los Azules, que levantaron sus voces airadas mientras Justiniano trataba de aplacar al populacho agitando los Evangelios desde su palco.

Por lo que pudiera pasar, los augustos y los altos funcionarios abandonaron el hipódromo y se pusieron a salvo de la muchedumbre que, enardecida, volcó su ira contra los monumentos que tan caros estaban costando a sus bolsillos. Después les costaría todavía más, porque Justiniano no solamente volvió a erigir los monumentos derribados y a reconstruir los incendiados, sino a reconstruirlos con mucho más esplendor que los originales. Destruyeron el palacio del prefecto y asesinaron a sus habitantes, después incendiaron los edificios que rodeaban la plaza del Augusteón, entre ellos, Santa Sofía y Santa Irene. Tampoco se libró el barrio de la Mese, que no solamente fue incendiado sino que las tiendas de los plateros y orfebres sufrieron el saqueo y la devastación.

Y no contentos con destruir todo lo que pudieron, se reunieron de nuevo en el hipódromo para elegir un nuevo emperador, Hipatio, pariente de Justiniano, que fue coronado allí mismo, mientras los augustos seguían atrincherados en el Palacio Sagrado, junto con sus funcionarios y sus generales.

Presa del pánico, Justiniano decidió que lo mejor sería alejarse de Constantinopla por mar y organizar la defensiva, lo que sería factible dado que el palacio tenía salida directa al mar de Mármara y también estaba comunicado con el palco imperial del hipódromo. Pero en aquellos momentos se reveló con toda su grandeza la tan alabada templanza de la Augusta. Dicen que el verdadero liderazgo se aprecia en situaciones de crisis, y aquella lo era sobradamente. Con un nuevo emperador coronado, la gente destruyendo la ciudad y los cabecillas reorganizándose, el asunto era sumamente preocupante. Además, habían asaltado las cárceles, habían liberado a los presos y el ejército popular crecía por momentos.

Las palabras de Teodora afectaron al orgullo de su esposo y levantaron su ánimo. Le dijo que un emperador coronado no podía huir de la muerte. Y, además, que ella consideraba que, si había que morir, la mejor mortaja serían las vestiduras imperiales signo de su elevado rango. Acto seguido, ordenó a Belisario reprimir la revuelta. Belisario reunió la guardia de palacio y se lanzó al hipódromo donde se hallaban reunidos hasta 30.000 insurrectos. Ni uno solo se salvó. Aquel triste episodio terminó en una verdadera masacre.

En cuanto a Hipatio y su hermano, el electo emperador y el máximo dirigente, fueron ajusticiados tras un juicio sumarísimo y sus cuerpo arrojados al Bósforo. Entonces empezó la reconstrucción de Constantinopla, que sirvió para ejercer mayor presión sobre los bolsillos ciudadanos y para dar mayor gloria a los augustos.

EL SÍNODO DE LOS LADRONES

En Occidente había quedado sentado que el monofisismo era una herejía, como casi todo lo que procedía de las cavilaciones casi incomprensibles de Oriente. Pero en Oriente la cosa no quedó tan clara, porque ya hemos visto cómo los Verdes participaban de esa idea.

Recordemos que en 448 el monofisismo había sido declarado herejía en el Concilio de Constantinopla. Pero, al año siguiente, en 449, se había celebrado otro concilio en Éfeso para señalar que no era herejía, sino muy cierto que en Cristo no había más que una sola naturaleza divina.

En aquella ocasión, el concilio se había celebrado bajo la presidencia del patriarca Dióscoro de Alejandría, y los legados del papa León I habían sido ignorados hasta el punto de que ni siquiera se les había permitido leer la epístola dogmática redactada en Roma. El mismo papa había condenado aquel concilió proclamándolo "Sínodo de los Ladrones."

Dos años más tarde, en 451, la emperatriz Pulqueria y su esposo Marciano habían convocado el Concilio de Calcedonia, presidido aquella vez por los legados papales, quienes pudieron finalmente leer la carta que León I había dirigido al patriarca de Constantinopla y de la que todos comentaron que San Pedro había hablado por boca de León. Es decir, el monofisismo fue nuevamente una herejía. Aquello le costó a Dióscoro la deposición y el exilio.

Pero hemos visto que el monofisismo fue algo más que una herejía o una elucubración escatológica, porque llegó a alcanzar una gran importancia como elemento de división entre las Iglesias de Constantinopla, Alejandría y muchas otras, que rechazaron las conclusiones del concilio de Calcedonia, es decir, que siguieron empeñadas en que Cristo tenía una sola naturaleza.

Todavía en el siglo V, el papa Félix II había excomulgado al patriarca Acacio, por aconsejar al emperador Zenón una medida conciliadora de las dos doctrinas, que anulaba indirectamente las disposiciones de Calcedonia. Aquello había originado uno de los muchos cismas que separaron las Iglesias de Oriente y Occidente, hasta que llegó el definitivo.

Durante aquella separación llamada Cisma Acaciano, el monofisismo se extendió por todo Oriente. Finalmente, en 519, el emperador Justino I, tío y antecesor de Justiniano, consiguió que ambas Iglesias, la de Oriente y la de Occidente, hicieran las paces, obligando a los obispos griegos a reconocer la primacía de Roma.

Pero el monofisismo todavía seguía vivo.

El concilio de Calcedonia, patrocinado por la emperatriz Pulqueria en el siglo V, proclamó el dogma de la doble naturaleza de Cristo. Sin embargo, en el siglo VI, la emperatriz Teodora hizo todo cuanto estuvo en su mano por proclamar el dogma contrario, es decir una sola naturaleza en Cristo.

Tres papas y Tres Capítulos

Casualmente, el patriarca que originó el cisma se llamaba igual que el padre de Teodora, Acacio. Y casualmente ambos eran partidarios de la misma idea herética, porque ya dijimos que Acacio era Verde y que de él heredó Teodora su inclinación por el monofisismo.

Teodora era muy inteligente, lo hemos dicho ya, pero además era muy tozuda. Y si los clérigos cavilaban y elucubraban sobre asuntos escatológicos, ella no podía ser menos. Así se le debió de ocurrir la idea de que si ella estaba convencida de que Cristo tenía una sola naturaleza eran los demás los equivocados. ¿Por qué tenía que ser herética su idea y no la contraria? ¿Qué fiabilidad podía tener un concilio convocado para complacer las ideas de uno u otro emperador?

En el caso de que pensara así, lo cierto es que no le hubiera faltado razón. De cualquier modo, lo que la Augusta querría evitar era ir al infierno, por lo que juzgó conveniente conseguir que la doctrina monofisita fuera declarada válida, es decir, que alguien con autoridad religiosa se responsabilizara de asegurar que Cristo tenía una sola naturaleza.

Naturalmente, esa persona era el Papa.

Entonces, Justiniano, que no tenía claras las ideas pero estaba comprometido con el duofisismo proclamado por su antecesor, se debió de dejar convencer por su mujer y publicó en el año 543 un edicto que se conoce en la Historia como *Los tres capítulos* o *Los tres artículos,* que rectificaba las decisiones del Concilio de Calcedonia y censuraba a los tres importantes teólogos que habían rebatido el monofisismo con exposiciones lógicas y contundentes: Teodoro de Mopsuestia, Teodoreto de Ciro e Ibas de Edesa.

Es decir, desde aquel momento el monofisismo dejó de ser una herejía. Teodora quedó vencedora, pero le costó tres papas conseguirlo.

AGAPITO

En el año 535, fue elegido papa un sacerdote romano que tomó la tiara con el nombre de Agapito I. En aquellos precisos momentos, el emperador Justiniano se disponía a reconquistar el imperio de Occidente, y el general Belisario estaba a punto de entrar en Rávena para capturar al rey godo Teodato. La fama de Belisario debía de haber llegado a Italia antes que él, porque Teodato se asustó y pidió al Papa que fuese a Constantinopla a negociar la paz. En realidad no fue una petición sino un chantaje, porque le advirtió de que, si fracasaba, estaba dispuesto a pasar a cuchillo a todos los romanos.

El papa tuvo que vender los ornamentos sagrados de las iglesias para conseguir el dinero de su viaje, aunque lo cierto fue que, cuando el godo lo supo, le reembolsó el dinero. Luego partió para su misión diplomática.

Un año antes, Teodora había hecho consagrar a un patriarca constantinopolitano que comulgaba con sus ideas o, al menos, que no las rechazaba, con lo que ella había dejado a medias de ser hereje. Ya solo le faltaba que el Papa aceptase también y proclamase un concilio rehabilitando la doctrina monofisita. El patriarca en cuestión era Antimo de Trebisonda, quien había permitido que los patriarcas y obispos monofisitas volvieran a sus puestos y se reunieran públicamente. Hasta aquel momento, los herejes se venían reuniendo en casas particulares a las que asistía Teodora con su hermana Comito.

Pero el papa Agapito no estaba dispuesto a aceptar a los herejes y se negó a recibir a Antimo. Entonces, los monofisitas fueron a quejarse a la Augusta de la soberbia del Papa, y ella fue a contarle a su esposo que había creído entender que aquel engreído papa romano era partidario de la herejía de Nestorio.

Justiniano todavía no había publicado sus *Tres Capítulos* porque todavía no era monofisita, es decir, su mujer no le había convencido aún. No olvidemos que apoyaba a los Azules y que Teodora se alineaba con los Verdes.

Pero el Augusto no sentía simpatía alguna por el Papa, porque le encontró altanero y, sobre todo, porque se había negado tiempo atrás a admitir sus opiniones en cuestiones de fe. Recién coronado papa, el *Basileus* le había enviado un documento que señalaba que, para convertir al catolicismo a los herejes arrianos, era necesario que la Iglesia Católica les concediese el mismo estatus que tenían entre la secta arriana. Una idea peregrina que tuvo el emperador seguramente propiciada por algún amigo arriano de los muchos que quedaban en Oriente, pues ya hemos dicho que allí proliferaban todas las herejías.

Pero el Papa se había negado alegando que los cánones conciliares prohibían a los herejes reconciliados conservar el rango perdido precisamente por eso, por herejes. Y aquello no le gustó al *Basileus,* que se creía representante de Dios en la tierra y que no entendía cómo un mortal podía rechazar una idea suya en materia teológica, aunque fuera papa.

Además de hacer sospechar a Justiniano que el papa Agapito podía ser nestoriano, los amigos del patriarca hereje le advirtieron de que el romano había venido a turbar la paz de Oriente, lo que era uno de los argumentos preferidos por la Iglesia oriental, y de que, además, el patriarca Antimo había convencido con buenas maneras a los monofisitas para que se sometieran a la Iglesia de Roma, pero su cabecilla, Severo, se había negado ante el talante inflexible y altanero del Papa.

Justiniano, convencido, intentó a su vez convencer al papa Agapito para que aceptase a Antimo, pero el Pontífice siempre esgrimía argumentos para negarse a los requerimientos imperiales, y aquella vez le dijo que había venido a Constantinopla esperando encontrar a un emperador cristiano y se había encontrado con un Diocleciano, es decir, con un anticristiano. Por cierto, Diocleciano no debía de ser tan anticristiano como le han descrito muchos autores, porque su esposa era cristiana y hubo muchos cristianos ocupando cargos públicos durante su reinado. Y solamente ordenó perseguirlos y los arrojó de los altos cargos de la administración cuando los cristianos rompieron un edicto imperial en la cara del prefecto.

Continuando con el papa Agapito, después de regañar al *Basileus* examinó a Antimo delante de él y comprobó lo que se temía, es decir, que era hereje porque creía en una única naturaleza de Cristo, por lo que Justiniano no tuvo más remedio que aceptar que el Papa depusiera a Antimo y que consagrase patriarca a Mennas, de ideología más acorde con la doctrina católica.

Aquella imposición le costó cara al papa Agapito. Murió a los 4 meses, el 25 de noviembre de 536, dicen que debido a algún veneno que le llegó de parte de la Augusta. Su cadáver fue enviado a Roma en una caja de plomo para que lo enterrasen en el lugar que le correspondía.

SILVERIO

El siguiente papa fue Silverio I, hijo del papa Hormisdas, cuyo pontificado había sido anterior al de Agapito.

En aquellos tiempos, muchos papas se casaban o estaban casados cuando los elegían. Los siguientes papas estuvieron casados: Félix III 483-492, que tuvo dos hijos; Hormisdas, 514-523, que tuvo un hijo; Silverio, 536-537; Adriano II, 867-872, que tuvo un hijo; Clemente IV 1265-1268, que tuvo dos hijos, y Félix V (antipapa), 1439-1449, que tuvo un hijo. Se trataba de hijos legítimos habidos en el matrimonio, no de hijos naturales. La doctrina del celibato estuvo rodando durante siglos de concilio en concilio hasta que se hizo firme con la Reforma Gregoriana del siglo XI.

Cuando Belisario entró con su ejército en Roma, Antonina, la esposa del general y amiga íntima de Teodora, fue a ver al Papa para explicarle lo mejor que pudo que la emperatriz estaba esperando la reposición de su patriarca amigo y que tan solo faltaba la firma papal en el documento redactado en la corte bizantina. La reposición de Antimo incluía, desde luego, la negación del Concilio de Calcedonia, la admisión de la doctrina monofisita como doctrina de la Iglesia Católica y, naturalmente, la deposición de Mennas.

El Papa no tuvo más remedio que aceptar, porque Antonina le hizo saber amablemente que su esposo Belisario tenía la intención de acusarle de entenderse con los godos y de pretender entregar Roma a su caudillo Vitigio.

Pero una cosa era aceptar por miedo a las consecuencias procedentes de Bizancio y, otra, exponerse a las consecuencias procedentes de Roma, que era un núcleo mucho más cercano. Todo el clero latino se unió como un solo hombre para hacer saber al Papa que, si se dejaba embaucar por los bizantinos, lo depondrían y nombrarían a otro más capaz de defender la doctrina católica.

Eligió el martirio, porque no aceptó firmar el documento que le había presentado Antonina, y se ocultó, huyendo de Belisario, en la iglesia de Santa María la Sabina. Pero el general estaba acostumbrado a cosas más complicadas que eliminar a un papa, y le acusó públicamente de haber traicionado a Roma. Para ello, aportó el testimonio del abogado Marco y de un pretoriano, quienes afirmaron que el papa Silverio les había dado cartas para Vitigio, el jefe godo.

Todavía atrincherado en Santa María la Sabina, el Papa recibió una carta de Teodora que era una trampa. En ella, la emperatriz le suplicaba que repusiera a Antimo en el patriarcado pero que, si no le parecía adecuado, viajase a Constantinopla para examinar personalmente la causa injusta de la deposición del patriarca.

Silverio entendió que estaba perdido. Si iba a Constantinopla, no saldría con vida. Si se quedaba en Roma, se enfrentaría a las iras de Belisario. Y entre las iras de Belisario y las de Teodora, eligió al general. Por peligroso que sea un hombre, siempre lo es más una mujer, sobre todo si es poderosa.

Por tanto, el Papa se presentó ante el general. Él y su esposa le preguntaron en el juicio por qué había intentado entregarlos a los godos, cuando ellos representaban al emperador y estaban allí para defender Roma de los bárbaros.

Respondiera lo que respondiera, el resultado fue la tonsura monacal, la deposición y el encierro en un monasterio. Al menos salvó la vida.

De momento.

VIRGILIO

Cuando el papa Agapito viajó a Constantinopla no viajó solo, sino con su séquito correspondiente, como era y es costumbre. Entre sus acompañantes figuraba el sacerdote romano Virgilio.

Uno de los motivos que llevaron a Virgilio a Constantinopla, aparte de acompañar al Papa, fue discutir con la Augusta acerca de los escritos de los tres teólogos de Antioquia que refutaban a los monofisitas y que, años después, Justiniano condenaría en sus *Tres Capítulos*. Y allí estaba cuando murió el papa Agapito.

Su presencia fue muy oportuna, porque la Augusta le preguntó si estaba dispuesto a ser papa a cambio de anular las decisiones de Calcedonia, reponer a Antimo, Severo y Timoteo, los tres ex patriarcas monofisitas, y deponer a Mennas.

Virgilio aceptó y, además de la promesa de elegirle papa, recibió para los "primeros gastos" 700 piezas de oro, que tendría que devolver cuando accediese a la silla de San Pedro y pudiera disponer de las arcas papales. Algunos autores cuentan que era tan avaro que rompió sus relaciones con la Emperatriz después de ser papa para no devolverle el oro prestado. Puede que eso no sea más que una historieta, pero lo cierto es que tuvo razones mucho más poderosas para romper sus compromisos con Teodora.

Se embarcó para Italia dispuesto a ser papa, pero cuando llegó a Nápoles se encontró con que el rey godo Teodato había nombrado otro papa, que era precisamente Silverio. Entonces escribió a la Emperatriz para decirle que aquello no era lo convenido, y ella escribió inmediatamente a Belisario con órdenes claras de quitar a Silverio del solio papal.

Hemos visto con qué puntualidad cumplió Belisario las instrucciones de su emperatriz. No en vano los altos cargos tenían que jurarle fidelidad. Aun así dicen que, cuando recibió la orden de acusar al papa de traición y de que, si no encontraba motivos, debía enviarlo a Constantinopla para hacerle desaparecer por el camino, el general se mostró algo remiso a obedecer, porque había conocido el talante de los obispos latinos y temió un cisma.

Y no era el mejor momento para un cisma. Él acababa de vencer a los vándalos en África y a los godos en Europa, y era un momento delicado en el que necesitaba todo el apoyo de los latinos. Pero su esposa Antonina se encargó de convencerle de que lo mejor que podía hacer era obedecer a la Emperatriz y dejar para luego los problemas que pudieran derivarse.

Hay que considerar también la posición delicada de los militares y políticos que servían a aquellos emperadores dedicados a los juegos religiosos, como señalamos anteriormente. Es cierto que el cesaropapismo hizo mucho daño al cristianismo, pero también lo es que perjudicó enormemente la política interna y externa de aquellos gobernantes. ¿Por qué tenía un general que deponer y nombrar al papa? ¿En nombre de qué? ¿Cómo podía nadie obligarle a abandonar los intereses políticos y militares para dedicarse a las querellas cristológicas?

Así pues, el mismo Belisario, que se había encargado de destituir a un papa en nombre de la Augusta, se encargó de poner al siguiente en el solio papal.

Lo primero que hizo Virgilio antes de recibir la consagración fue enviar al anterior papa, Silverio, quien seguía vivo para vergüenza de su sucesor, a Patara, en Licia, con la esperanza de que el obispo de aquella diócesis le hiciera la vida imposible y acabase con su vida. Pero, para su sorpresa, el obispo le recibió como al pontífice romano y trató de reponerlo en la silla de San Pedro, para lo cual se le ocurrió la idea fatal de viajar a Constantinopla a contarle a Justiniano lo que estaba pasando en la Santa Sede.

Justiniano le escuchó y le prometió un juicio justo, pero Teodora, cuando lo supo, escribió a Belisario para ordenarle que se deshiciese de Silverio e hiciese consagrar a Virgilio de una vez por todas.

El papa Silverio prefirió morir antes que acceder a las pretensiones heréticas de la emperatriz Teodora. Murió en la isla Palmaria aunque otros dicen que fue en Palmarola, cerca de la localidad de Ponza, en la bahía de Nápoles, donde todavía se celebran fiestas religiosas y procesiones en su honor.

Entre la Augusta y Virgilio se las compusieron para que el papa Silverio fuese a parar a una isla desierta llamada Palmaria, donde se solía exiliar a los reos de ciertos delitos. Y allí quedó. Al cabo de 9 días, como resistía más de lo previsto y no moría de inanición, le hicieron estrangular. Sin embargo, el *Liber Pontificalis* señala que no fue exiliado a Palmaria, sino a Palmarola, una isla desierta junto a Ponza, en la bahía de Nápoles.

En el siglo XI, su nombre apareció en una lista de santos, aunque no se sabe muy bien cuándo lo canonizaron. Los habitantes de la isla de Ponza celebran cada año una procesión en la que llevan en andas la imagen de San Silverio.

Ya tenía Virgilio el camino libre y las piezas de oro que le había entregado la Augusta cuando estuvo en Constantinopla para los primeros gastos. Los primeros gastos consistieron en comprar los votos necesarios para hacerse elegir papa, con el apoyo incondicional del general Belisario, que era el hombre fuerte de Roma en aquellos días.

Ya era papa. Ahora solo le quedaba cumplir sus promesas.

Por si se olvidaba, allí estaban las cartas de la Emperatriz exigiendo que repusiera al monofisita Antimo en el patriarcado. Y por si creía que iba a ser cosa fácil, allí estaban los prelados de Roma exigiéndole que condenase a los monofisitas.

Era el año 537 y hasta 543 no publicaría Justiniano sus *Tres Capítulos,* es decir, no apoyaría la causa del monofisismo. Así se encontró el Papa entre el clero romano, el Emperador y la Emperatriz.

Como no sabía qué partido tomar sin perder la vida ni la tiara, tomó el más cómodo, el del disimulo y la ocultación.

Escribió tres cartas a Antonina, quien ya estaba de vuelta en Bizancio, dirigidas a los tres patriarcas monofisitas depuestos, Antimo en Constantinopla, Teodosio en Alejandría y Severo en Antioquia, en las que declaraba que profesaba la misma doctrina que ellos, pero les rogaba que mantuviesen su declaración en secreto hasta que él lograse confirmar su autoridad. Y para no levantar sospechas, les sugirió que hicieran correr la voz de que el Papa no apoyaba la causa monofisita.

A todo esto, Justiniano empezó a molestarse porque no había tenido noticias del papa Virgilio desde su consagración, y envió a Roma al patriarca Dominico como mensajero imperial, con cartas en las que manifestaba cierta sospecha acerca de las relaciones de Virgilio con los herejes. Algo debía de haber oído.

Pero Virgilio declaró que no había nada de cierto y que todo eran sospechas infundadas basadas en maledicencias, que él era católico ferviente y que se ponía a los pies del emperador esperando que le mantuviera sus privilegios. Escribió también al patriarca Mennas felicitándole por haber excomulgado a los tres patriarcas herejes y haber cumplido así lo prometido.

El doble juego del papa Virgilio tuvo su justo castigo, porque Justiniano, que solo necesitaba un pretexto para dedicarse al ejercicio desenfrenado del cesaropapismo, comenzó a enviar decretos a Roma para que Virgilio los proclamase dogmas de fe. En aquella época, el año 543, ya debía Justiniano haber inclinado la cerviz ante los deseos de su mujer, porque uno de los decretos que envió para su proclamación fueron *Los Tres Capítulos*. Y como el Papa no se atrevió a promulgarlos, el Emperador le mandó ir a Constantinopla a justificarse.

El problema surgió, como era de esperar, cuando el clero de Roma se enteró de los manejos del *Basileus* y advirtió al Papa de que, si iba a Oriente y abandonaba la doctrina católica, le depondrían, como en su día amenazaron al papa Silverio. La tesis de Justiniano contenida en *Los Tres Capítulos* se había recibido en Occidente como una agresión y una burla de los orientales hacia la doctrina católica.

Entre la espada y la pared, Virgilio viajó a Bizancio en 547 y, al pasar por Sicilia, se detuvo a comprar grano y a hacerlo enviar a Roma para que se distribuyera entre el pueblo y ganarse así su amistad.

Pero ni los romanos se dejaban comprar por unos sacos de trigo ni Teodora había olvidado la promesa que Virgilio le hiciera cuando ella le ofreció la tiara papal. Tan pronto le vio aparecer en Constantinopla, fue a exigirle que depusiera a Mennas y que consagrara a Antimo, a lo que el Papa no se atrevió porque temía las represalias de los romanos. Habló con Antimo para reconciliarse con él, con la condición de que debía aceptar lo que determinasen los obispos latinos.

Entonces empezaron los concilios y las asambleas. Por temor a los latinos, Virgilio excomulgó a los monofisitas, a los eutiquianos y a todos los herejes orientales.

Al día siguiente, apareció Justiniano con *Los Tres Capítulos* en la mano, reclamando que les diera curso, es decir, que excomulgara a los que discutían el monofisismo, justamente lo contrario de lo que había hecho el Papa el día anterior. Virgilio se negó a aceptar, poniendo como excusa que primero debía reunirse con los latinos para discutirlo con ellos.

Cada vez se iban poniendo las cosas más difíciles, porque nadie quería contemporizar ni ceder y todos reclamaban como buena una idea que era contraria y excluyente a la de los otros. Se convocó un concilio al que acudieron 80 prelados y que el Papa disolvió sin tomar una decisión.

Días después, la tomó. Probablemente por presiones de Teodora, porque al fin y al cabo se encontraba en Bizancio y la fuerza de los latinos estaba en Roma, muy lejos, al otro lado del mundo. Su decisión fue, naturalmente, condenar a los tres teólogos que habían muerto años atrás y que refutaban el monofisismo o, lo que es lo mismo, aceptar la doctrina monofisita, aunque lo hizo fuera del Concilio, para preservar a los conciliares de su propia decisión.

Pero a los clérigos occidentales no les pareció suficiente tal salvedad, y los obispos de África se reunieron a su vez en concilio para excomulgar al Papa.

Aquello ya le pareció mucho más grave. No olvidemos que todavía no se había determinado la supremacía del papa sobre el concilio, que es la asamblea en la que los clérigos reunidos reciben la asistencia del Espíritu Santo. La supremacía de la cátedra romana no se consolidó hasta el siglo XI. Y la infalibilidad personal del papa aparte del concilio fue proclamada por Pío IX ya en el siglo XIX.

Esto hace posible entender la preocupación del papa Virgilio cuando supo que el concilio africano había decidido excomulgarle. Por eso se apresuró a retractarse de su decisión y se atrevió incluso a excomulgar el documento imperial, los famosos *Tres Capítulos*.

Entonces intervino el obispo de Cesarea, Teodoro Ascidas, para increpar a Justiniano y preguntarle, con cierto tono despectivo, cómo era posible que el amo del mundo se sometiera a las decisiones de un sacerdote, latino para mayor escarnio, que no sabía lo que quería, porque un día excomulgaba una doctrina y al día siguiente la admitía para excomulgar a la contraria, empleando el pretexto de que tenía que someter sus decisiones a un concilio latino. ¿Acaso iban los latinos a decirle al *Basileus* lo que tenía que hacer?

Justiniano, que también tenía sus dudas como estamos viendo, puso en vigor el edicto que proclamaba *Los Tres Artículos* y condenaba, por tanto, a los duofisitas. El mismo Teodoro de Cesarea se brindó a redactar el documento.

Y cuando el papa Virgilio quiso reclamar su autoridad sobre los dogmas de fe, no le hicieron caso, porque ya le habían perdido el respeto. Incluso Justiniano llegó a emitir un nuevo edicto, la *Pragmática Sanción,* que limitaba la autoridad del papa en los asuntos de fe. Desde luego que fue el colmo del cesaropapismo, pero es obvio que el único culpable de tales desmanes fue el mismo Papa.

El edicto imperial apareció en todas las iglesias de Constantinopla. Entonces, el papa Virgilio tuvo un ataque de ira y convocó a los obispos en el palacio Placidio. Y no solo a los obispos, sino a los sacerdotes y a todo el clero inferior disponible, para excomulgar a quienes no se sometieran a las decisiones de los obispos de Occidente.

Después de semejante anatema que incluía, más o menos indirectamente, a los mismos emperadores, el papa no se sintió muy seguro en el palacio Placidio y se refugió con su séquito latino en la iglesia de los Santos Mártires Sergio y Baco. Allí, creyéndose a resguardo, entregó un acta de excomunión a un monje para que la publicase si llegaban a atentar contra él. Así quedaría excomulgado quien le atacase.

Pero Justiniano no era un reyezuelo godo que temblase ante un anatema. Él era el representante de Dios en la tierra, el sumo pontífice de la Iglesia, y había que obedecerle. Por tanto, envió a sus soldados a prender al Papa, quien se defendió con uñas y dientes, agarrándose con tal fuerza a dos columnas del altar mayor que los esbirros imperiales no consiguieron arrancarlo de allí, por más que le tiraron de la barba y de los pies. José Pijoán cuenta que las columnas llegaron a romperse, pero que el Papa no salió.

Entonces, los acompañantes papales salieron a la calle a gritar a la multitud el ultraje de que estaba siendo objeto. La gente se levantó y atacó al pretor, entrando con armas en la iglesia para defender al Santo Padre.

Pero Justiniano sabía hacer las cosas. El prefecto se presentó ante el Papa para hacerle saber que, al haberse refugiado en una iglesia, había ofendido al Emperador, porque le había hecho quedar ante su pueblo como un tirano y un sacrílego. Por tanto, si no salía de allí, sitiarían la iglesia hasta que se decidiera. Pero si salía por las buenas, podría ir al palacio Placidio con todas las garantías de seguridad.

El Papa aceptó con la condición de que no le obligaran a firmar un documento que su conciencia rechazara. El mensajero trajo la respuesta afirmativa del Emperador. Pero Virgilio no se fiaba, seguramente porque sabía que ambos jugaban sucio. Y se negó a salir, hasta que el prefecto se cansó de esperar y le conminó a salir con la amenaza de sacarlo por la fuerza y meterlo en una mazmorra. Con eso consiguió que saliera.

Tan pronto llegó al palacio Placidio, cayeron sobre él conjuntamente la venganza del Emperador y las iras de la Emperatriz, porque, finalmente, había traicionado a ambos. Los soldados lo sacaron a la calle a bofetadas y empujones y lo pasearon con una cuerda al cuello, gritando al pueblo que aquel era el castigo del Augusto a un sacerdote rebelde y terco, que había hecho estrangular al papa Silverio y que era además un pérfido sodomita, pues había matado a palos a un niño que no se dejó acariciar.

Esta última acusación era muy grave y no sabemos si cierta o no. Lo que sí parece real es el asesinato de Silverio y, sin duda alguna, las intrigas con el monofisismo, los concilios y el arreglo con la Augusta para recibir la tiara papal.

Lo encerraron, construyendo una pared alrededor de su habitáculo, pero logró escapar al cabo de dos días, saltando la pared durante la noche, y se refugió en Santa Eugenia de Calcedonia, fingiéndose enfermo para que el emperador desistiera de hacerle salir.

Todavía firmó una bula edicto revocando las excomuniones lanzadas anteriormente, pero, cuando el concilio V de Constantinopla se reunió para condenar a los autores del argumento contra el monofisismo, esto es, para dar por bueno el contenido de *Los Tres Capítulos*, el Papa se negó a firmar la sentencia.

Entonces sufrió un castigo mayor, porque le desterraron al desierto donde hubo de permanecer seis meses sin ayuda alguna, padeciendo el mal de piedra, que no es precisamente la mejor dolencia para sufrir en un desierto. Mientras, los romanos supieron de sus vicisitudes y no eligieron un nuevo papa porque entendieron que Virgilio estaba sufriendo persecución por defender la verdadera fe. Incluso se opusieron a las órdenes de Narsés, que quería obligarlos a deponerle y nombrar a otro papa.

Pero la estancia en el desierto debió de ser muy dura, porque al final claudicó y prefirió enfrentarse a los latinos. Terminó por firmar las actas del Concilio. Escribió al entonces patriarca Eutiquio declarándose, con razón, culpable de faltar a la caridad y de abandonar a sus hermanos, pero indicó que no se avergonzaba de retractarse porque, como San Agustín, había caído en el error.

Con aquella firma consiguió el permiso para regresar a Roma, llevando consigo una constitución imperial que confirmaba las donaciones de territorios para la Santa Sede.

Y como la mejor defensa es el ataque, se comportó con los romanos como un tirano, estableciendo un gobierno de terror que

mantuvo bajo control a los obispos ofendidos por las contradic-
ciones e incongruencias de un papa indigno.

Pero los clérigos romanos no aguantaron mucho tiempo. En
555, le dieron a beber un veneno, aprovechando un viaje a Sira-
cusa, donde murió y desde donde llevaron su cadáver a Roma,
para enterrarlo, suponemos que sin grandes honores, en la iglesia
de San Marcelo.

Capítulo III
Nadie sea bautizado por mujer

En los primeros tiempos del cristianismo, hubo diaconisas que bautizaban a los neófitos, pero más tarde se les prohibió bautizar, del mismo modo que se les había prohibido enseñar. El *Libro de las Comunidades Cristianas Sirias,* que data del siglo II, dice claramente: "No aprobamos que la mujer bautice ni que nadie sea bautizado por mujer". Las mujeres tuvieron, pues, que dejar de bautizar físicamente, es decir, sumergir en el agua y pronunciar las palabras que son la forma del sacramento, pero, a través de los hombres, que eran los que ostentaban el poder real, muchas mujeres hicieron bautizar a pueblos enteros.

Muchos pueblos se bautizaron, aunque realmente no llegaron a convertirse. Unos, muy pocos, se dejaron bautizar por convencimiento; otros, los más, por conveniencia; otros, por temor a represalias; otros, por pura curiosidad; otros, por superstición; y seguramente hubo muchos que se dejaron bautizar por pasividad indiferente. Para ellos, el bautismo era simplemente un baño con unas cuantas palabras rituales en latín, que ni siquiera entendieron. De eso a creer los dogmas de la fe cristiana va un abismo.

¿Por qué se empeñaron tantas mujeres en convertir a sus pueblos al cristianismo? Dice Régine Pernoud que la mujer no era sujeto de derecho en Roma porque pertenecía al *domus,* al padre, al suegro o al esposo. Y, si no era sujeto de derecho, era un objeto. No estaba confinada al gineceo, como la griega, pero el marido tenía derecho sobre su vida.

Sin embargo, el Derecho mejoró las condiciones de las mujeres romanas en la época del apogeo del Imperio. En tiempos de Adriano, por ejemplo, los matrimonios se celebraban con el consentimiento de ambos contrayentes. La institución del matrimonio *sine manu* permitió a las mujeres emanciparse, ser dueñas de ellas mismas y alcanzar la igualdad jurídica con sus maridos. En el siglo II, las matronas romanas gozaban de gran dignidad y autonomía e incluso hubo un fuerte movimiento feminista. Las protestas de Catón, Séneca y Juvenal así lo manifiestan: "En todas partes los hombres gobiernan a los hombres y, a nosotros, que gobernamos a todos los hombres, son nuestras mujeres las que nos gobiernan".

Pero quienes se hicieron bautizar masivamente fueron los pueblos bárbaros, muchas de cuyas leyes y costumbres convertían a las mujeres en propiedad del padre, del hermano o del marido. Aun así, algunos de ellos, como los escitas, los etíopes y los britanos, habían otorgado a la mujer un papel sobresaliente en la sociedad y tenían jefes militares e incluso gobernantes del sexo femenino, lo que era precisamente considerado un signo de incultura y salvajismo entre los griegos y los romanos.

No obstante, la mayoría de los pueblos germanos, como los francos, los longobardos, los godos o los rusos, relegaban a la mujer a una posición inferior, cuando no ínfima. En cambio, el cristianismo la protegía y la defendía del divorcio, que entonces no era divorcio, sino repudio. Cualquier marido podía repudiar a su esposa cuando empezaba a estorbarle.

LAS AMAZONAS

Heródoto relató la existencia de pueblos de mujeres guerreras que vivían en el Cáucaso o junto al Mar Negro, las amazonas, las cuales vivían a caballo, luchaban con denuedo y se comportaban como se supone que debían comportarse los hombres. En su libro *El mar Negro*, Neal Ascherson relata que las investigaciones arqueológicas han dado la razón al historiador griego, ya que se han encontrado numerosos vestigios de civilizaciones que florecieron junto al mar Negro y al mar de Azov, en las que las mujeres acaudillaban y gobernaban las tribus, acompañaban a sus maridos a cazar y recibían los mismos honores guerreros que los hombres. Se han hallado tumbas de mujeres guerreras rodeadas de todos sus pertrechos de guerra y de caza, incluso con esqueletos de hombres enterrados a sus pies.

Los Evangelios, por el contrario, ofrecían ejemplos de perdón y de bondad para la mujer. El cristianismo le ofrecía además la libertad de no casarse al pronunciar el voto de castidad. Las viudas y las vírgenes no estaban malditas para la Iglesia cristiana, como lo estaban para muchos pueblos paganos, porque los cristianos las admitieron en las comunidades y les prestaron asistencia. Aunque tuvieran que estar en silencio.

Las viudas debían de tener muy mala fama en la Antigüedad porque, a pesar de que las comunidades cristianas las admitían en su seno, la Epístola a Timoteo, atribuida a Pablo de Tarso, muestra cierta prevención hacia ellas (*1 Timoteo* 5,9): "No se admita en el grupo de viudas a ninguna de menos de sesenta años... Pero no admitas viudas jóvenes, porque, cuando por el impulso de la pasión se revuelven contra Cristo, quieren casarse, cayendo así en juicio condenatorio, por haber roto su primer compromiso. Al mismo tiempo, se acostumbran a estar ociosas, a ir de casa en casa y no solo están ociosas, sino que dicen tonterías y frivolidades y hablan de lo que no deben".

Las mujeres que se refugiaron en los conventos se salvaron de muchas penalidades, porque tuvieron protección sagrada. El convento ha sido una tabla de salvación para la mujer, la única vía que le ha permitido eludir la autoridad paterna o marital en numerosas culturas.

No es de extrañar, pues, que tantas mujeres consiguieran que sus esposos y sus pueblos se alineasen con el cristianismo. Clotilde para los francos, Teodolinda para los longobardos, Berta de Kent para los britanos, Eduvigis de Polonia para los pueblos del Báltico, Teodosia para los visigodos, Olga de Kiev para los rusos. La lista sería interminable.

ELENA, LA VERA CRUZ

Según diversos autores, dos son los motivos por los que Elena, la madre de Constantino el Grande, fue canonizada por la Iglesia. El primero, haber influido sobre su imperial hijo para que se convirtiera al cristianismo y para que hiciera de la religión cristiana la religión del Imperio, es falso. En primer lugar, porque Constantino nunca fue cristiano, sino que asumió el cargo de sumo pontífice de la Iglesia sin admitir el bautismo, sin creer uno solo de los dogmas de fe del cristianismo, a los que tachó de "vacua verborrea", y sin renunciar a sus dioses paganos. En segundo lugar, porque no fue Constantino quien hizo de la religión cristiana la religión del Imperio, sino Teodosio, en el año 380. Constantino se limitó a autorizar el culto de Cristo y a ofrecer bienes y prebendas a los cristianos, a cambio de obtener su apoyo incondicional para reinar en solitario tras el asesinato de todos cuantos pudieran disputarle el trono, con o sin derecho a él[5].

El otro motivo por el que fue canonizada fue la recuperación de los Santos Lugares, y este, con las salvedades que expondremos a continuación, sí tiene fundamento.

---

[5] Arthur Beugnot, en su *Histoire de la destruction du paganisme en Occident*, señala que en tiempos de Constantino había un 95 % de población pagana en el Imperio Romano.

Elena, la madre de Constantino el Grande fue santa por haber influido en su hijo en beneficio de la religión cristiana y por haber recuperado Jerusalén y los Santos Lugares para el cristianismo. Aunque no fue reina, su hijo le concedió el título de augusta. Aquí aparece representada con corona.

Por haber sido cristiana y santa, hay también autores que la llaman "esposa de Constancio Cloro" e incluso "emperatriz" o "reina". Pero Elena no fue esposa de Constancio Cloro, ni emperatriz, ni reina. Fue su concubina, y de él tuvo a Constantino I, después llamado el Grande, ya que Constancio Cloro no pudo casarse con ella porque era una mujer de baja extracción y él estaba destinado a recibir la corona del Imperio.

Para poder declararla santa, era difícil que los padres conciliares aceptasen que fue concubina de Constancio Cloro y no su esposa. Y es probable que por eso se haya extendido un caritativo velo de discreción sobre ese punto de su vida. Sin embargo, ser concubina no era una deshonra en aquellos tiempos, al menos, no lo era como lo fue después, porque el concubinato es un pecado para la Iglesia cristiana. El problema de Elena no fue ser concubina ni mujer de mala vida ni nada deshonroso, sino, como queda dicho anteriormente, proceder de baja extracción social. Eso y no otra cosa fue lo que impidió a Constancio Cloro casarse con ella, porque él iba a coronarse augusto y tuvo que casarse con una mujer que le elevara de nivel social, no que le redujera. Se casó con Teodora, la hija de Maximiano, por imposición de Diocleciano.

Elena nació hacia 247 en un hogar humilde de Nicomedia, Deprano. Su padre era posadero y ella le ayudaba en las faenas de hostelería. Otros autores dicen que nació en Tréveris, que entonces estaba en Galia. Otros aprovechan que Constancio Cloro estuvo en Britania como militar y gobernador para decir que Elena había nacido en Colcertia, y que era hija del rey britano Cohel. Una ascendencia que hubiera permitido a Constancio Cloro casarse con ella, pero que, a todas luces, no es cierta.

Constancio Cloro pudo conocerla en cualquiera de sus correrías, porque los militares recorrían el Imperio constantemente pacificando levantamientos, controlando desmanes y deteniendo invasiones.

Constantino fue el único hijo de la pareja. Nació en Naissus, en Dardania, el 27 de febrero de 274. Debieron de ser muy felices los tres juntos hasta el 1 de marzo de 293, cuando Constancio Cloro tuvo que separarse de Elena para casarse con Teodora, porque le habían elegido césar y un césar no podía llevar a su lado a una moza de hostería. Ni siquiera pudo conseguir que la admitieran en matrimonio morganático, precisamente por su origen ínfimo, como apunta Martín Gurruchaga, comentarista del libro *Sobre la vida del beato emperador Constantino*.

Cuando fue coronado emperador, Constantino, que sentía predilección por su madre, le concedió el título de augusta.

Pero Elena no solamente fue santa por incitar a su hijo a favorecer el cristianismo, cosa que parece plausible. Sabemos con certeza que fue ella quien viajó a Jerusalén, quien recuperó para los cristianos los Santos Lugares y quien trajo de vuelta consigo un buen trozo de la Vera Cruz. Lo que ya resulta más difícil de

---

Según la leyenda, Constantino recibió en un sueño la advertencia de llevar la cruz de Cristo como estandarte en la batalla que había de librar contra Majencio en el Puente Milvio. Llevó la cruz y ganó la batalla.

comprender es cómo lo consiguió. Conviene, ante todo, pararse a considerar algunos hechos.

Jerusalén es una ciudad emblemática, sin duda alguna, santa para tres religiones, aunque maldita en muchos momentos de la Historia. Durante muchos siglos, se la consideró el centro del mundo y como tal se la representó en los mapas. Y ha sido destruida, reconstruida, vuelta a destruir y vuelta a reconstruir varias veces.

Es santa para los hebreos porque, según su tradición, David hizo de ella el centro religioso de la Ciudad de Dios y allí construyó Salomón la casa de Yahveh, el Templo con mayúsculas. Después de la última diáspora y destrucción del Templo, los judíos no volvieron a reconstruir su lugar de oración, sino que se reunieron en sinagogas.

Es santa para los cristianos, porque, según su tradición, allí vivió y murió Jesús de Nazaret, allí le enterraron sus discípulos y desde allí ascendió al cielo.

Es santa para los musulmanes, porque allí vivieron los Profetas y porque, según su tradición, un ángel vino a salvar la vida de Ismael cuando su padre Abraham iba a sacrificarlo a Dios en el monte Moria. Según los judíos, el hijo a sacrificar fue Isaac, pero para los musulmanes se trató de Ismael. También ascendió Mahoma a los cielos desde el templo de Salomón, a lomos de Al Barac, el caballo con rostro humano que le condujo desde la Meca a Jerusalén y desde allí a su última morada.

A partir del siglo I fue maldita para los romanos, porque fue caldo de cultivo de numerosas sediciones protagonizadas por los distintos mesías que surgieron de entre el pueblo judío para liberarlo del yugo de Roma. Los judíos nunca creyeron en un mesías místico cuyo reino no fuera de este mundo, sino en un mesías de carne y hueso, que viniera a salvarlos de los romanos y de los otros pueblos que los habían oprimido.

En 132 se produjo la rebelión de Simeón Bar Kokba, un mesías que tomó la ciudad y se enfrentó a Roma, al emperador Adriano. El resultado fue terrible. En 134, Adriano tomó la

Sitios y destrucciones de Jerusalén

Jerusalén fue asediada, tomada y destruida varias veces. Antes de nuestra era, fue sitiada primero por el faraón Sheshong, después por Rasón de Damasco y Pecaj de Samaria, por Senaquerib, por Nabucodonosor, por Antíoco IV Epifanes, por el general sirio Lisias, por Hircano II, por Aretas III y por el general romano Pompeyo. En 37 a.C., Herodes el Grande la convirtió en su capital.

Ya en nuestra era, Jerusalén sufrió los siguientes sitios y reconstrucciones: En el año 70, Tito la sitió durante 14 meses, incendió el Templo y destruyó la ciudad. En el año 132, el mesías Simeón Bar Kokba (Hijo de la Estrella) tomó Jerusalén a los romanos y, en represalia, en 134, el emperador Adriano la arrasó y construyó sobre ella la ciudad romana de Aelia Capitolina. En 326 se procedió a la destrucción de los templos paganos y a la construcción de los santuarios cristianos, por orden del emperador Constantino el Grande.

Casi trescientos años después de la reconstrucción de Jerusalén por Constantino, en 614, el rey persa Cosroes volvió a destruir los lugares sagrados, monasterios y santuarios. En 628, el emperador bizantino Heraclio la recuperó, pero por poco tiempo, porque el califa Omar la tomó en 638. En 1009, el sultán egipcio Hakim destruyó de nuevo los santuarios y el Santo Sepulcro e incendió todas las iglesias, y en 1077, los turcos selyúcidas iniciaron un régimen de opresión sobre los peregrinos y los habitantes cristianos.

Hasta entonces no había habido problemas para peregrinar y orar ante los Santos Lugares o lo que quedaba de ellos, porque los musulmanes habían sido tolerantes. Incluso Harun Al Raschid, el sultán de *Las Mil y Una Noches,* envió a Carlomagno las llaves del Santo Sepulcro en señal de respeto. Pero desde la entrada de los turcos las cosas se pusieron tan difíciles que hubo que organizar una expedición militar, llamada cruzada porque su estandarte fue la cruz, para rescatar los lugares sagrados de manos profanas. Así, los cruzados tomaron Jerusalén en 1099 y allí fundaron un reino franco, pero en 1187 Saladino volvió a ocupar la ciudad. Saladino fue amable, comprensivo e incluso afectuoso con los cristianos. Tras Saladino reinaron Selim I y Solimán el Magnífico.

Hasta 1917 Jerusalén no volvió definitivamente a manos cristianas, concretamente a las del general británico Allenby, el jefe de Lawrence de Arabia.

Hoy es posible contemplar una maqueta de cómo era la ciudad en el siglo I, porque la ha construido la Universidad Hebraica según los documentos de la época de Flavio Josefo, de la Biblia, del Talmud y de los Tossephta.

ciudad, la arrasó completamente, mandó pasar el arado sobre ella y, para que no quedara ni rastro del nombre de Jerusalén, construyó sobre la tierra arada una ciudad dedicada a Júpiter Capitolino, que se llamó Aelia Capitolina. Y para que los judíos no tuvieran deseos de volver, mandó colocar un cerdo de mármol sobre la puerta de la ciudad, mirando hacia Belén.

Pero en el siglo IV, Elena decidió que no podía pasar más tiempo sin que los peregrinos cristianos pudiesen orar en los lugares en los que el Nazareno había vivido y muerto. Dicen que era una mujer muy aficionada a las reliquias y bastante crédula, por lo que no sabemos si fue ella quien urdió el hallazgo de todo lo que encontró bajo la ciudad romana o si fue el obispo Macario de Jerusalén, quien lo urdió cuando la acompañó en su búsqueda.

Es indudable que después de tantos siglos, de tantas guerras, destrucciones y reconstrucciones, encontrar los Santos Lugares era tarea imposible, pero Elena juzgó que era necesario aportar pruebas tangibles de aquella religión a la que quería llevar a la cabecera del Imperio.

Y las encontró. Algunos cronistas de la época, como el propio Eusebio de Cesarea, aseguran que el mismo Cristo ayudó a la madre del Emperador a localizar los lugares en los que vivió, murió y realizó milagros. Se habló de ángeles y de santos resucitados que mostraron directamente los lugares sagrados.

Un icono del siglo XVI que se conserva en el monasterio de San Juan Teólogo, en Patmos, muestra el momento en el que Judas el Hebreo excava y encuentra la Vera Cruz, en presencia de Elena y del obispo Macario. Porque cuenta otra de las muchas leyendas tejidas en torno al hallazgo de la cruz (que no sin razón se escenifica como "La invención de la Vera Cruz") que Elena mandó llamar a todos los rabinos de Jerusalén y les instó a declarar en qué lugar se había llevado a cabo la crucifixión o, de lo

Elena y Macario conminaron a los rabinos de Jerusalén a localizar la cruz de Cristo, bajo amenazas, y estos construyeron una cruz con madera antigua que Judas el Hebreo se encargó de "descubrir" ante la madre del emperador.

contrario, los haría quemar vivos. Ellos, espantados, hicieron traer a un tal Judas que aseguraba conocer el verdadero lugar. Elena le conminó a indicar el lugar exacto en que se encontraba la cruz so pena de hacerle morir de hambre. Y cuentan que los rabinos se apresuraron a localizar trozos de madera que aparentaran más de cuatro siglos con los que construir una cruz, y que Judas el Hebreo sufrió hambre y sed durante los seis días que tardaron en construirla, hasta que finalmente pudieron conducir a la madre del Emperador a un lugar en el que aseguraron que se ocultaba la cruz verdadera.

Fuera como fuese, Elena y Macario señalaron con precisión los puntos geográficos en los que se desarrollaron las escenas que narra el Nuevo Testamento y allí se erigieron los correspondientes monumentos, para que todo el orbe cristiano pudiera peregrinar y reverenciarlos. Incluso llegaron a identificar el lugar del monte Sinaí en el que Dios se reveló a Moisés desde una zarza que ardía sin quemarse, y allí mismo mandaron erigir una iglesia dedicada a la Virgen María. Lástima. Al cabo de unos cuantos siglos, todo aquel tesoro de incalculable valor sagrado cayó en manos de los turcos y el cristianismo no consiguió recuperarlos hasta 1917.

Pero la recuperación de los Santos Lugares no solamente debió de ser idea de Elena, sino una de las más importantes argucias de Constantino para hacer entrar en razón a aquellos cristianos empecinados en rechazar el culto a las imágenes.

En el siglo IV, cuando Constantino decidió sacar el cristianismo de las catacumbas y elevarlo a los palacios a cambio de conseguir el apoyo incondicional de sus líderes, debió tropezar con un grave problema. Los romanos y, en general, los habitantes del Imperio Romano, exceptuando a los judíos, estaban habituados a venerar las imágenes de los dioses y a contemplar sus rostros representados en esculturas y pinturas. Pero eso estaba

Es posible que esta roca sea el Gólgota, cuyo nombre recuerda el parecido del monte con una calavera. El Gólgota fue durante siglos el lugar de crucifixión de muchos ajusticiados por Roma y allí dicen los Evangelios que fue crucificado Jesús de Nazaret.

terminantemente prohibido en la Biblia y el cristianismo, aunque se había desprendido de buena parte del judaísmo, mantenía muchas de sus tradiciones, de sus obligaciones y de sus prohibiciones. Para los cristianos, todas aquellas procesiones en las que se llevaba en andas la estatua de un dios, al que todos los fieles seguían con cánticos y alabanzas, eran cosa del diablo. Precisamente aquello había producido no pocos incidentes, incluyendo el martirio de más de un santo que, espantado ante aquella visible idolatría, se había atrevido a romper la imagen del dios de turno con las consiguientes consecuencias.

Aunque hablaremos de este asunto en el capítulo IX, es importante conocer esta dificultad, una de las más graves que hubo que vencer para integrar la religión cristiana en el Imperio Romano. Es probable que la idea partiera de Constantino o de alguno de sus asesores, pero resultó efectiva. Decidió que, si no adoraban imágenes, al menos adorarían reliquias.

Todas las culturas han adorado reliquias, no solamente de sus personajes religiosos, sino de personajes legendarios. Y los cristianos no habían de ser menos. La reliquia más importante del cristianismo debía ser, con certeza, la cruz en la que murió Cristo, y esa era precisamente la reliquia que había que conseguir. Y aquella fue la verdadera misión de Elena y del obispo Macario de Jerusalén.

Siguiendo la pista de los Evangelios visitaron el Gólgota, donde se llevaban a cabo una buena parte de las crucifixiones; es decir, debía de haber varios miles de cruces, de clavos, de hierros oxidados, de leños podridos o medio podridos y de vestigios de cientos de miles de crucificados a lo largo de más de tres siglos. Pero eso no fue óbice para localizar la Vera Cruz.

Cuenta Eusebio de Cesarea que, puesto que el obispo de Jerusalén, Macario, conocía la existencia de la inscripción INRI que, según los Evangelios, los romanos pusieron en la parte superior de la cruz de Cristo, se dedicaron a localizarla y, cuando la encontraron, hallaron hasta tres cruces en su proximidad. Y para averiguar cuál de las tres era la verdadera, no tuvieron más que poner a

LAS RELIQUIAS

Los relicarios tuvieron gran difusión tanto en Oriente como en Occidente, hasta el punto de no concebirse un señor sin su iglesia ni una iglesia sin su reliquia. El santo cuyas reliquias guardaba la iglesia era el santo patrón protector y el auténtico dueño de los bienes de la parroquia a la que protegía.

En los siglos VII y VIII se robaban reliquias en toda la cristiandad por el ansia de poseer un auxiliar tan poderoso como un mechón de cabellos, un pedazo de piel o un objeto perteneciente a un santo. Sabemos que el rey franco Childerico I, en su segunda expedición a Hispania, oyó hablar de la eficacia de la túnica de San Vicente y levantó el sitio de Zaragoza con la condición de que le entregaran la reliquia. Cuando la obtuvo, construyó para ella una iglesia suntuosa en las afueras de París.

Cuando los caballeros cruzados tomaron Constantinopla en 1204, no solamente saquearon los palacios y las tiendas de los plateros y orfebres de la Mese, sino que también recorrieron todas las iglesias, monasterios y santuarios, empezando por Santa Sofía, para pillar todas las reliquias, guardadas por cierto en riquísimos relicarios y, de paso, todas las coronas, las joyas y los ornamentos sagrados preciosos que pudieron llevarse.

Los cristianos medievales sentían temor y veneración por las reliquias, y estas atraían a los peregrinos a los santuarios, de los que salían limpios de pecado y con renovada fe y devoción. Los caballeros recorrían el mundo tanto en busca de tierras y riquezas como de reliquias para sus iglesias.

Hubo algunas reliquias tan curiosas que merece la pena recordarlas. Sabemos que en la iglesia de la Virgen Pammacaristos, en Constantinopla, se veneraba el brazo de San Juan. En Santa Sofía, la parilla de San Lorenzo. En San Juan *in Trullo,* el trozo de pan de la Cena que Judas no llegó a comer, un frasco con sangre preciosa de Cristo, pelos de su barba arrancados en el momento de la crucifixión, la punta de la Santa Lanza, fragmentos de la esponja empapada en vinagre y el manto echado a suertes. En la iglesia de San Francisco, un trozo de la Vera Cruz, los huesos de San Andrés y el brazo derecho de Santa Ana.

Tanto la Iglesia de Oriente como la de Occidente fomentaron la veneración de las reliquias de los santos, porque era una forma de avivar la devoción y el culto, pero llegó un momento en que la cantidad y calidad de las reliquias sobrepasaron la buena lógica y la

Iglesia hubo de controlar su difusión, concediendo certificaciones de autenticidad que debían ser emitidas por una autoridad no inferior al obispo y con un sello estampado sobre el lacre del relicario.

El motivo de tal control fue que empezaron a aparecer duplicados y hasta triplicados de reliquias tan importantes como el anillo nupcial de la Virgen, la oreja que cortó San Pedro, el brazo y el hígado de la Virgen, que debió de olvidar al subir al cielo, una sandalia de Jesús, el Cáliz de la Última Cena, una campana cuya fundición comprendía una de las 30 monedas de Judas, cabellos de Cristo, de María Magdalena, de la Virgen y de San Juan. Hubo duplicados de la cola del asno que llevó a Jesús en su entrada triunfal en Jerusalén, varios clavos de la crucifixión y espinas de la corona, la columna sobre la que cantó el gallo que avisó a San Pedro, el corazón y la lengua de la Virgen, el cuchillo con el que se circuncidó a Jesús, los 28 escalones de la casa de Poncio Pilato que ascendió Jesús, leche y lágrimas de la Virgen, la toalla con la que Jesús secó los pies de sus apóstoles, la mandíbula de San Mateo, el mantel y dos mesas de la Cena, catorce Santos Prepucios, dos mantos de Jesús, los pañales del niño Dios, la pluma de San Marcos, varios velos de la Virgen, raspas de los peces del milagro, paja del pesebre de Belén y, para colmo de las maravillas, trece lentejas de la Última Cena. Por no hablar de reliquias metafísicas como rayos de la estrella de los magos y un estornudo del Espíritu Santo, guardados en botellas.

Estas y otras muchas reliquias más o menos admirables precisaban muchos relicarios de metales preciosos, ornamentados, tallados y enriquecidos para hacerlos dignos de lo que debían contener.

prueba la capacidad milagrosa de cada una. Es decir, hicieron acostar a un enfermo sobre cada una de las cruces y esperaron el resultado. Cuando uno de los enfermos sanó y se levantó cantando salmos y alabanzas, supieron que aquella era la Vera Cruz.

Clotilde, la Santa Ampolla

Las crónicas cristianas imputan numerosos milagros a San Remigio, obispo de Reims; desde sanar mujeres energúmenas hasta resucitar muertos, así como innumerables milagros "menores"; pero el más grande e importante de todos fue la conversión del rey Clodoveo al cristianismo y, con él, de casi todos los francos.

Pero quien realmente obró el "milagro" no fue San Remigio con toda su santidad y su bien hacer, sino una princesa burgundia de dieciocho años, rubia y con los ojos verdes moteados de oro. Así la describe, al menos, Gregorio de Tours, que fue también santo y obispo.

En la primavera de 492, Clodoveo, rey de los francos, esperaba impaciente en Soissons el regreso de sus embajadores. Habían ido a las tierras de los burgundios, porque habían escuchado hablar acerca de una bellísima princesa huérfana, recogida por un pariente.

Siguiendo la usanza de la época, Borgoña, la tierra de los burgundios que después se llamaron borgoñones, estaba gobernada por cuatro hermanos: Childerico en Lyon, Gondebaldo en Dijon, Godogiselo en Ginebra y Gundemaro en Vienne.

A la muerte de Childerico, Caretena, su viuda, fue a vivir con sus dos hijas a Ginebra, a la corte de su cuñado Godogiselo, quien las acogió como un padre. Una de las niñas entró en religión cuando cumplió los quince años y la otra, Clotilde, había cumplido dieciocho años cuando la fama de su belleza llegó a tierras de francos.

Cuentan que, ansioso por poseerla, Clodoveo encomendó a su amigo Aureliano que viajase a las tierras de los burgundios para obtener la mano de la princesa. Aureliano llegó a Valence disfrazado de mendigo para acercarse a Clotilde sin hacerse notar.

La encontró a la puerta del palacio donde ella distribuía limosnas, pues, además de bella, era cristiana y piadosa. Se acercó a pedir limosna y le mostró el anillo de Clodoveo. Acto seguido le dijo que el rey de los francos la quería por esposa. Ella aceptó sin

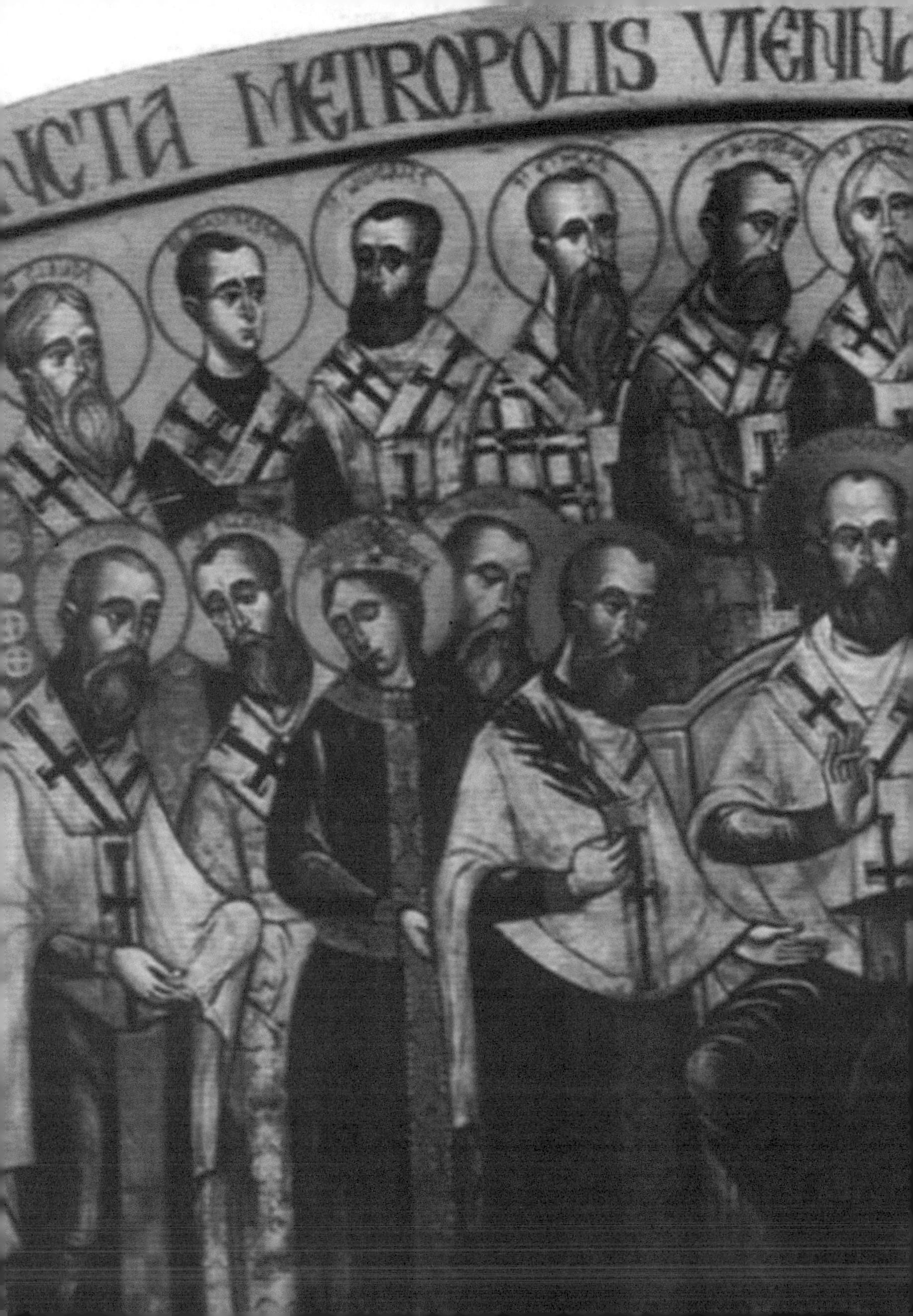
NCTA METROPOLIS

MAXIMA GA

Clotilde fue una princesa burgundia que convenció a su esposo Clodoveo,
rey de los francos, para hacerse bautizar. Siguiendo el ejemplo
de su rey, fueron muchos los francos que se bautizaron. Los pueblos
bárbaros admitieron el bautismo como forma de romanizarse
porque romanizarse significaba entonces alcanzar la civilización

hacerse rogar, y le dio una moneda. Aureliano partió raudo para Ginebra, donde se hallaba Godogiselo, le pidió la mano de su sobrina y éste aceptó, siempre y cuando ella estuviese de acuerdo. Además, había oído hablar de las hazañas militares de Clodoveo y le pareció interesante una alianza con los francos.

Cuando Clotilde llegó a Soissons, Clodoveo no podía creerse poseedor de tanta belleza. Él tenía veinticinco años y nunca había visto una mujer semejante. Se casaron con grandes celebraciones y fiestas que duraron semanas. Nunca hubo rey más feliz.

Al poco tiempo de casados, Clotilde decidió que la religión que debía adoptar su esposo y todo su pueblo era la católica, que concedía a las mujeres muchos más valores que las leyes francas y que le aseguraba la dignidad de esposa y de madre. Por su parte, Clodoveo hubiera preferido el arrianismo porque, como todos los bárbaros, le resultaba más fácil de asimilar que toda la complejidad del catolicismo. Pero ella era católica y católicos habían de ser los francos.

Otro problema que se le presentó a Clodoveo, además de la complejidad de la doctrina católica, fue la posibilidad de perder autoridad frente a sus generales. Un rey que reniega de la religión de sus mayores para abrazar una doctrina incomprensible que le llega, además, de la mano de su mujer, debía de ser un golpe muy fuerte para la solidez de un franco. Por otro lado, Clodoveo sabía que había muchos francos cristianos que no eran sus súbditos y que probablemente le reconocerían como rey si se hacía bautizar. Y luego estaba aquel anhelo de todos los bárbaros de ser romanos, y ser romanos significaba ser cristianos.

Durante un tiempo, Clodoveo se debatió entre su deseo de agradar a su esposa, de ser romano y de presentarse como rey cristiano ante numerosos pueblos cristianos, y su temor a enfrentarse a su pueblo, que rechazaba la idea de romper con la religión y las costumbres de sus antepasados.

Clotilde aprovechó la llegada de su primer hijo, Ingomiro, para sugerir a Clodoveo que había llegado el momento de iniciar una nueva dinastía con un nuevo dios. Y para impresionar a los bárbaros hizo decorar la iglesia de forma tan espectacular que los francos exclamaron admirados: "¡Qué religión tan hermosa!".

El derroche de luz, de cánticos, de flores, de liturgia corrió a cargo de San Remigio, que era el encargado de instruir al rey en la nueva religión y de aportar a la reina los argumentos que debía utilizar para convencer a su real esposo.

Por desgracia, el niño murió al poco tiempo y el rey montó en cólera, porque entendió que él mismo le había privado de la protección de sus dioses ancestrales, Odín, Thor y Frey, que formaban una trinidad mucho más fuerte que la de los cristianos. Pero Clotilde tenía siempre argumentos a mano y le convenció de que Dios le había hecho un gran bien al llevarle tan joven a su reino.

El amor de Clodoveo por Clotilde era tan grande que todas sus razones fueron válidas, ya que le permitió bautizar a su segundo hijo, Clodomiro, con más pompa y magnificencia que al anterior. Este niño también enfermó, pero no llegó a morir, lo que constituyó un argumento positivo a favor del bautismo.

En aquellos momentos, llegaron otros pueblos germanos, los alamanes, invadiendo y saqueando. Primero se arrojaron sobre Colonia y abatieron a los ejércitos del rey Sigisberto, hiriéndole gravemente. Sigisberto se retiró pidiendo ayuda a Clodoveo, quien debió de ver el asunto muy serio, porque prometió a Clotilde que, si invocando a su Dios ganaba la batalla, se haría bautizar y convencería a su pueblo de que el Dios cristiano era el verdadero.

Clodoveo se enfrentó a los alamanes en Tolviac, cerca de Estrasburgo, y tuvo sobre ellos una victoria sonora y comentada. Entonces estuvo dispuesto a bautizarse y a bautizar a su pueblo.

Además de la influencia de Clotilde, Clodoveo tuvo razones políticas para bautizarse. Su bautismo aparece narrado por Gregorio de Tours con los típicos detalles que convierten una historia en una leyenda.

Cuenta este autor que San Remigio bautizó a Clodoveo en Reims, en la Navidad de 496. Fue en la iglesia de San Martín, situada extramuros de la ciudad, ricamente adornada con cortinas

LOS MEROVINGIOS

Los merovingios fueron una dinastía de reyes francos de la tribu de los salios que reinaron en Francia desde finales del siglo V hasta mediados del siglo VIII. El primer rey merovingio documentable parece ser Clodión, de cuyo hijo, Meroveo, procede el nombre de la dinastía.

Los reyes merovingios se sucedieron repartiendo el reino entre sus hijos, los cuales unas veces conquistaron nuevas tierras, y otras las arrebataron a sus hermanos tras guerras, asesinatos e intrigas. A las guerras de los reyes se unieron las guerras de las reinas, a una de las cuales, Brunequilda, se llegó a responsabilizar de la muerte de más de 10 reyes o hijos de reyes.

Los reyes merovingios reinaron solos hasta el año 628, en el que Dagoberto I estableció la costumbre de compartir el gobierno con una dinastía de nobles a los que se conoce como mayordomos de palacio, los cuales se repartieron igualmente el poder y lucharon unas veces entre ellos, y otras contra los mismos reyes. Finalmente, uno de estos nobles, Pipino el Breve, encerró en un convento a Childerico III, el último rey merovingio, y se coronó rey de los francos, dando lugar a la nueva dinastía pipínida que, poco después, se denominó carolingia, nombre derivado del más famoso de sus reyes, Carlos, conocido como Carlomagno.

blancas, así como tapicerías en los muros y alfombras en las calles que conducían hasta la iglesia. Todas ellas eran blancas, para simbolizar el color que adquiría el alma tras el sacramento.

Llegó el rey con toda su familia y un séquito de más de tres mil hombres escogidos de entre los muchos millares que habían solicitado el bautismo, todos vestidos de blanco. San Remigio y varios prelados los esperaban ante las pilas bautismales.

Este extremo resulta dudoso si recordamos que en aquellos tiempos el bautismo se hacía por inmersión y que tres mil personas son muchas personas para bañarse en una iglesia. Tras el rey se bautizaron sus dos hermanas Lantilde y Albofleda.

Sí parece cierto que Clodoveo se sumergiera en una tina para recibir el sacramento de manos de San Remigio. Después llegó el momento de la unción y, al percatarse el santo de que no había sagrado crisma disponible, rogó a Dios que le proveyese. Entonces descendió una paloma que llevaba en su pico un frasquito lleno de óleo divino, y lo dejó caer en las manos del prelado.

Este frasquito se conoce como la Santa Ampolla, y con ella recibieron posteriormente los reyes franceses la consagración de manos eclesiásticas. El óleo que contenía la ampolla se renovaba milagrosamente cada vez que se consagraba un nuevo rey, y la crismera se guarda en la catedral de Reims. Otros cuentan que fue un ángel quien bajó la ampolla sobre la cabeza de Clodoveo en el mismo momento del bautismo[6]. Y también que, en aquel mismo acto, el ángel entregó a Clodoveo la flor de lis y el poder para curar la hinchazón con la imposición de sus manos, poder que se transmitió a los siguientes reyes franceses. Sabemos que Luis XIV apenas podía comer tranquilo debido a la afluencia de súbditos que se presentaban en Versalles para pedirle que les impusiera las manos. En el siglo XVI, la reina Isabel I de Inglaterra curaba por contacto; y en el XVII, la reina Ana de Inglaterra practicó las últimas curaciones con este método, porque tras ella llegó la Ilustración y desmitificó el poder de los reyes.

Veamos a continuación el efecto del bautismo de Clodoveo. Para unos autores, muchos reyes godos y burgundios, que eran arrianos, y los galorromanos que habitaban por millones en la Galia, le reconocieron rey por ser cristiano. Asimismo recibió el apoyo de los obispos, cuyo inmenso poder le facilitó la conquista de los territorios del Loira, que arrebató a los visigodos. Después se instaló en París y estableció allí la capital del reino.

Pero otros autores afirman que las ventajas que Clodoveo obtuvo sobre los alamanes, los burgundios y los visigodos nada tuvieron que ver con su bautismo, sino con una acción militar que tuvo por objeto reunir a todos los francos bajo un mandato único, el suyo. La acción fue, como cabe suponer, exterminar a todos los

---

[6] Obviamente, la historia de la Santa Ampolla es una leyenda, igual que la unción de Clodoveo. El primer rey franco ungido fue Pipino el Breve.

capitanes que ostentasen el título de rey y enclaustrar a todos los primogénitos que pudieran un día reclamar el poder.

Cuenta Maurice de la Châtre que, entre los condenados a terminar sus días en un convento se hallaban el rey Chararico y su hijo. Ambos lloraban mientras les cortaban los cabellos, y el joven cometió la indiscreción de comentar que aquellas ramas cortadas volverían a crecer, porque aún estaban verdes y el tronco no había muerto. Clodoveo reconoció la clara alusión a una rebelión posterior que encerraban aquellas palabras y, sin perder un momento, mandó cortarles la cabeza, ya que se quejaban de que les cortaran los cabellos. No olvidemos que los cabellos largos eran signo de realeza. El mismo Clodoveo fue elegido jefe de los francos por su cabello.

Puede que la historia de Chararico sea solamente una leyenda, pero lo que sí es cierto es que Clodoveo unificó a las numerosas tribus francas bajo un único mandato y estableció el reino de los francos salios. Vengó a los romanos de la caída de Roma, porque fue él quien derrotó y ejecutó a Alarico en Vouillé, el año 507. Clodoveo murió en la cama en 511, súbitamente, dicen que envenenado, y sus hijos Clodomiro, Childeberto y Clotario se repartieron el reino. La viuda, Clotilde, fue testigo de las luchas crueles que entablaron sus hijos por el poder. Era lo habitual en aquellos tiempos, incluso entre los reyes cristianos.

TEODOLINDA, EL FRACASO DEL CATOLICISMO

Teodolinda quiso ser para los longobardos lo mismo que Clotilde había sido para los francos, con la diferencia de que los longobardos eran arrianos y siguieron siéndolo, salvo algunas excepciones. Y seguramente eran arrianos, además de por no comprender el misterio de la Santísima Trinidad, que no existe en el arrianismo,

Clodoveo, rey de los francos, se hizo bautizar junto con la mayoría de sus súbditos a instancias de su esposa Clotilde, de quien estaba muy enamorado. Clodoveo unificó las tribus francas y designó París como capital de lo que más tarde sería Francia.

por llevar la contraria a Roma, pues se ufanaban de ser sus enemigos irreconciliables. Algunos se hicieron católicos por influencia de Teodolinda, para volver después al arrianismo. Aunque hubo reyes longobardos decididamente católicos, como Liutprando, lo cierto es que todas las iglesias lombardas que se construyeron llevaban la insignia del arrianismo, que es una cruz con pedrería y dos colgantes con "alfa" y "omega," la primera y última letras del alfabeto griego que simbolizan que Dios es principio y fin.

Pero, aunque se resistieron, al cabo de algún tiempo terminaron por claudicar. No solamente se hicieron católicos, sino que también adoptaron la lengua latina o, al menos, una lengua próxima al latín, y cambiaron sus vestiduras y peinados por los de sus vecinos italianos. A principios del siglo VIII aparecen ya familias con nombres indistintamente longobardos y romanos. Y aunque trajeron sus propias leyes compiladas en los códigos de Rotario y Liutprando, terminaron por aceptar el Derecho Romano.

En el año 590, el rey Autario se casó en Verona con la joven bávara y además católica Teodolinda, hija del duque de Baviera, Garibaldo. Autario no reinó más que seis años, porque murió súbitamente en Pavía, dicen que a consecuencia de un veneno, y Teodolinda quedó viuda, joven y hermosa. Y, además, debía de ser querida por su pueblo, porque, contra toda tradición, le permitieron conservar su dignidad. Pero como al fin y al cabo era mujer, le pidieron que eligiera un nuevo esposo para seguir siendo reina. Ella, dicen que siguiendo la sugerencia del papa Gregorio I, eligió al duque de Turín, Agilulfo, un guapo mozo valiente y atrevido, con el que se casó en 591, asociándolo al trono. Fue el primer rey longobardo que ciñó la corona de hierro, la que un día exhibiría orgulloso Carlomagno y que serviría posteriormente para coronar a los reyes de Italia.

Teodolinda emprendió la conversión de sus súbditos con ayuda del papa Gregorio I, al cual solicitó escritos y argumentos que apoyasen la doctrina católica frente al arrianismo. Algunos se dejaron convertir, aunque suponemos que como se convertían todos en aquella época, de palabra, porque interiormente cada uno seguía con sus creencias, que muchas veces no eran siquiera el arrianismo, sino sus dioses ancestrales. Sin embargo, aquel esfuerzo por convertir a todo el mundo al catolicismo, fomentado por el Papa con escritos y argumentos, se volvería un día en contra de la reina. El que no se dejó convertir, a pesar de los muchos intentos de Teodolinda, fue Agilulfo, como tampoco se había convertido Autario.

Agilulfo murió en 616. Había dejado un heredero, Adaloaldo, a quien Teodolinda hizo bautizar en 604, participando al papa Gregorio la fausta nueva. Naturalmente, recibió del pontífice todas las bendiciones para el príncipe, así como un crucifijo labrado con madera de la Vera Cruz, un evangeliario y tres anillos consagrados. En la carta con la que el Papa enviaba tales presentes, incluía expresiones de agradecimiento hacia la reina, "por la paz que nos concede vuestro marido". Eso significa que Teodolinda había conseguido convencer a Agilulfo para que permitiese bautizar al heredero en la fe catóica, aunque no hubiera conseguido convertirle. Siendo regente durante la minoría de edad de Adaloaldo, Teodolinda tuvo que enfrentarse a la desconfianza de los longobardos. Sus cordiales relaciones con el Papa y con los obispos católicos habían levantado recelos, a pesar de que muchos de sus súbditos se habían convertido o habían fingido convertirse, pero sus esfuerzos misioneros habían tropezado con la oposición, hasta entonces larvada, de los duques arrianos, que no tenían ningún interés en cambiar de religión.

Y una vez muerto Agilulfo, los duques se mostraron mucho menos galantes para con la insistencia de la reina, que no cejaba en su empeño por convertirlos a todos.

Esperaron a que Adaloaldo cumpliera la mayoría de edad y recibiera la corona de hierro para verle actuar y, como intentó continuar imponiendo el catolicismo, lo depusieron en 625 y coronaron en su lugar al duque de Turín, Arivaldo, que era arriano.

Teodolinda tuvo que huir a Rávena con su hijo, donde fue acogida por el exarca Isaac, quien intentó reponerlos en el trono utilizando las armas, pero Adaloaldo murió antes de que se emprendiera acción alguna, dicen que envenenado.

Teodolinda quiso ser para los longobardos lo mismo que Clotilde para los francos. Hizo todo cuanto estuvo en su mano para convertir a su pueblo al catolicismo, pero fracasó totalmente. Dejó un importante legado para la iglesia de Monza.

Los longobardos

Los bárbaros que con mayor fuerza atacaron al Imperio Romano por el norte fueron los longobardos, a los que después se llamó lombardos y dieron nombre a Lombardía. Entonces eran tribus salvajes, feroces, de batalladores infatigables que no tenían ningún interés por romanizarse, sino todo lo contrario. El nombre de Roma era para ellos señal de burla e incluso llegaron a utilizar la palabra "romano" como insulto, ya que entre ellos se contaba una historia según la cual, Rómulo, el fundador de Roma, había sido un fratricida hijo del adulterio, que se había rodeado de esclavos, asesinos y ladrones. Y se mofaban señalando que esos eran los que llamaban romanos.

Otro tanto sucedía con los sajones aunque, finalmente, unos y otros terminaron por romanizarse y hacerse bautizar masivamente. Unos fueron arrianos y otros católicos, pero todos adoptaron el cristianismo como religión, al menos externa porque, durante muchos siglos, todos los pueblos bautizados continuaron adorando a sus dioses y celebrando sus ritos paganos.

En 568, los longobardos entraron en Italia directamente a la conquista de Pavía, que era la ciudad a la que se había retirado Teodorico (rey ostrogodo de Roma en el siglo VI) tras dejar de regente a su hija Amalasunta, quien, siguiendo la costumbre de la época, murió estrangulada por orden de su primo Teodato. Después de establecer allí su capital y de llegar hasta Siena, los longobardos decidieron que lo más práctico para su lucha sería aislar las dos ciudades romanas importantes que quedaban, Rávena y Roma, defendidas por guarniciones imperiales.

Establecieron los ducados de Espoleto y Benevento, atacaron Roma, conquistaron todo el norte y numerosas ciudades del interior, desmoronando Italia con excepción de Roma, porque el papa era el gobernante que mejor sabía defenderse.

Berta, un poder de seis legiones

A finales del siglo VI, el rey inglés Etelberto de Kent (ver su imagen) se enamoró de una princesa merovingia, Berta, que era cristiana e hija del rey Cariberto I. Era tan bella que Etelberto se mostró dispuesto a dejarse bautizar y a hacer bautizar a todo su pueblo con tal de conseguirla. Ella aprovechó para pedir al Papa

que enviase a Inglaterra una tropa de misioneros que convirtiesen a todos los paganos de aquellas tierras. Por cierto, dice el padre Apeles que el Papa los quiso bautizar porque vio un día esclavos anglos en un mercado y se maravilló de que tan bellas criaturas pudieran no ser cristianas. Y tanto éxito tuvieron los monjes enviados a Inglaterra que el historiador Edward Gibbons comenta que Gregorio I consiguió con cuarenta monjes lo mismo que César con seis legiones.

Pero quien realmente consiguió lo mismo que César con sus seis legiones fue Berta, quien puso como condición a Etelberto el bautismo de su pueblo antes de acceder a su demanda. Resulta curioso que fuese una mujer quien introdujese el catolicismo en Inglaterra y que precisamente fuese otra la que acabase con él, Ana Bolena en tiempos de Enrique VIII.

Cuentan que Etelberto se casó sin cumplir su promesa, es decir, sin bautizarse, aunque impulsó a sus súbditos a dejarse convertir por los monjes establecidos en Canterbury, pero que Berta no permitió la burla y llegó a amenazar a su marido con abandonarle si persistía en su paganismo. Y que, cuando Etelberto, seguramente por no perderla, se dejó bautizar, los ingleses acudieron en masa a recibir las aguas bautismales.

OLGA, UNA VIUDA DESCONSOLADA

En el año 921, el cronista persa Ahmet Ibn Fadlan, que visitó el país de los búlgaros en nombre del Califa de Bagdad, describió a los rusos como mercaderes que viajaban en caravanas con sus mujeres y que desembarcaron a las orillas del Volga y montaron sus tenderetes formados por una tabla rodeada de estacas, presidida por uno o varios dioses. Cuando llegaban los compradores, los rusos se retiraban para permitirles examinar las mercancías, que eran generalmente pieles de marta, ámbar y esclavas.

Los rusos estaban llamados a ser los herederos de Bizancio. Cuando los turcos arrasaron el Imperio de Oriente o, mejor dicho, lo que quedaba de él, la religión cristiana ortodoxa se trasladó a Rusia y allí permaneció en las numerosas iglesias bizantinas construidas en los tiempos en que los rusos querían ser bizantinos, como una vez los godos quisieron ser romanos.

Los eslavos empezaron a ser cristianos con la predicación de los misioneros bizantinos Cirilo y Metodio, que iniciaron una labor que culminaría la princesa Olga de Kiev. Ya hemos visto que la religión ha sido cosa de mujeres, aunque la Iglesia se empeñe en no concederles poder alguno. Pero Cirilo y Metodio no hicieron más que eso, iniciar el proceso. Bautizaron sin duda, pero no a los rusos, si acaso, a algunos, durante su viaje al principado Ázaro en 858; pero no puede decirse que bautizaran a los rusos. El bautismo masivo llegó con el príncipe Vladimiro y el acuerdo de la princesa Olga con el *Basileus*.

En el siglo VI, los rusos habían llegado al Bósforo en son de guerra, porque muchos de ellos habían servido en las milicias bizantinas como mercenarios, igual que los germanos lucharon a sueldo en las filas romanas, y conocían los tesoros, las costumbres y la religión de los bizantinos. Desde entonces mantenían guerras intermitentes con Bizancio.

Pero, después de los innumerables ataques rusos de Oleg en 907 y de Igor de Kiev en 944, los bizantinos decidieron establecer con ellos "una paz que dure mientras el Sol ilumine y la Tierra exista." Constantino VII Porfirogeneta dejó escrito en su *Libro de Ceremonias* el recibimiento que se otorgó a la princesa Olga de Kiev cuando viajó a Constantinopla en 957 para sellar la paz y la amistad entre los dos pueblos.

Olga era la viuda del príncipe Igor, sucesor de aquel belicoso Oleg, de quien cuentan que, en un alarde de osadía, llegó a colgar su escudo en la misma puerta de Constantinopla. La Iglesia canonizó a Olga sin duda por su labor evangelizadora del pueblo ruso, pero lo cierto es que ella negoció su bautismo con el *Basileus* como hubiera negociado un matrimonio. De ella se cuentan también historias que no se avienen con el modo de actuar de una princesa cristiana.

En 945, el príncipe Igor de Kiev, el esposo de Olga, cobraba los tributos anuales de las tribus eslavas sometidas porque necesitaba dinero para protegerse de los pechengos, por un lado, y para atacar a Bizancio por otro. Pero los drevlianos, una de las tribus asentadas al este de Kiev, no estaban conformes con pagar los tributos exigidos por el príncipe. Y parece que Igor subestimó su orgullo y su ira porque, después de cobrar lo debido y de contemplar la riqueza de aquella tierra boscosa y exuberante, decidió enviar a la mitad de sus soldados a Kiev con el pago y volver con la otra mitad a cobrar un tributo extra.

Pero los drevlianos, que ya estaban molestos con pagar una vez, se negaron a pagar dos, y después de enfrentarse a los soldados y vencerlos, hicieron prisionero a Igor. Y como en aquellos tiempos no andaban con contemplaciones, buscaron un modo de ejecutarle que recordara a los príncipes sucesores que no era fácil abusar de los súbditos. Inclinaron dos abedules hasta el suelo, ataron un pie de Igor a cada árbol y los soltaron. El príncipe quedó partido en dos. Después lo enterraron con grandes honores y pusieron un túmulo sobre la tumba.

Cuando Olga de Kiev lo supo, se estremeció de dolor y de rabia. Su hijo Sviatoslav no tenía más que tres años y ella debía ejercer la regencia. Pero los drevlianos decidieron establecer un acuerdo con ella y deshacerse del dominio de Kiev, suponiéndola viuda desconsolada y debilitada por la pérdida de su esposo.

Enviaron una embajada con veinte hombres con la intención de pedirla en matrimonio para su príncipe, Mal. Ella los recibió con todas las atenciones que correspondían a tan encumbrados personajes y manifestó su acuerdo con el matrimonio propuesto. Y para demostrarles su buena voluntad, les dijo que al día siguiente los haría conducir en una barca a su presencia, donde les rendiría los honores pertinentes.

Cuando se retiraron, Olga mandó cavar un pozo muy grande y profundo y disponer una barca, en la que al día siguiente embarcarían los embajadores drevlianos. Embarcaron y la barca fue conducida al pozo por un canal. Cuando los tuvo en el punto de mira, Olga mandó llenar el pozo con arena y enterrarlos vivos.

Después envió un mensaje a los drevlianos señalando que, si querían que fuera su reina, debían enviar gente respetable, para que ella pudiera ver sus buenas intenciones. Y cuentan que a los siguientes embajadores los hizo quemar vivos en un edificio de madera en el que los había encerrado previamente con engaños.

Esta forma de matar, por cierto, era habitual entre los vikingos, que construían espaciosos pabellones de madera, llamados *halls,* adornados con tapices y cortinas, en los que pasaban el tiempo entre dos batallas, celebrando banquetes y escuchando cantar a los bardos. Estos *halls* se convertían a veces en trampas mortales para sus moradores, porque sus enemigos aprovechaban el sesteo que sigue a las comilonas para atrancar las puertas y prender fuego al local. Allí morían quemados el jefe y sus invitados.

Después de estas dos venganzas parciales de Olga, llegó la definitiva. Organizó una expedición militar contra los drevlianos, en la que se hizo acompañar por su hijo Sviatoslav, quien debía lanzar una flecha como señal de ataque.

Tras el asalto vino la devastación hasta que Iskorosten, que era la capital de los drevlianos, desapareció durante algún tiempo, pero poco a poco se recuperó y volvió a emerger, porque era un lugar rico y se hallaba en un cruce de rutas comerciales. Hoy se conoce como Korosten y se halla cerca de Chernobyl.

Olga de Kiev llegó a Constantinopla en 957, invitada por el *basileus* Constantino VII. Con él negoció la paz duradera, pero ya hemos dicho que no se bautizó por convicción, sino como prenda de paz. Estuvo discutiendo e intercambiando astucias con el emperador hasta que él se halló a punto de claudicar, porque ya no sabía qué argumentar a favor del bautismo. Finalmente, la princesa accedió, pero con la condición de que debía bautizarla el emperador en persona. Ella no pensaba humillar la cabeza y recibir el agua bautismal, entendemos que dentro de una tina, de alguien de rango inferior al monarca.

Después de Olga, nadie más se bautizó en Kiev. Su hijo Sviatoslav siguió adorando a sus dioses, y solamente su nieto Vladimiro consintió en el bautismo. Pero no es seguro que fuera por influencia de su abuela, sino más bien porque el emperador Basilio II le había pedido ayuda contra un descendiente de Nicéforo II, que pretendía el trono bizantino. Basilio había ofrecido a Vladimiro dos cosas a cambio de su ayuda: un título de duque y la mano de su hermana Ana. Ambas cosas muy tentadoras para Vladimiro, quien sentía gran admiración hacia Bizancio. Y no podía casarse con Ana si no era cristiano.

Recibió el bautismo en 988. Era gobernante único de Kiev porque ya se había ocupado de matar a su hermano Jaropolk, que podía disputarle el poder. Decidió implantar el cristianismo entre sus súbditos para aunar ideas y controlar a todos. Para Bizancio, era una forma de atraer y sujetar al peligroso vecino. Para la Iglesia de Oriente, una forma de obtener una excelente fuente de donativos y diezmos, junto con un número considerable de obispos a nombrar y catecúmenos a evangelizar. Para Kiev fue un arma político-religiosa con la que controlar el país.

En todo caso, el resultado fue que todos se hicieron cristianos. Unos por convicción, otros por interés y otros por obligación, porque el príncipe Vladimiro impuso el bautismo en toda la extensión de la palabra. Reunió a la población a la orilla del Dnieper con la consigna de que quien no acudiese al río sería considerado enemigo. Una vez reunidos, entraron todos en el agua. Y cuentan los cronistas que los diablos huyeron gimiendo: "¡Pobre de mí! ¡Me echan de aquí!".

Capítulo IV
Los concilios del Incesto

La costumbre de los antiguos reyes y emperadores de considerar sus reinos o imperios un patrimonio familiar terminó con el Imperio Carolingio, como había terminado con el imperio de Alejandro, porque los descendientes de Carlomagno también se dividieron el Imperio entre sí, pelearon por él, se mataron entre ellos y terminaron dejando el trono vacante a merced de todos los reyezuelos ambiciosos de la época.

En la *Ordinatio Imperi,* Carlomagno había establecido la obligación de prestar el juramento de mantener la unidad del Imperio. Su hijo, Luis I el Piadoso, prestó ese solemne juramento en 817, pero después no tomó las medidas necesarias para transmitir ese deseo a su prole, aunque es más que probable que, de haberlas tomado, los hechos no hubieran variado demasiado. Sus hijos se encargaron de deshacer lo hecho incluso antes de morir Luis I, quien perdió la corona por dos veces y de quien se dice que murió perdonando a sus hijos como un ajusticiado perdona a su verdugo.

Carlomagno fue un gran rey. Eso hizo mucho más notorio el contraste con sus sucesores, sobre todo con el primero, su propio hijo, Luis I el Piadoso, quien no solamente no heredó la energía de su padre, sino que desarrolló tanta debilidad como fuerza había desarrollado su progenitor. Es más que probable que el padre le anulara ya desde pequeño. En aquellos tiempos no se utilizaban delicadezas educativas, y los niños reales se educaban bajo los principios del valor, el arrojo y la fuerza.

Luis I el Piadoso o Ludovico Pío, como lo conocen algunos por su nombre latino, inició el siglo que el cardenal César Baronio denominó "de los Aduladores". Hasta entonces, los reyes habían doblado la rodilla ante los papas, pero los papas habían quedado supeditados a los dictados reales. Con Luis I, las cosas cambiaron.

EL SIGLO DE LOS ADULADORES

Luis I creció a la sombra de su padre, y su temperamento depresivo se acentuó a medida que fue desarrollándose. El resultado fue un joven beato, melancólico, simple e ingenuo. En realidad, parece que lo que quiso siempre fue ser monje, pero las circunstancias lo convirtieron en algo tan comprometido como emperador del Imperio Romano reconstruido, es decir, el Imperio Carolingio. Juró proteger a sus hermanas y mantener lo que su padre había logrado, pero tan pronto se quedó solo, tan pronto desapareció la gran sombra que sobre él proyectaba Carlomagno, dejó su verdadero carácter al descubierto.

Y tuvo tanto miedo de que cualquiera de sus posibles cuñados le intentara destronar, que obligó a sus hermanas a profesar en un convento, tras raparles la cabellera, puesto que ya dijimos que los cabellos largos eran un símbolo de realeza entre los francos.

Carlomagno reconquistó el Imperio de Occidente, pero sus hijos y posteriormente sus nietos, no solamente no alcanzaron la talla de su antecesor, sino que se dividieron el Imperio como una herencia y lo debilitaron con luchas continuas y disputas por el poder.

Y no solo sus hermanas, sino sus hermanastros, los hijos naturales de Carlomagno, Drogón, Hugo y Thierry, entraron en religión de grado o por fuerza. Pero esa vez, Luis no lo hizo por miedo a que lo destronaran, sino porque su esposa, Ermengarda, le convenció del peligro que corrían los tres hijos de ambos, Lotario, Pipino y Luis, si los bastardos de Carlomagno se atrevían un día a disputarles el poder. En aquellos tiempos, un hijo natural podía pretender heredar con las mismas posibilidades que un hijo legítimo. Los francos no eran, ni mucho menos, monógamos, lo cual dio también lugar a concilios y excomuniones, como veremos más adelante.

La debilidad del emperador y su sumisión a la religión reiniciaron la antigua lucha de los papas por desprenderse de la autoridad civil, cosa que no había sido posible tras los férreos reinados de Pipino y Carlomagno. Según las capitulaciones pactadas con la Santa Sede, ningún papa podía acceder al solio sin prestar previamente juramento al emperador y, por supuesto, sin que este diera su consentimiento.

Y así fueron las cosas en tiempos de Pipino y de Carlomagno, pero, cuando le llegó el turno a Luis I, los altos eclesiásticos le pusieron primero a prueba para ver cómo respondía y, una vez que se aseguraron de que no había peligro, pudieron hacer y deshacer sin participación imperial.

El primer papa que ascendió al solio sin prestar juramento ni pedir al emperador su visto bueno fue Esteban IV. Cuando Luis I le envió un mensajero quejándose de que aquello no era lo convenido, el Papa le respondió en un tono melifluo y lisonjero, al que el rey reaccionó con un servilismo desmesurado. Ante los melindres de Esteban IV, Luis respondió en tono de súplica pidiéndole que viniera a Reims "a coronarle con sus benditas manos" y a darle el sobrenombre de el Piadoso.

Cuando el papa Esteban IV llegó a Reims, el adulador monarca dio numerosas muestras de humildad y de agradecimiento, saliendo a recibirle, arrodillándose ante él y doblando la cerviz hasta que el Papa tuvo a bien levantarlo del suelo.

Aquella actitud convirtió a Luis I el Piadoso en la chirigota de los romanos y demostró a la Santa Sede que aquel monarca no iba a reclamar su participación en los negocios religiosos.

Por ese motivo, el papa siguiente, Pascual I, ni siquiera se molestó en pedir al emperador su consentimiento para acceder a la silla de San Pedro y, cuando llegaron los legados imperiales a Roma a pedirle cuentas, simplemente los mandó matar, sabiendo sobradamente que aquella acción quedaría impune.

Y así fue, porque Luis I no se atrevió siquiera a pensar en inculpar al Papa y se limitó a solicitarle juramento de que no había consentido la muerte de los dos delegados. Como el papa Pascual juró no estar implicado, el Emperador respiró con alivio, porque se vio libre del compromiso de tener que juzgarle.

Por entonces se produjo un episodio que cada autor entiende y explica de manera distinta. Se trata de la rebelión de Bernardo, rey de Italia y sobrino de Luis I, contra su tío el emperador.

Algunos autores dicen que fue el propio Papa quien instigó a Bernardo a rebelarse contra su débil tío. Pero también hay quienes sostienen que Bernardo nunca se rebeló y que todo fue una nueva manipulación de la malvada emperatriz Ermengarda para quitar otro obstáculo del camino de sus hijos. Y otros dicen que fueron los propios romanos quienes incitaron a Bernardo para que se levantara en armas contra su tío y lo destronara, porque estaban descontentos con los francos y querían librarse de ellos, y entendieron que el mejor sistema sería encizañarlos entre sí.

El resultado fue que Bernardo perdió la batalla y fue hecho prisionero y condenado a muerte. Pero Luis se compadeció de él y conmutó la pena de muerte por la de ceguera, que era el método más eficaz para inutilizar a los enemigos y asegurarse de que no volvieran a revolverse.

Otra vez se dividen las opiniones. Unos dicen que Bernardo no pudo soportar el dolor de que le sacaran los ojos y que murió en medio del suplicio. Otros, seguramente los enemigos de la emperatriz, señalan que fue esta quien ordenó aplicarle el tormento de manera tan atroz que no pudo resistirlo.

Lo cierto fue que Bernardo murió, que el camino quedó libre para los descendientes de Luis I y Ermengarda y que, sobre todo, el papa, que era entonces Gregorio IV, tuvo ya un motivo oficial para liberar a los súbditos del emperador de su juramento de fidelidad y vasallaje, en vista de la crueldad que Luis había mostrado para con su propio sobrino.

El acta que emitió el Papa fue todo un atentado contra el sistema feudal, contra su misma estructura, pero como el Emperador se sometió sin rechistar, convencido de que era un castigo merecido por la tortura de su sobrino, sentó un precedente que utilizaron posteriormente otros papas contra los emperadores con los que mantuvieron disputas por el poder temporal o por el poder espiritual. Fue una estrategia muy utilizada en toda la Edad Media por numerosos papas, para doblegar la voluntad de reyes y emperadores.

Gregorio IV le concedió la absolución tras una ceremonia humillante en la que Luis I tuvo que escuchar la acusación de sus crímenes vestido de burdo sayal y descalzo. Le impuso como penitencia dos años de vida monástica, después de la cual pudo volver a gobernar.

Luis I se sometió a la Santa Sede hasta el punto de renunciar a muchos de sus derechos, firmando, en 817, un nuevo acuerdo, el *Pactum Ludovicorum*. Pero las cosas volvieron a cambiar cuando el hijo mayor de Luis, Lotario, fue confirmado como heredero de la corona imperial, porque lo primero que hizo fue anular parte de las concesiones de su padre y redactar un nuevo documento, la *Constitución de Lotario,* que reafirmaba la autoridad del emperador sobre Roma y sobre el papa y su derecho a fiscalizar la administración del Patrimonio de San Pedro.

La emperatriz Ermengarda había muerto, y el emperador Luis se había retirado a un monasterio dejando a sus hijos que se matasen entre sí sin esperar su muerte, como era plausible. Además, el menor de los príncipes, Carlos el Calvo, no era hijo de Ermengarda, sino de su segunda esposa, Judith. Por complacerla, el emperador había legado al benjamín todos los territorios de

Lo que atares en la tierra quedará atado en el cielo

La Iglesia medieval descubrió que tenía en sus manos un arma poderosísima. El poder de coronar, el poder de transmitir el beneplácito divino a los humanos, aplicando la frase del Evangelio: "Lo que atares en la tierra, atado quedará en el cielo".

Y resultó que todos esos bárbaros en estado semisalvaje acataron el poder místico de la Iglesia y aceptaron que su bendición sancionase los actos de los hombres, admitiendo que les confería un revestimiento que los hacía invulnerables a los ataques de sus semejantes.

Esta creencia se basaba en el sistema feudal, según el cual los vasallos prestaban juramento al señor y quedaban ligados a él de por vida, debiendo servirle a cambio de su protección y de la entrega de tierras y títulos nobiliarios. Y para que el señor fuera rey, precisaba la unción sacramental que solo podía proceder del papa o del obispo.

Pero esta unción no fue un invento medieval. Ya en los tiempos bíblicos, 1000 años antes de nuestra era, Samuel ungió a David con el óleo sagrado, convirtiéndolo en rey de Judá. Y cuenta una leyenda que Samuel había tomado el cuerno repleto de óleo para ungir a David en secreto, cuando todavía vivía el rey de Israel, Saúl. Sea como fuere, lo cierto es que David fue rey de Judá una vez que Samuel le ungió como tal. Fue también rey de Israel una vez que, muerto el heredero de Saúl a manos de sus propios funcionarios, recibió la corona en 991 antes de nuestra era. Al parecer los hebreos tomaron prestada esta tradición de los egipcios, en cuyo suelo vivieron mucho tiempo, porque los faraones recibían la unción sagrada con grasa de cocodrilo de manos de sus hermanas-esposas, encargadas de transmitir el poder divino al rey.

En todo caso, el poder del papa no se limitaba a coronar, porque también dice el Evangelio: "Lo que desatares en la tierra, desatado quedará en el cielo". Si el papa era capaz de convertir a un hombre en un rey, también era capaz de lo contrario. La excomunión papal era la única convención aceptada que desligaba a los súbditos del juramento feudal prestado a su señor, porque este se había hecho indigno y Dios le había retirado su alianza. La excomunión, por tanto, convertía al rey o al emperador en ciudadano de a pie, con lo cual los súbditos podían elegir a otro que debería ser coronado por el papa o un obispo en su representación, para que el ascenso al poder tuviera efecto permanente y la monarquía quedara blindada contra intrusiones.

Tales hechos acontecieron en Occidente, donde reinaban el desorden y la brutalidad. En Oriente, por el contrario, no se llegó a distinguir la Iglesia del Estado y el emperador siguió siendo el representante de Dios en la tierra, aunque accediera al trono imperial mediante el asesinato o con un golpe de estado.

Alemania, la actual Suiza y el Franco Condado, en detrimento de sus hermanos mayores.

Esto inició la guerra civil, porque los mayores, aquellos para los que Ermengarda tanto había procurado mantener el poder intacto, no acataron la decisión de su padre.

En consecuencia, Luis I no consiguió refugiarse en paz en el monasterio y tuvo que enfrentarse a la lucha, porque muchos obispos se habían declarado en contra suya y de su hijo menor, por quien no cabe duda de que sentía predilección.

Lotario consiguió el apoyo del papa Gregorio IV, un eclesiástico de tiara y espada que había derrotado a los sarracenos cinco veces, y que no tuvo empacho en excomulgar al emperador. Pero no todos los obispos estaban en su contra. Los que estaban a su favor, excomulgaron a su vez al Papa, porque todos, seglares o religiosos, estaban divididos y agregados a uno de los bandos y utilizaban armas físicas o místicas, según su disponibilidad.

La victoria recayó del lado del Papa y de Lotario. Carlos el Calvo y su madre, la emperatriz Judith, fueron recluidos, convenientemente rapados, en un monasterio, mientras que el Papa volvió triunfante a Roma.

En cuanto a Luis I, fue depuesto, humillado, obligado a someterse a todas las penitencias y vejaciones imaginables, acusado no solo de asesino, sino de sacrílego, por haber sacado el ejército a la calle en Cuaresma y haber convocado el parlamento en Viernes Santo. Y también fue confinado en un monasterio.

Afortunadamente, en aquellos tiempos había no solamente monasterios mixtos, sino monasterios familiares, y los tres desposeídos acabaron sus días en la misma comunidad, gracias al siguiente episodio que tuvo lugar, porque la guerra no había terminado aún.

Luis I el Piadoso o Ludovico Pío como también se le conoce por su nombre en latín, fue hijo de Carlomagno, pero no heredó precisamente su valor, su genio y su talante, sino que fue un rey débil que se sometió a las manipulaciones del papa, lo que provocó el desprecio y las burlas de sus súbditos.

Al neutralizar a Carlos el Calvo, los tres hermanos mayores empezaron a disputar entre ellos, y Pipino y Luis II terminaron por asociarse contra Lotario. Fueron a visitar a su padre para pedirle que tomara partido por ellos y a cambio le devolvieron a su esposa Judith y al hijo de ambos, quedando los tres alojados en el mismo convento.

Murió Pipino y ya solo quedaban Luis II, llamado el Germánico, y Lotario. Luis invadió los territorios de Lotario, pero, al morir el emperador Luis I, Carlos el Calvo salió del convento a reclamar su parte. Finalmente, todo se solucionó en 843, cuando el tratado de Verdún repartió los territorios más o menos equitativamente entre los tres hermanos, marcando los límites de lo que en el futuro serían Italia, Francia y Alemania.

El Imperio Carolingio terminó de perderse con los siguientes reyes, hasta llegar el turno de Carlos el Gordo, el último rey carolingio, que logró unificar lo que quedaba del imperio que tantas guerras costara a Carlomagno reconquistar.

Durante los tiempos de luchas y disputas, los papas tuvieron que adherirse a uno u otro bando, no solamente por ideología, simpatías o afinidades, sino porque, al tiempo que la Iglesia quedó libre de presiones políticas y de interferencias de reyes y príncipes laicos en los negocios religiosos, también quedó sin protección. Al fin y al cabo, los monarcas que intervenían en los asuntos eclesiásticos brindaban a cambio su protección al papa, y ya hemos visto que no eran tiempos en los que conviniera vivir desprotegidos.

No solamente había que enfrentarse a las amenazas de los nuevos invasores, sarracenos o normandos, sino a los partidarios de las facciones opuestas al papa en cuestión. Porque, si antes había dos facciones, en los tiempos de las revueltas de los descendientes de Carlomagno hubo muchas y cada una pugnó por conseguir el poder utilizando el medio más rápido, con independencia de su ética o moral. Lo veremos en los capítulos siguientes.

Nicolás el Grande

La historia central de este capítulo tuvo lugar entre los años 858 y 867, que son los que corresponden al pontificado del papa Nicolás I, llamado el Grande y también el Santo, entre otras cosas, porque se le presentaron numerosos problemas internos y externos y supo salir airoso de ellos. En los tiempos que corrían, era tarea de gigantes o de santos.

En 855 murió Lotario en el monasterio de Prum, adonde había conseguido retirarse. Había tenido tres hijos: Lotario II, Carlos II y Luis III. Lotario II heredó Lotaringia, un territorio que recibió el nombre precisamente por haber correspondido a su padre Lotario I en el tratado de Verdún y que más tarde se llamaría Lorena.

El 24 de abril de 858, fue elegido papa Nicolás I, de quien dicen los cronistas que demostró al mundo lo que realmente era un papa. Era romano de rancio abolengo y en su elección intervino la mano del emperador Luis II el Germánico, tío de Lotario II, que es quien va a protagonizar la historia siguiente.

Para algunos autores, Nicolás I fue el precursor de Gregorio VII, el primer papa que se plantó con firmeza ante el poder laico y el cesaropapismo para reafirmar el derecho de los eclesiásticos a gobernarse por ellos mismos y a decidir en materia de fe y costumbres.

Con él, el emperador dejó de ser el representante de Dios en la tierra, papel que debía corresponder al papa. Al menos en Occidente, porque ya sabemos que en Oriente las cosas se desarrollaron de otra manera. Además, en tiempos de Nicolás I y debido precisamente a su firmeza, estuvo a punto de producirse el cisma de Oriente.

Entre otras cosas, fue Nicolás I quien proclamó que los obispos solo odían ser juzgados por Dios, para terminar con las intromisiones de los príncipes en los asuntos eclesiásticos. Y siendo él el vicario de Dios en la tierra, a él correspondía juzgar a los obispos, mientras que a él nadie podía juzgarle. Solo Dios, y eso sería ya en la otra vida.

Lógicamente, esto provocó la primera contienda con Oriente, puesto que el emperador bizantino Miguel III seguía pretendiendo ser "la cabeza de la Iglesia, mientras que Roma y los obispos occidentales no eran más que los miembros." El Papa le escribió señalando precisamente lo contrario, pero confesando su propia fragilidad y declarando la arriesgada responsabilidad de su misión para salvar el alma del emperador.

El conflicto se agravó porque el *Basileus* tenía a su lado a los patriarcas y obispos orientales que no estaban tan dispuestos a asumir la responsabilidad misionera del Papa a causa de las diferencias litúrgicas, culturales y hasta cristológicas que seguían existiendo entre las dos Iglesias.

En cuanto a teología, uno de los problemas más graves a los que tuvo que enfrentarse el papa Nicolás I fueron las pretensiones del patriarca de Constantinopla, Focio, amigo inseparable del regente Bardas, que era quien dirigía los destinos de Bizancio mientras el *Basileus* se divertía. En primer lugar, Focio postulaba una herejía que era la negación del *Filioque,* la base que sustenta el misterio de la Santísima Trinidad. A causa de aquella diferencia de credo, el patriarca de Constantinopla tuvo el singular atrevimiento de "deponer" al Papa y de negar su liturgia. El motivo fue que el Papa se había negado a reconocerle como patriarca, para lo cual no le faltaban razones. Focio había recibido las órdenes sagradas en solo cinco días, con el objetivo de que bendijese los amores extraconyugales del regente Bardas. Además, para colocar a Focio en la silla patriarcal había sido necesario destituir al patriarca Ignacio, quien tenía todos los derechos legítimos al patriarcado, pero no aprobaba los amores de Bardas (ver capítulo V).

El otro problema que planteó la Iglesia oriental al papa Nicolás I fue la querella por la evangelización de Bulgaria. Las dos Iglesias querían tener en su órbita jurisdiccional a aquellos nuevos cristianos que, además de ser muchos, ofrecían ricos presentes a la Iglesia que los adoptase.

EL *FILIOQUE*

Una de las disputas más largas en el tiempo data del siglo VI y su motivo fue la interpretación de la expresión latina *Filioque*, que significa "y del Hijo". La Iglesia de Occidente la adoptó en el concilio III de Toledo (año 589) para agregarla al Credo niceano. De esta forma, el nuevo Credo rezaba: "Creemos en el Padre, en el Hijo y en el Espíritu Santo, que procede del Padre Y DEL HIJO". Pues bien, esta doble procedencia del Padre y del Hijo no fue aceptada por la Iglesia de Oriente, que mantuvo el anterior concepto de que el Espíritu Santo procede del amor mutuo entre Padre e Hijo, negando su generación divina.

Otro problema grave al que tuvo que enfrentarse el papa Nicolás I fue de orden interno, ya que surgió entre sus propios obispos occidentales, que pretendían ampliar su poder eclesiástico y su independencia hasta equipararse al poder de los patriarcas orientales.

El obispo de Rávena, por ejemplo, que se llamaba Juan y que mantenía muy buenas relaciones con el emperador Luis II, quería para sí un estado eclesiástico independiente del papado. Eso suponía una merma de la autoridad del papa, un menoscabo de su poder y una disminución de sus ingresos. Además, Juan se mostró tenaz en su pretensión y el Papa mantuvo con él una discusión que duró toda su vida, incluyendo anatemas, deposiciones y querellas, pese a las cuales el obispo de Rávena siguió porfiando. A la muerte del papa Nicolás, el problema se transmitiría a su sucesor.

En aquella época apareció también una colección de más de cien documentos que se conocen como *Las Falsas Decretales,* compiladas por un tal Isidoro Mercator, conocido como el pseudo Isidoro, porque pretendía que aquellos documentos habían sido emitidos por San Isidoro de Sevilla. Se trataba de un conjunto de falsificaciones que incluían la *Donación de Constantino,* la *Promesa de Quierzy,* varios documentos que recogían pretendidas

LA *DONACIÓN DE CONSTANTINO*

Parece claro que este documento se forjó en Saint Denis en el siglo VIII y que en su redacción participaron tres monjes, Hincmaro, Abdón y Daniel de Figgistech. Según el controvertido documento, Constantino había recibido el agua del bautismo, que le había curado la lepra. En agradecimiento, regaló a la Santa Sede todos sus palacios, toda Italia y todo Occidente. Él se retiraría a Oriente y establecería su gobierno en Bizancio.

El primer papa del que tenemos constancia de que lo exhibiera fue Gregorio VII, quien lo empleó para exigir feudos y propiedades al rey de Inglaterra, al de Francia y al emperador alemán. Juan de Bergua cuenta que, ya en 1001, el papa Silvestre II se lo mostró al emperador alemán Otón III y que este respondió con un escrito, probablemente redactado por el obispo perito en derecho y conocedor de la Antigüedad León de Vercelli, que las tres donaciones, la de Constantino, la de Pipino y la de Carlomagno eran "mendaces falsificaciones de la curia".

El fraude se descubrió en el siglo XV, cuando el secretario de Alfonso de Aragón, Lorenzo Valla, publicó un libro con una crítica filológica e histórica de los textos de la *Donación* en el que demostró la falsedad del documento; señalaba matices idiomáticos que no solamente no correspondían al siglo IV, sino que se podían situar claramente en el VIII. Poco después, el obispo Nicolás de Cusa rechazó oficialmente la *Donación de Constantino* como documento falsificado.

donaciones de Pipino el Breve y Carlomagno a la Iglesia, y otros documentos que anulaban el poder civil sobre el religioso, protegiendo los bienes eclesiásticos de la rapiña de los laicos y sometiendo a los obispos a los tribunales eclesiásticos y no a los seglares.

Lo cierto es que las falsificaciones eran bastante corrientes en la Edad Media. Incluso existen cartas del papa Nicolás I dirigidas al emperador Miguel III de Bizancio quejándose de la cantidad de cartas pontificias falsificadas que circulaban por Oriente. Hay que tener en cuenta que, en aquellos tiempos, nadie se privaba de conseguir lo que deseaba. Si no lo obtenía de buen grado, lo obtenía por la fuerza. Si tenía fuerza y poder, atacaba y tomaba lo que

La Donación de Constantino fue un documento falsificado en el siglo VIII, por el que pretendidamente Constantino el Grande había cedido a la Iglesia todo Occidente para su gobierno, retirándose él a Oriente para no interferir. Esta falsificación fue la base de las largas guerras que los papas mantuvieron contra reyes y emperadores por el dominio del mundo occidental.

quería. Si no tenía fuerza o poder suficientes, falsificaba un documento en el que alguien poderoso le otorgase lo necesario y así solucionaba su carencia.

Además de la complejísima problemática que tuvo que resolver el papa Nicolás I durante todo su pontificado, tuvo que intervenir de forma decisiva en la regulación de los asuntos amorosos de los príncipes de su tiempo.

En nombre de la señora Venus

Los germanos no eran un pueblo, sino diversos pueblos a los que Julio César denominó *germanos* para diferenciarlos de los que se habían ya establecido en las Galias. Germanos eran los francos, los godos, los sajones, los frisones, etc. Y todos estos pueblos tenían en común, entre otras muchas cosas, una inclinación a la sensualidad bastante pronunciada. En el siglo XII, en

Lombardía, sabemos que, entre las "gentes de torre," que era la categoría superior de ciudadanos, se contaban numerosos germanos llegados a Italia con el emperador alemán y establecidos como banqueros o comerciantes, que habían latinizado sus nombres y edificado sus casas al estilo italiano, pero sin renunciar a la fijación de la mente germana medieval a la diosa del amor, ya que en algunos portales se leían inscripciones similares a esta: "Por la gracia de Dios y de la señora Venus" (JOSÉ PIJOÁN. *Summa Artis*. Tomo VIII).

Esto da idea del interés de todos aquellos príncipes carolingios por las mujeres, lo que dio lugar a situaciones muy complejas a causa de las sucesiones. El mismo Carlomagno, al que Philippe Ariès llama "bulímico de mujeres," tuvo cuatro esposas oficiales de primer rango y, al menos, seis concubinas. Entre los germanos, era además frecuente que la hermana, la prima, la sobrina o la tía de una concubina, si era del gusto del señor medieval, entrara a formar parte de su harén, lo que situaba muchas veces las relaciones en la órbita del incesto.

Los reyes francos, por no hablar de los restantes pueblos germanos, cometieron verdaderas atrocidades en nombre de la señora Venus. Por ejemplo, Childerico estranguló a su esposa legítima para dar el puesto de favorita a su esclava Fredegunda. El hijo mayor de Lotario II y Waldrada, Hugo, asesinó a un noble que le era muy fiel para poderse casar con su viuda, de la que se había enamorado perdidamente. En el siglo XI, el conde de Anjou quemó a su esposa para librarse de ella, por lo que tuvo que realizar una peregrinación en penitencia. Cuando la esposa de Clotario I le pidió que buscara un marido para su hermana Aregunda, el rey se quedó con ella en calidad de concubina. Teodeberto tomó también como concubina a Deoteria, la hija de su amante. Tan pronto como la niña creció y se convirtió en una mujer deseable, Teodeberto decidió incorporarla a su harén.

LOS HARENES GERMANOS

Los príncipes francos establecieron el estatus de *friedelfrau,* es decir, concubina, que no tenía ninguna connotación reprobable. El concubinato no destruía la sociedad, sino que era un estatus necesario para jugar con la sucesión. Una hija entregada en *friedelehe* era similar a un préstamo, como si fuera prestada y no dada en matrimonio. La mujer no perdía el honor de esa manera y podía casarse con el mismo o con otro hombre. Además, como no aportaba dote alguna, su situación era bastante libre, no como en el caso de la esposa, que aportaba una dote y quedaba supeditada al marido. Además, se mataba a la esposa, no a la concubina, porque a la concubina se le abandonaba o se le despedía gratuitamente, pero la esposa reclamaba derechos y concesiones.

Así, el harén de un caballero germano tenía mujeres divididas en tres categorías: *muntehe,* matrimonio conforme al Derecho; *friedelehe,* concubinato, y esclavitud. Ya hemos dicho que una hija entregada en *friedelehe* era como un préstamo sin grandes compromisos. El mismo Carlomagno no casó a sus hijas, sino que las dio libremente como *friedelfrauen.* De ellas tuvo varios nietos que no tuvieron los mismos derechos sucesorios que los legítimos. Y no las casó para evitar tener una nube de pretendientes al Imperio. Sin embargo, entregándolas en *friedelehe* consiguió establecer alianzas, como la que pactó con el rey longobardo Didier dándole a una de sus hijas. Precisamente, *friedelehe* se podría traducir por "prenda de paz".

Naturalmente, eso producía intensas luchas entre las mujeres por conseguir el favor del esposo, su amor y, sobre todo, su poder, cuya forma más perfecta era la sucesión para el hijo, porque el sucesor podía ser legítimo o ilegítimo. Por ejemplo, Carlos Martel y Guillermo el Conquistador fueron hijos de concubinas. E incluso entre los romanos, Constantino el Grande fue hijo de una concubina, y no era inviable que un hijo natural heredase un trono, un feudo o un obispado. Eso también multiplicaba las disputas y las guerras intestinas, porque todos, legítimos e ilegítimos, se creían con derecho a heredar.

Naturalmente, en contra de esta desmedida actividad matrimonial y extramatrimonial, los papas y los obispos intentaban imponer a los reyes y señores un modo de vida "que agradase a Dios". Al principio, la Iglesia había transigido bastante con estas costumbres. Sabemos que, en 398, el concilio de Toledo consideró válido el concubinato. Pero, más tarde, los obispos francos se mostraron intransigentes y exigieron la monogamia, seguramente para disminuir el número de querellas y guerras de sucesión entre hermanastros.

El papa León I, por ejemplo, indicaba en un acta que la mujer unida a un hombre no era su esposa. Pero si un hombre no estaba casado, la Iglesia admitía el concubinato, que era también aplicable a los sacerdotes. Si no podían casarse, podían al menos tener concubinas.

Parece que la Iglesia admitía todas estas costumbres, porque no había más que echar una mirada a los textos bíblicos para comprobar la cantidad de concubinas que tuvieron los patriarcas y los reyes, cuyos hijos tuvieron los mismos derechos que los legítimos. Y también allí se pueden encontrar numerosas atrocidades. El mismo rey David envió a Urías a la guerra, a la vanguardia, para que se expusiera y lo mataran, con el fin de robarle a su esposa Betsabé. Y Abraham hizo pasar a su esposa Sara por su hermana para que el faraón se acostase con ella y él pudiera disfrutar de privilegios de hermano.

Las tribulaciones de San Nicolás

En el siglo IX, la Iglesia ya había definido sobradamente lo que debían ser las relaciones de pareja entre los cristianos, eliminando el incesto y la poligamia. Sin desdeñar la solución del concubinato, se trataba de señalar los derechos incuestionables de la esposa legítima frente a los de las concubinas. Eso salvaguardaría también los derechos de sucesión.

El tema del incesto resultó bastante polémico, porque alcanzaba más allá del matrimonio y todos aquellos bárbaros entendieron la prohibición de casarse con las cuñadas, las tías, las sobrinas o las primas, pero les pareció excesivo no poder siquiera acostarse con ellas.

En cuanto a la sacralidad del matrimonio, el papa Alejandro III recomendó, en el siglo XII, la bendición eclesiástica del matrimonio, para distinguirlo del concubinato. Santo Tomás de Aquino incluyó el matrimonio entre los sacramentos, ya en el siglo XIII. El Concilio de Trento, en el siglo XVI, estableció la incapacidad del Estado para legislar sobre el vínculo matrimonial entre cristianos, con lo que el matrimonio civil fue declarado inválido para estos.

Pero no siempre fue fácil mantener el orden entre los nobles francos, tan dados a las gracias de la señora Venus. En muchos casos, los príncipes actuaron a su manera, sin prestar atención a las recomendaciones ni a las prohibiciones eclesiásticas que pretendían regular el derecho matrimonial y llegaron a originar verdaderos conflictos.

Uno de los sucesos más llamativos fue el proceso matrimonial de Lotario II, que fue rey de Lotaringia entre 855 y 869 y que brindó al papa Nicolás I la ocasión de tomar parte en un asunto sumamente delicado, porque en aquel proceso no solamente intervinieron el Papa y el Rey, sino varios obispos metropolitanos y, por supuesto, la familia real, entre cuyos miembros se contaba el Emperador. Y aún más delicado si tenemos en cuenta que todavía no había una legislación clara y que la Iglesia estaba aún intentando regular la institución matrimonial. Ya dijimos que no quedó regulada definitivamente hasta el siglo XIII.

Lotario II nació en 835 y fue hijo de Lotario I, quien recibió la Lotaringia en el tratado de Verdún. En 856, Lotario II fue coronado rey de Lotaringia, la futura Lorena, con el reconocimiento del emperador, su tío Luis II el Germánico. Gobernó con el apoyo de los arzobispos de Colonia y de Tréveris.

Cuando todavía era un muchacho, hacia 853, se había unido en concubinato con Waldrada, una aristócrata que tenía parentesco de consanguinidad con el abad Fulrado y con el conde alsaciano Eberhard. Este último, por ser su pariente de más edad y categoría, la había entregado como *friedelfrau* al joven Lotario, enviándola a Italia en compañía de su embajador, Arsenio. De esta unión había nacido un hijo, varón para mayores problemas futuros, llamado Hugo, futuro duque de Alsacia. La entrega de Waldrada como concubina no solamente se había realizado oficialmente por parte de un miembro destacado de la familia, sino que había recibido la aquiescencia del padre del muchacho, el entonces emperador Lotario I. Con esto queda claro que la unión de Lotario II y Waldrada no era un capricho de juventud ni una pasión arrolladora, sino una relación sólida y asentada. Después de Hugo tuvieron dos hijas, Berta y Gisela.

Pero hay que hacer notar otra cosa importante, y es que el nombre de Hugo no era un nombre de rey carolingio. Los reyes carolingios se llamaban Carlos, Carlomán, Pipino, Luis o Lotario. Los reyes que llevaron otros nombres, como Hugo o Arnulfo, eran bastardos. Por tanto, al dar al hijo de Waldrada un nombre que no era de futuro rey, Lotario II había manifestado su intención de no admitirlo como legítimo y, por tanto, de no contraer matrimonio con la madre.

En 855, ya fallecido su padre, Lotario II decidió contraer matrimonio legítimo. Para ello eligió a una hermosa mujer llamada Tietberga, que era hija del conde de Arlés, Bosón el Viejo. Tietberga tenía un hermano llamado Hubert, abad de San Mauricio de Agaune, en Valais.

El tal Hubert debía de ser una buena pieza, porque sabemos que el papa Benedicto III, el antecesor de Nicolás I, había hecho lo posible por frenarle cuando era un poderoso subdiácono, que había venido desafiando las leyes de Dios y de los hombres, hasta que murió asesinado en el año 864. Eso es lo que dice de él la *Enciclopedia Católica*. Y Mauricio de la Chàtre señala que el papa Benedicto III tuvo que reconvenirle, pero que nunca consiguió enderezarle.

Estas consideraciones vienen al caso de la polémica que se originó entre los historiadores, respecto a los hechos siguientes.

Algunos cuentan que encontraron a la reina Tietberga en la cama con su hermano Hubert. Inmediatamente se produjo una denuncia de la situación que fue a parar ante el papa Nicolás I. Parece que la reina confesó y que la encerraron en un convento hasta que el Papa pronunciase la sentencia, pero Tietberga, que temía la venganza de Lotario II, escapó del convento y se refugió, dicen que junto con su hermano incestuoso, en tierras de Carlos el Calvo, que era tío de su marido y con el que cuentan que había tenido relaciones amorosas; probablemente había sido su concubina tiempo atrás. Desde allí, ella misma se atrevió a enviar al Papa un escrito quejándose de la dureza de la sentencia de los obispos francos, que la habían obligado a declararse culpable de incesto y, además, de haber abortado al hijo habido con su hermano.

Lotario I dejó la Lotaringia en herencia a su hijo Lotario II. También le dio en concubinato a una mujer, Waldrada, con la que tuvo un hijo varón. Después de casarse con Tietberga, Lotario II quiso volver con Waldrada, y para ello acusó a su mujer de adulterio, incesto, sodomía y aborto.

Otros autores, como Luigi Guanella, aseguran que Tietberga no cometió en absoluto adulterio ni incesto ni mucho menos fue culpable de aborto, sino que el rey Lotario II, al cabo de un tiempo de estar casado con ella, sintió de nuevo el deseo por Waldrada, su antigua concubina, y quiso tenerla consigo, pero no en calidad de concubina, sino en calidad de esposa.

También cabe la posibilidad de que Lotario decidiera deshacerse de Tietberga al ver que no le daba hijos, mientras que Waldrada le había dado ya un varón, a pesar de que, como dijimos, no le había reconocido como posible sucesor al trono.

En todo caso, y fuera como fuera, Lotario II reunió a los obispos y acusó a su mujer, Tietberga, no solamente de haber cometido adulterio, lo cual ya era una falta gravísima, sino de haberlo cometido con su propio hermano Hubert, lo cual era además causa de disolución fulminante del vínculo matrimonial. Y para que no quedase libre de pecado alguno, hubo quien testificó que al incesto había que unir la sodomía y el aborto. Tras tan tremendas acusaciones, el rey preguntó a los obispos si debía continuar conviviendo con semejante mujer.

Naturalmente, la respuesta fue negativa. Es posible que incluso sometiesen a la reina a torturas o amenazas para que admitiese su culpa y poder así declarar nulo el matrimonio. Y, de paso, puesto que el rey ardía de deseo por Waldrada y las mismas Epístolas de San Pablo reconocen que es mejor casarse que quemarse, autorizaron el regreso de la concubina en calidad de esposa.

Pero Tietberga jugó una baza inesperada. Corrió a Roma y se arrojó a los pies de Nicolás I, declarándose inocente de toda culpa e implicándole en el caso como "su padre y su salvador" (LUIGI GUANELLA. *Da Adamo a Pio IX, LIV, Chi è la Chiesa di Roma?*). Después se refugió en la corte de Carlos el Calvo.

La reacción de Lotario no fue tan brutal como cabía esperar. Ante todo, tuvo miedo de que la reina convenciese al Papa y le indispusiera contra él, por lo que envió a Roma una embajada compuesta por los obispos Teutgardo de Tréveris, Gonthier de Colonia y Haltón de Verdún, para que hicieran saber al papa Nicolás que aún no se había pronunciado sentencia real contra ella, sino que el rey solamente pretendía que ella hiciera una confesión pública y que se le impusiera una penitencia. Los embajadores reales pedían al pontífice que no se dejara convencer por las astucias de Tietberga y que leyera las cartas que le dirigían Lotario II y su tío Luis II el Germánico, quejándose a Carlos el Calvo de que acogiese en su corte a la adúltera incestuosa.

Pero Tietberga, fuera culpable o inocente, ya había convencido a los prelados romanos, igual que a Carlos el Calvo, por lo que Nicolás I convocó un primer concilio que la declaró inocente y obligó al rey Lotario a admitirla de nuevo bajo pena de excomunión.

El escándalo se extendió por toda Europa. Era el año 857. Y se extendió precisamente por intereses sucesorios, ya que si Lotario II repudiaba a Tietberga y se casaba con Waldrada, el trono de Lotaringia tendría sucesor legítimo, mientras que, si seguía casado con su mujer, que no le daba hijos, los de Waldrada seguirían siendo ilegítimos y el trono de Lotaringia estaría libre y a disposición de la familia. No se trataba, pues, de un asunto de moral, ni de derechos de la mujer, ni de legitimidad del matrimonio sobre el concubinato, aunque después de este espinoso asunto, en 865, el papa Nicolás I abolió la costumbre germana de tener dos mujeres.

En medio de toda la polémica organizada por Lotario y Tietberga, surgió otro caso de adulterio que vino a complicar el anterior.

Otra bella adúltera, Ingeltrude, hija del conde Matfrid de Orleáns y esposa del conde italiano Bosón de Lombardía, había abandonado a su marido tras robarle la mayor parte de sus tesoros y había huido con su amante Wanger, que era vasallo del conde. Esto sucedió entre 857 y 858, en pleno escándalo por los asuntos de Lotario II, Tietberga, Hubert y Waldrada. Para enredar más las cosas, el conde Bosón era hermano de la reina Tietberga, por lo que las dos esposas adúlteras eran cuñadas. Al menos, así lo cuenta Régine le Jan.

El problema que planteaba Ingeltrude, además de moral, era que había tenido ya dos hijos con su esposo y uno con su amante. Eso supondría después terribles guerras entre los hermanos y el hermanastro bastardo, Gottfrid, quien además un día dejó de ser bastardo, porque el conde Bosón murió pronto e Ingeltrude pudo casarse con Wanger.

Pero aquel caso era distinto e incluso contrario al anterior, ya que el conde Bosón estaba tan enamorado de su esposa que la perdonó de todo corazón e incluso, como ella no quiso volver a su lado, escribió al papa Nicolás I pidiéndole que tratara de convencerla.

Así, pues, el papa tuvo que convocar un nuevo concilio, aquella vez para conminar a Ingeltrude a que compareciese, pues, de lo contrario, incurriría en pena de excomunión. Era el año 860.

Cuentan que, cuando Ingeltrude vio el decreto papal, lo echó al fuego riendo a carcajadas y diciendo que, si el Papa quería reunir concilios para que las mujeres fueran fieles a sus maridos y para impedir el adulterio, iba a perder su tiempo y sus latines. Y, además, añadió con toda la intención, "mejor haría en reformar las abominables costumbres del clero y en extirpar la sodomía de su propia casa," una clara alusión a las acusaciones de que había sido objeto Tietberga.

Cabe imaginar el furor del Papa, quien estaba intentando recomponer dos matrimonios y en uno se le revolvía el marido y, en el otro, la mujer. Escribió a los obispos de Lotaringia para advertirles que debían impedir la entrada de la adúltera en las iglesias y que, si no volvía con su marido, deberían expulsarla de sus diócesis. Y, como Ingeltrude vivía en Lotaringia, escribió también a Carlos el Calvo para que obligase a su sobrino Lotario II a exiliarla con las armas si ella no obedecía a la Santa Sede.

Ya sabemos que Carlos el Calvo estaba protegiendo a la esposa presuntamente adúltera de su sobrino, y que el sobrino no era partidario de que una adúltera volviera con su marido, por lo que se entiende que no hicieran caso al Papa. Por si fuera poco, Ingeltrude, crecida al ver la impunidad de sus actos, abandonó a su amante y se fue a vivir públicamente con el obispo de Colonia.

A todo esto, los obispos loreneses se reunieron en 862 en el concilio de Aquisgrán para autorizar a Lotario a repudiar a su mujer y a casarse con Waldrada. El papa Nicolás I, que se imaginó lo que iba a suceder, envió a sus legados al concilio, prohibiéndoles que tomaran decisión alguna contra Tietberga y a favor de Waldrada. Para ello, envió a Lotaringia al obispo de Porto, Rodoaldo, y al obispo de Cervia, Juan. Además, escribió a Luis II el Germánico y a los demás reyes familiares de Lotario para que enviasen a sus obispos al concilio en su representación.

Rodoaldo abrió el nuevo concilio de Metz en 863, pero, al igual que en el anterior concilio de Aquisgrán, los legados papales se dejaron comprar por los arzobispos de Tréveris y Colonia y desobedecieron al Papa, declarando culpable a Tietberga, por lo que Lotario pudo repudiarla y, además, enviaron a Roma las actas con los acuerdos. El Papa convocó inmediatamente una asamblea de obispos para juzgar a Rodoaldo, quien se había vendido al enemigo y había huido de la ciudad aprovechando la oscuridad nocturna. Nicolás I llamó también a Roma a los obispos de Tréveris y Colonia para deponerlos por su desobediencia.

En octubre de 863 se celebró el concilio de Letrán para deponer a los obispos de Tréveris y Colonia por desobediencia. El papa Nicolás I rompió las actas de los concilios de Aquisgrán y Metz y pidió a los obispos que rectificasen su postura. Nadie rectificó. Como resultado, los prelados franceses perdieron su poder episcopal, pero los alemanes, Teutgardo de Tréveris y Gonthier de Colonia, se levantaron en mitad de la sesión y abandonaron el concilio, yendo a quejarse al emperador Luis II de que el Papa había insultado a los embajadores del rey Lotario II.

No se limitaron a quejarse, sino que llegaron a increpar al Emperador con frases que le hicieron reaccionar: "¿Dónde está tu autoridad de soberano?" "¿Cómo consientes que se deponga a tus obispos sin tu permiso?" "Enfréntate a Roma y haz saber al papa Nicolás que debe respetar al emperador, pues él es quien gobierna".

Luis II, que había visto la creciente autoridad que iba cobrando el Papa y no estaba dispuesto a permitir que continuase creciendo, reunió a su ejército y se dirigió a Roma con los obispos alemanes, para hacerle entrar en razón. El obispo de Colonia escribió entonces a los obispos de Lotaringia, los que dependían de Lotario, para advertirles que no se dejasen influir por un papa sacrílego. Luego escribió al Papa para decirle que no le temían, que Roma era la morada de los demonios y que él era el mismo Lucifer.

El Papa, por cierto, llevaba a cabo por entonces una actividad desmesurada, porque también en el año 863 estaba discutiendo el asunto de Focio, enfrentándose a la Iglesia de Oriente y al mismo *Basileus* y, también en aquel mismo año, el khan de Bulgaria, Boris, le había enviado una embajada con ciento seis preguntas sobre la doctrina y la disciplina de la Iglesia Católica. Precisamente, la Iglesia de Occidente le disputaba a la de Oriente la diócesis búlgara y era necesario convencer a Boris para que se adhiriese a Roma y no a Bizancio. El Papa tuvo que contestar exhaustivamente a todas las preguntas, que debían ser todo lo complejas que cabe imaginar, sabiendo como sabemos que los misioneros bizantinos llevaban tiempo evangelizando a los búlgaros y, sin duda, ellos mismos habrían sugerido al Khan que plantease todas aquellas cuestiones. No parece lógico que se le ocurriese tal número de preguntas doctrinarias a un príncipe a medio civilizar. Finalmente, a pesar de lo mucho que se esforzó el papa Nicolás I en contestar a todas las preguntas y en enviar embajadores a convencer a Boris, este decidió quedarse con las enseñanzas de la Iglesia de Oriente y adherirse a ella.

Con todos esos conflictos, aún le quedaron al Papa fuerzas para provocar la cólera del emperador Luis II el Germánico. Al menos, al emperador de Oriente lo tenía lejos, pero Luis, el de Occidente, avanzaba amenazador hacia Roma con un ejército formidable.

Pero Nicolás supo reaccionar en el último momento y utilizar un arma poderosísima que detuvo a las tropas, cuando ya se escuchaba el estrépito de las armas a las puertas de Roma, un arma que han sabido esgrimir muchos de los papas en los momentos más difíciles, aunque no a todos les ha dado el mismo resultado: el miedo mágico a una fuerza superior.

El papa Nicolás tuvo la idea decisiva de parapetarse tras la reliquia más respetada de la cristiandad, el *Lignum Crucis,* uno de los pedazos de la Vera Cruz que Elena trajo de Jerusalén en el siglo IV. Quien se atreviese a tocarlo, caería muerto en el acto. La presencia del *Lignum Crucis* tuvo un efecto contundente.

El emperador Luis, conmovido y espantado, gritó: "¡Soy culpable! ¡Soy culpable! ¿Quién tocará al vicario de Cristo?". En cuanto al rey Lotario se dejó, al parecer, arrastrar por sentimientos similares, pero, a diferencia de su tío, supo cargar la culpa sobre las espaldas de otros, porque se dirigió al arzobispo Gonthier de Colonia increpándole a gritos: "¡Temerario! ¿Osas tocar los dones del Señor?".

Esta es, al menos, la versión de cronistas como Luigi Guanella. Hay otros cronistas que afirman lo contrario, que los soldados imperiales detuvieron la procesión cuando estaba a punto de entrar en la basílica de San Pedro *in Batecanum.*

Estos otros cronistas describen el terrible momento en el que los fieles se dispersaron huyendo y abandonando en su carrera cruces, estandartes y objetos de culto. Incluso dicen que uno de los oficiales del emperador pisoteó, no sabemos si a propósito o inadvertidamente, una cruz tallada con madera de la Vera Cruz.

Según esta otra versión, Nicolás I se ocultó en su residencia de Letrán pero supuso que los soldados no tardarían en entrar para capturarle por lo que, durante la noche, corrió a escondidas hasta la basílica de San Pedro y se ocultó en la tumba del Apóstol, donde permaneció dos días sin comer ni beber. Pero los numerosos partidarios del Papa, aunque no se habían atrevido a enfrentarse a los esbirros imperiales, sí se atrevieron a administrar un eficaz veneno al oficial que mandaba la tropa. Y parece que el Emperador, que ya debía de ser viejo, contrajo una fiebre súbita que resultó muy oportuna, porque todos se hicieron lenguas de que era un castigo de Dios por atentar contra el Papa.

Al final, Nicolás I pudo salir de su encierro y presentarse ante el Emperador para amenazarle con las llamas infernales. Y comoquiera que este se encontraba débil y anciano, se asustó ante lo que podía ser un castigo eterno inminente y cedió a las demandas del Papa, el cual pudo por fin expulsar de Roma a los obispos rebeldes. A los obispos francos, porque los alemanes esperaron a que su monarca sanara para marchar con él.

Una vez repuesto del susto, el Papa volvió a la carga, insistiendo en que Lotario II debía abandonar a Waldrada y reconciliarse con Tietberga, bajo pena de excomunión. Y otra vez se animó a escribir a Carlos el Calvo para conminarle a obligar a su sobrino a entrar en razón. Si no lo hacía, le ordenaba que sitiase la ciudad en la que Lotario se refugiaba, que la incendiase y que matase a todos sus habitantes, para aislar a su perverso sobrino y obligarle a transigir.

Afortunadamente no fue necesario tomar tales medidas, porque, en 865, cuando el legado papal llegó a Frankfurt, no encontró la menor resistencia para convocar a los obispos de Lotaringia en la ciudad de Gondeville, donde se conminó a Lotario II a elegir entre Tietberga y la excomunión.

El resultado fue excelente para las intenciones del Papa y desastroso para la esposa adúltera. Y lo mismo debió de suceder en otras ocasiones, cuando los príncipes se vieron obligados a convivir con una esposa a la que habían dejado de desear. A algunas les costó la vida. A Tietberga, solamente malos tratos.

Lotario la admitió, juró estar arrepentido y prometió amarla eternamente. Exilió a Waldrada a Roma, donde debía pedir perdón al Papa por su testarudez en ocupar un lugar que no le correspondía.

Arsenio fue el encargado de acompañarla, y lo interesante del caso es que se encontró por el camino a Ingeltrude, que también se había visto obligada a ir a Roma a solicitar personalmente el perdón por su vida disipada. Ambas necesitaban la absolución para poder ser readmitidas en el seno de la Iglesia, lo cual era imprescindible para la vida social, sobre todo en el nivel en el que se movían dos aristócratas como ellas.

A pesar de las risas y de las burlas que a veces suscitaba, la excomunión era un castigo muy serio. No solamente se cerraban las puertas de la Iglesia para los excomulgados, lo que suponía no poder acceder a los oficios ni ritos religiosos ni tener el derecho a descansar en tierra sagrada y esperar allí la resurrección y el Juicio Final, sino que también negaba la posibilidad de tener trato con personas del orbe cristiano. Un cristiano no podía tratar con un excomulgado, so pena de incurrir en un grave delito.

Cerrar las puertas de la Iglesia suponía, naturalmente, cerrar las puertas del cielo y abrir de par en par las del infierno. El anatema separaba al malvado de la comunidad de los fieles, solicitaba para él la maldición divina y le abocaba al castigo eterno. Y eso no era una situación deseable para nadie.

Pero las mujeres han dispuesto siempre de argumentos y recursos ilimitados para convencer y dominar a los hombres, y Arsenio fue víctima de las artes de Ingeltrude. Cuando quiso darse cuenta, había caído en sus redes, estaba totalmente seducido y hubiera hecho cualquier cosa que ella le hubiera pedido. Ella solo le pidió que la absolviera para poder comulgar y prepararse a acompañarle a Roma.

Tan pronto como recibió la absolución le puso la antigua excusa de que iba a recoger su equipaje, y le pidió que la esperase para ir los tres juntos a Roma. Naturalmente, tan pronto se vio libre de la excomunión, se marchó a Francia a reunirse con su amante Wanger. Allí los acogió Carlos el Calvo, quien seguramente no tenía nada que perder o a quien ella puede que también sedujera. Lo único cierto es que llegó a casarse con Wanger y que después, el hijo de ambos, Gottfrid, planteó un problema de sucesión para los hijos del conde Bosón, como dijimos anteriormente.

En cuanto a Waldrada, aprendió bien la lección y se dedicó también a seducir a Arsenio. Lo consiguió, por supuesto, y tan pronto como obtuvo la absolución, huyó, pero no para ocultarse, sino para correr de nuevo junto a Lotario. El 2 de febrero de 866, el papa Nicolás I pronunció contra ella una nueva excomunión, acusándola de haber intentado envenenar a Tietberga y ordenando que se publicase el anatema en todas las iglesias.

Mientras, el obispo de Metz, Avencio, escribió al Papa para darle noticia de la reconciliación entre Lotario II y Tietberga, señalando que había obtenido el juramento de 12 condes de que Lotario la trataba como a la reina legítima.

No era cierto, sino que Tietberga recibió sobre su cabeza todas las iras de Lotario por haberle engañado, por no darle hijos, por haberle apartado de Waldrada y por insistir en ser reina. Algo así debió de sufrir Catalina de Aragón cuando Enrique VIII decidió repudiarla y casarse con Ana Bolena.

Cansada de malos tratos, Tietberga tuvo que dirigirse a Roma para pedirle al Papa que disolviera su matrimonio y que permitiera a su marido casarse con Waldrada o con quien le viniera en gana. Ella ya había pagado sobradamente su culpa. Escribió a Nicolás I declarando su intención de renunciar para siempre a la dignidad real y de separarse de Lotario para entrar en un convento, donde acabar sus días haciendo las paces con Dios.

Pero Nicolás I se había empecinado en mantener aquel matrimonio contra viento y marea, hubiera o no hubiera incesto, sodomía o adulterio. Y se portó como muchos padres con sus hijos, declarando que Lotario II no podía casarse con Waldrada porque el Papa así lo exigía. Incluso prohibió a Tietberga ir a Roma, como parece que era su intención, porque no debía dejar libre el lecho para los adúlteros.

Después escribió a los obispos de Lotaringia, para declarar que ellos eran los culpables de todo, por no haber sabido obligar al rey en su momento a cumplir con su obligación y por "haberle permitido cambiar de esposa como se cambia de camisa."

El mismo Avencio de Metz se encargó de hacer saber a Lotario que, si no dejaba a Waldrada, se le prohibiría entrar en las iglesias, y que si insistía y se atrevía a hacerlo, su corona correría peligro, porque tras la excomunión vendría la deposición.

El papa Nicolás I desarrolló una intensa labor en pro de los derechos de la Iglesia, recortando el poder de los obispos y tratando de independizar la gestión de los negocios religiosos del poder laico. Se enfrentó a la herejía de Focio en Oriente y puso veto a los desmanes amorosos de los reyes carolingios.

Pero el papa murió el 13 de noviembre de 867, dejando libre el camino para los amores prohibidos de Waldrada y de Lotario y, además y también para su pesar, para las pretensiones heréticas de Focio. No consiguió ver desposeídos de sus cargos ni al patriarca de Constantinopla ni al rey de Lotaringia.

Respecto a Tietberga, sabemos que finalmente se retiró a la abadía de Santa Glosinda de Metz, donde murió en 875.

Y en cuanto a Waldrada todavía reinó un par de años con su amante Lotario, quien murió en 869. Después se retiró también a la abadía de Remiremont, donde murió a los pocos meses, aunque antes de retirarse dio todavía a la Iglesia bastantes quebraderos de cabeza.

ADRIANO EL ADULADOR

Dentro del Siglo de los Aduladores, no queda más remedio que incluir al papa Adriano II, que sucedió en el solio pontificio a Nicolás I. La política de Nicolás I fue firme y decidida, y quizá por eso se aprecia más el contraste con la del papa Adriano.

El nuevo papa, que tenía 75 años cuando recibió la tiara, decidió dedicar sus escasas energías a continuar la obra de su antecesor, el papa Nicolás, excomulgando a Focio, el patriarca que tantos problemas le había causado.

Pero cuando tuvo que mediar en el conflicto de Lotario II y sus dos esposas no se atrevió a oponerse a tan poderoso personaje y se plegó a sus deseos. Convocó un concilio para revisar el proceso de divorcio de Lotario y anuló la sentencia de excomunión de Waldrada. Esta decisión se debió a que Lotario y él se encontraron en la abadía de Montecassino y el rey le juró no haber tenido relaciones adulterinas con Waldrada después de la excomunión.

En suma, el papa Adriano malogró todos los penosos y largos esfuerzos del papa Nicolás I por mantener la legitimidad del matrimonio de Lotario y Tietberga, y dejó sin efecto las declaraciones sobre la indisolubilidad del matrimonio que el papa Nicolás había hecho al arzobispo de Vienne, Abdón, entre 861 y 862, en las que señalaba que la indisolubilidad se debía a que el matrimonio había sido aceptado libremente por ambos contrayentes y que el hecho de no vivir juntos no invalidaba la unión. Y, en consecuencia, el rey no podía ni tomar otra esposa ni tampoco vivir con una concubina.

En aquellos días, Lotario II había utilizado una argumentación que no convenció al papa Nicolás. Tan pronto como supo que el matrimonio era indisoluble, señaló que él ya estaba casado anteriormente con Waldrada, por voluntad y consentimiento de su padre, el emperador Lotario I, y que con ella había tenido hijos pero que, después, al morir su padre, el abad Hubert le convenció para que se casase con su hermana Tietberga, porque acababa de morir el padre de ambos y era preciso casarla.

El papa Nicolás I no se había dejado convencer por ningún argumento, posiblemente previendo el conflicto que se iba a desatar si cedía. Y así fue, porque, cuando el papa Adriano II se dejó convencer para reabrir el expediente y legitimar la sucesión del hijo de Waldrada, la crisis política no se hizo esperar, dado que, como ya dijimos que Tietberga no había tenido hijos, el trono de Lotaringia tenía muchos y serios pretendientes, entre ellos, los tíos de Lotario II. No en vano, la antigua Lotaringia era la zona del reino carolingio más desarrollada social y económicamente.

En consecuencia, el Papa se vio metido en un asunto complejo y espinoso que excedía sobradamente sus atribuciones religiosas. Ya no se estaban discutiendo el divorcio, el adulterio, ni el pecado, sino la sucesión al trono. Y entonces empezaron a levantarse clérigos y seglares, obispos y nobles, para advertir a Adriano II que su intromisión era injustificada y que la política se hace con la espada y no con pretensiones de poder religioso.

Al papa Adriano no le quedó más remedio que callar, replegarse a sus atribuciones en materia religiosa y dejar que las aguas volvieran a su cauce, es decir, que Carlos el Calvo y Luis II el Germánico se dividieran Lotaringia en el tratado de Meerssen, en el año 870. Lotaringia se dividió, pues, entre Francia y Alemania, aunque después volvería íntegra al reino franco oriental.

Pero antes de que sucediera todo eso se estableció un lazo familiar entre las dos rivales, Tietberga y Waldrada. Teobaldo, hijo del abad incestuoso Hubert, se casó con Berta, hija de Waldrada y de Lotario II.

Las malas costumbres

La inclinación a la señora Venus ha podido siempre más que el interés de los eclesiásticos por erradicar las malas costumbres de todos aquellos pueblos paganos convertidos al cristianismo, más por conveniencia que por convicción. Ya hemos dicho que los germanos siguieron practicando sus rituales y orando a sus dioses hasta casi finalizar la Edad Media, del mismo modo que muchos pueblos latinoamericanos y africanos del siglo XXI siguen ofreciendo sacrificios a sus dioses paganos aunque vayan a misa los domingos. Comulgan por la mañana, y por la tarde sacrifican un pollo a uno de sus dioses ancestrales, para que propicie el asunto que les interesa.

Las malas costumbres de los reyes y príncipes siguieron provocando concilios y excomuniones. No todos llegaron al extremo al que llegó Enrique VIII, pero sí se mostraron muy rebeldes a los dictámenes de la Iglesia, porque el imperio de la señora Venus es una oposición muy poderosa.

Otro de los casos más conocidos de amores ilícitos, adulterios, incestos y excomuniones es el del rey de Francia Felipe I y la hermosa Bertrade de Montfort.

Felipe I reinó en Francia entre 1060 y 1108. Solo tenía ocho años cuando le coronaron, porque su padre murió muy joven. En lo que interesa a nuestra historia, los monjes de su época lo describieron como arrebatado en amores y algo exhibicionista, ya que terminó con la costumbre real de vestir con sobriedad e inició la ostentación de ropas lujosas.

Felipe I perteneció a la dinastía de los Capeto, cuyo nombre deriva de la capa de San Martín de Tours, que era la reliquia de mayor valor que guardaba esta familia. Los Capeto empezaron a reinar al término de la dinastía Carolingia, cuyo último representante fue Luis V el Niño, muerto en 987 y al que sucedió Hugo Capeto. Los Capeto fueron los verdaderos fundadores de la monarquía francesa, porque terminaron con las herencias, los repartos y divisiones de territorios que tanta sangre hicieron correr entre los herederos de los monarcas carolingios y merovingios.

Felipe se casó con la condesa Berta de Frisia cuando tenía 20 años. Era hija del conde de Flandes, primo hermano de Felipe. Al casarse, Felipe le hizo una donación que, para los francos, era muy valiosa. El castillo de Montreuil-sur-Mer.

Los castillos solían formar parte de la dote que los maridos ofrecían a sus esposas en el momento de casarse y, como dijimos, resultaban muy valiosas. Si había problemas políticos o militares, siempre podían ser utilizados para refugiarse y defenderse de algún enemigo insistente. Y si los problemas eran de índole matrimonial o amorosa, siempre podían emplearse para encerrar a la esposa que estorbaba a los objetivos del rey.

Esto fue habitual entre los reyes de todos los países, de todas las etnias y de todas las culturas. Cuando la esposa insistía en no querer divorciarse, como Catalina de Aragón; cuando la esposa interfería en los intereses del rey, como Juana la Loca o Leonor de Aquitania; cuando la Iglesia se negaba a pronunciar la disolución matrimonial, como Tietberga de Arlés; cuando, en fin, molestaba, aunque no tanto como para matarla, el marido la encerraba en un castillo y asunto concluido.

Hay que considerar también que el matrimonio por amor fue un invento del siglo XVIII, y el matrimonio por amor entre reyes, ya del siglo XX. De esa manera, todos los matrimonios eran políticos, y los reyes procuraban dejarse una puerta abierta.

Por esas razones o por otras que desconocemos, Felipe I de Francia regaló a su esposa Berta de Holanda una fortaleza en Montreuil-sur-Mer.

Pasaron nueve años y la reina no tenía descendencia. Aquello era un problema de índole nacional, tanto, que todo el país esperaba el repudio de un momento a otro. Un rey no podía permanecer sin un heredero y menos en aquellos tiempos tan revueltos, tan inseguros y en los que la esperanza de vida era tan limitada. Las guerras, las enfermedades, los accidentes de caza, los enemigos, las traiciones, cualquier amenaza podía acabar con la vida de un rey, y si no había un heredero, la guerra civil no se hacía esperar. Ya hemos visto que, incluso habiéndolo, había muchas posibilidades de que hubiera guerra.

Y, cuando todos esperaban el repudio, llegó el heredero. Luis VI, quien después se llamaría Luis el Gordo, vino a colmar todas las esperanzas de la reina. Ya había heredero. Dicen que en su venida al mundo intervinieron las oraciones de un santo llamado Arnoul recluido en Saint Médard de Soissons, lugar al que acudían gentes de todas partes con súplicas y peticiones de mediación.

Entonces, cuando ya nadie esperaba el repudio, llegó. No sabemos si llegó por sorpresa, al menos para la reina, pero llegó.

El rey se había enamorado perdidamente de la esposa de uno de sus vasallos, el conde Fouqué de Anjou. La esposa era la bellísima Bertrade de Montfort.

Felipe repudió a su esposa, la encerró en "su" castillo hasta conseguir el divorcio y se casó con Bertrade. Pero no se casó a escondidas ni de manera oficiosa, sino con tal pompa y magnificencia que hubo actas y concesiones de la época fechadas, no según el año de la Creación del mundo o según el año de la Encarnación del Verbo, sino según el año en el que Felipe se casó con Bertrade de Montfort.

Eso significa que, aunque causara alguna que otra sorpresa y algún que otro disgusto, por ejemplo, a la reina y a sus familiares, no causó iras ni oposiciones, al menos laicas, porque oposiciones religiosas veremos que sí las hubo.

Como Felipe quería que su boda fuera algo solemne y espectacular, convocó a los obispos para que acudieran a bendecir el matrimonio, a consagrar a los cónyuges y a oficiar la ceremonia.

El primero en oponerse fue el obispo Yves de Chartres, que debía haber heredado los hábitos del papa Nicolás I y que se negó en redondo a asistir. Antes, escribió dos cartas.

La primera iba dirigida al obispo de Reims, que parece que era quien debía oficiar y consagrar, avisándole de que no pensaba asistir a la boda a menos que fuese él, el de Reims, quien estuviese al frente de la ceremonia. Eso hubiera resultado agradable para el destinatario de la carta si no fuese porque, además, llevaba una coletilla que indicaba "ten cuidado, porque este acto puede perjudicar a tu reputación y ser nocivo para el honor del reino".

Aquella advertencia debió de espantar al obispo de Reims, porque, además, el obispo de Chartres aseguraba que tenía razones, de momento secretas, para no aprobar aquel matrimonio. El asunto sonaba a conspiración, a conjura, a misterio.

La segunda carta iba dirigida al rey Felipe, advirtiéndole de que no le vería en su boda y de que Bertrade no podía ser su esposa. El rey debía esperar, en todo caso, a que un concilio se pronunciara a favor del divorcio de la primera esposa y, sobre todo, que señalase la legitimidad del segundo matrimonio. Así, el misterio se extendió al ánimo del mismo rey.

La carta continuaba con un largo sermón sobre la lujuria y sus efectos perniciosos, con los ejemplos bíblicos de casos en que la concupiscencia había perdido a los hombres: Adán, Sansón y Salomón.

El rey Felipe estaba lo suficientemente enamorado de la hermosa Bertrade como para no dejarse detener por la carta de un obispo. Y se casó con pompa y esplendor, bendiciendo la unión el obispo de Senlis.

Parece que todos los obispos, con excepción de Yves de Chartres, estuvieron de acuerdo con la boda. Pero él, tenaz, escribió al papa Urbano II para darle su opinión sobre el asunto, y el Papa, digno sucesor, aunque en la distancia, del gran Nicolás I, consideró que aquel matrimonio no era válido. Escribió al rey conminándole a abandonar a aquella mujer con la que vivía "en concubinato", y escribió a los obispos reprochándoles su connivencia con un asunto tan grave para la salud espiritual del soberano.

Después de muchas discusiones con unos y con otros, murió la primera esposa, Berta, con lo cual, el rey quedó libre. Ya parecía que las cosas iban a solucionarse, pero entonces entró en juego el misterioso argumento del obispo de Chartres.

El rey, preocupado por la salvación de su alma a pesar de que no estaba dispuesto a renunciar a Bertrade, reunió un concilio en Reims para que declarara que su matrimonio era conforme a la voluntad de Dios y para recibir el beneplácito de la Iglesia. Ya era viudo, ¿qué más tenía que esperar?

Todos los obispos estuvieron de acuerdo e incluso se mencionó la posibilidad de llegar a juzgar al disidente Yves de Chartres, que tantos quebraderos de cabeza había causado al soberano de Francia.

Pero todavía quedaba mucha gente que tenía algo que decir, que comentar o que oponer al matrimonio entre Felipe y Bertrade.

El primero era el hijo de Berta, Luis, que ya tenía casi catorce años y estaba deseando reinar. Y si su padre se casaba otra vez, el anhelado momento se dilataría. A continuación estaban los de Flandes, la familia de la esposa fallecida. Estaba también el marido de Bertrade, el conde Fouqué de Anjou, el vasallo que había visto impotente cómo su rey le quitaba la esposa.

El Papa tuvo que tener presentes los derechos y argumentos de todas estas personas a la hora de pronunciarse. A todo esto, el conde Fouqué, ex marido de Bertrade, había incurrido en pena de excomunión al capturar a su hermano y mantenerlo prisionero en una típica pugna por el reparto de territorios. Además, no era una prisión digna de un hermano ni de un conde, sino de un malvado, porque los rigores del encarcelamiento habían hecho que el preso perdiera el juicio. Y esto fue una baza importante para el Papa. Envió a su legado a visitar al conde y, una vez que se convenció de la locura del hermano preso, admitió su incapacidad para gobernar y confirmó al conde Fouqué en el feudo de Anjou. Ya tenía su agradecimiento. Ahora venía la condición. No debía volverse a casar. En realidad, Fouqué no había sustituido definitivamente a Bertrade y solamente se había entretenido con concubinas, por lo que estaba libre y libre debería mantenerse, por si en un momento dado era necesario que reclamase de nuevo a su esposa.

Aquella posibilidad revolvió al conde de Anjou contra su rey. Igual que antes había habido documentos extendidos "en el año en que el rey Felipe de Francia se casó con Bertrade de Montfort," el de Anjou extendió un acta fechada "en el año en que el indigno rey Felipe mancilló Francia con su adulterio".

Esto sucedió en 1094. El concilio de Autun tuvo que traer a colación el misterioso argumento de Yves de Chartres, consistente nada menos que en la imposibilidad de matrimonio debido a incesto. Hubo que juzgar el parentesco existente entre el conde Fouqué de Anjou y el rey de Francia. Probándolo, se demostraba que Bertrade era pariente del rey, aunque pariente política y lejana, pero, como se trataba de un incesto, era necesario probarlo. Aquel era el argumento secreto y misterioso del obispo de Chartres. No se trataba de adulterio, sino de incesto. El rey era primo de su concubina, primo lejano, muy lejano, primo político, pero primo.

En aquel concilio se demostró que el rey había cometido incesto con la bella Bertrade y que su matrimonio, por tanto, no era válido. Y como el rey Felipe no se separó de ella, fue excomulgado por 32 obispos reunidos en torno al legado papal, Hugo de Die, arzobispo de Lyon.

Un año más tarde, en 1095, se reunió el concilio de Clermont-Ferrand. Asistió el papa Urbano II, y asistió porque se encontraba fuera de la zona de influencia de los Capeto o, al menos, en el límite. Después de la excomunión del rey en 1094, es lógico que el Papa hubiera tenido que huir de Roma para evitar las represalias reales. Por tanto, se dedicó a realizar un periplo por el sur de Francia en compañía de un gran séquito de obispos y cardenales. El objetivo de la gira era continuar una reforma de la Iglesia iniciada por la orden monacal de Cluny y por el papa Gregorio

VII. El papa Urbano también quería proclamar la supremacía del poder eclesiástico sobre el poder laico, y por ello ratificó la excomunión del rey Felipe en Clermont-Ferrand.

Dice Georges Duby que las actas del concilio se perdieron y que solamente se conocen sus disposiciones por los escritos de los cronistas. Y que casi nadie ha hablado de la sentencia de excomunión contra el rey de Francia por un hecho tan peregrino como haberse casado con la esposa de un pariente lejano. El bisabuelo del conde de Anjou, esposo de Bertrade, era tatarabuelo del rey. Y el motivo de la nulidad matrimonial eclesiástica era ese y no la bigamia, porque ya dijimos que el rey había quedado viudo.

El argumento del incesto, descubierto solamente al cabo de los años, hace pensar que quizá no existiera un motivo real y que aquel motivo secreto y misterioso del obispo de Chartres que impedía el casamiento del rey con Bertrade no era más que un subterfugio para tratar de que el rey no llevase a cabo el repudio; pero, como la primera esposa murió y el rey siguió empeñado en convivir con Bertrade, es probable que el obispo buscara un motivo retorcido y complejo para justificar su insistencia en que la abandonase. Y hubiera sido raro que en aquella época dos nobles no tuvieran algún vínculo familiar, aunque fuera tan remoto como el de los "incestuosos".

En este asunto hubo, además, una arbitrariedad, puesto que, en todo caso, el matrimonio legítimo y aceptado del rey Felipe con su primera esposa tampoco estuvo exento de incesto, puesto que ya dijimos que era hija de un primo hermano de su marido. Se puede argumentar que la bendición eclesiástica incluía la dispensa, pero también se puede contra-argumentar que la bendición eclesiástica del matrimonio data únicamente del siglo XII, un siglo después de los hechos aquí expuestos.

Pero este caso apenas ha tenido eco porque el Concilio de Clermont-Ferrand se hizo célebre por un motivo que tuvo una enorme resonancia internacional que silenció para la posteridad el asunto del rey francés. Fue la primera convocatoria a las Cruzadas.

La excomunión del rey Felipe y Bertrade de Montfort. Felipe de Francia fue excomulgado por repudiar a su esposa y casarse con Bertrade de Montfort, de la que se había enamorado localmente. La sentencia señaló que se le excomulgaba por sus malas costumbres.

El rey Felipe fue excomulgado "por sus malas costumbres." Un año más tarde, seguramente porque empezaba a envejecer y a recordar que el infierno se acercaba, escribió al Papa abjurando de su adulterio, ante lo cual recibió inmediatamente el perdón.

Pero el Papa se enteró de que la bella Bertrade seguía viviendo en el mismo recinto que él, en peligroso vecindario. Entonces volvieron a reunirse los obispos en Poitiers, ya en 1099, para renovar la excomunión.

Afortunadamente tardaron tres años en enterarse, y eso permitió a los adúlteros vivir tranquilamente su amor una larga temporada.

Al final, el Papa consiguió reafirmar su poder frente al del rey. Su poder en cuanto a las costumbres. Porque Felipe tuvo que claudicar, vestir el sayal de penitente, abjurar de su pecado de "cópula carnal ilícita" y jurar que no volvería a tener relación alguna con su amada. Ella juró lo mismo.

Pero la señora Venus no cedió. Una vez solucionado un asunto que hace comprensibles posturas extremas como la de Enrique VIII, que rompió con la Iglesia de Roma y estableció su propia Iglesia, ambos penitentes continuaron viviendo juntos. Alguien dijo que los había visto en Angers, ya en 1106, visitando amigablemente al conde Fouqué.

Capítulo V
El papa angelical

En el siglo IX, la ruta de la procesión iba desde la antigua basílica de San Pedro *in Batecanum* hasta la iglesia de San Juan de Letrán, atravesando el arco de Trajano y pasando por el anfiteatro Flavio. Era una tradición antigua que el papa recorriera el camino a caballo hasta la plaza de Letrán, donde se sentaba en un trono para bendecir a los fieles y esparcir agua bendita con un hisopo al Este, al Oeste, al Sur y al Norte.

Pero un día la ruta procesional cambió, y también siguieron un camino distinto los peregrinos que iban a San Juan de Letrán. Nunca más volvieron a pasar por los mismos lugares ni las procesiones, ni los peregrinos.

Y dicen que el cambio se debió a que la estatua que adornaba la ruta y que representaba a una madre con su hijo había adquirido las facciones y los ropajes de un papa de belleza angelical que, súbitamente y ante el estupor y el escándalo de sus fieles, había dado a luz en aquel camino.

Mucho tiempo después, ya en 1400, apareció un nuevo busto en la hilera de papas que se extiende a lo largo del interior de los muros de la catedral de Siena, con esta inscripción: *Johannes VIII, femina ex Anglia*.

Fue el cardenal César Baronio, el historiador eclesiástico, quien influyó en el papa Clemente VIII para que hiciera retirar esa inscripción y modificara el busto de manera que representase a un papa y no a una papisa. Hoy no se encuentra en la catedral.

¿Fue o no fue cierto que hubo una vez en Roma un papa de belleza angelical que dio a luz en mitad de una procesión?

Los estudiosos llevan doce siglos tratando de dilucidarlo, sin ponerse de acuerdo. Las crónicas de los monjes de la época sitúan el pontificado de Juana con el nombre de Juan VIII entre los años 855 y 858, exactamente los mismos en los que la Iglesia sitúa oficialmente el pontificado de Benedicto III. Por tanto, no hay más que dos posibilidades: o la papisa Juana existió realmente y se repartió el tiempo con Benedicto III, una un poco antes y otro un poco después, o la existencia de Juana es, como sostiene la versión oficial, una leyenda.

LA PAPISA JUAN VIII

El escritor griego Emmanuel Roydis publicó en 1886 un libro que narraba la vida de la papisa Juana o el papa Juan VIII. Como era de esperar, la Iglesia Ortodoxa prohibió el libro y excomulgó a su autor, lo que hizo que se agotaran todos los ejemplares. Lawrence Durrell lo tradujo, lo adaptó y lo recreó en 1954.

Esta es la historia que cuenta:

Era anglia, es decir, inglesa, pero nació en Ingelheim, cerca de Mainz, en Alemania. Era hija de un monje inglés discípulo de Juan Escoto Erígena y de una hermosa mujer llamada Judith, que guardaba los gansos de un noble sajón, el cual se la cambió al monje por una reliquia, un diente de San Gutlhac, ermitaño de Crowland.

Ambos vivieron en Inglaterra hasta que fueron a parar a tierras francas, porque el emperador Carlomagno se había empeñado no solo en evangelizar, sino en instruir a sus súbditos sajones, unos ignorantes que creían que la Virgen María había concebido por la oreja y que bautizaban a sus niños en el nombre del Padre, de la Hija y del Espíritu Santo. Ya hemos hablado de las dificultades de los misioneros para evangelizar a los bárbaros, aunque no tuviesen problemas para bautizarlos.

Así, un día, Carlomagno, aconsejado por Alcuino de York, empezó a reunir teólogos de las Islas Británicas y a traerlos a tierras francas y, entre ellos, partió el futuro padre de Juana.

Conviene traer a colación también los peligros a los que se exponían aquellos valientes misioneros, arriesgándose en los bosques franceses y alemanes en busca de prosélitos, puesto que, aunque no hubo muchas muertes, sí hubo muchas mutilaciones. Cada pueblo bárbaro tenía una forma favorita de mutilar a los prisioneros. Los frisios tenían predilección por arrancarles el ojo derecho, los longobardos preferían cortarles las orejas, a los turingios les gustaba más cortarles la nariz, otros preferían castrarlos. Pero muchos de aquellos bravos misioneros sobrevivían merced, según ellos, a la protección divina, porque contaban que la Virgen sostenía los pies de los que eran ahorcados, apagaba las llamas de los que eran condenados a la hoguera y lanzaba su cinturón azul a los que eran arrojados al agua.

Llegaron a Ingelheim en 818, y allí fue donde Judith dio a luz a la hija que había llevado en el vientre durante toda la travesía, Juana. Y una vez cumplida su misión, la pobre mujer entregó su alma a Dios.

A falta de otros juguetes y entretenimientos, parece que Juana creció entre cruces, reliquias y rosarios y que aprendió a hablar recitando el Padrenuestro en varias lenguas. Su padre la instruyó en todo lo que él sabía, que para la época era mucho, con el fin de exhibir su sabiduría y sacar partido de ella, como se exhibían las habilidades de recitar, cantar o bailar.

Juana creció inteligente, hermosa, culta y adquirió más tablas que un actor de circo. Y cuando cumplió los 16 años, murió el monje y se quedó sola, aunque con recursos suficientes para abrirse camino en aquella intrincada selva. Entonces tuvo que decidir a qué iba a dedicar su vida por lo que, en primer lugar, quiso informarse acerca de la suerte que podía esperar a una mujer, según fuese monja o seglar.

Parece que tuvo contactos, reales o fantásticos, con Santa Lioba, monja de su época, quien había visitado la corte de Carlomagno y había salido de allí como alma que lleva el diablo, de vuelta a su convento del que no pensaba volver a salir. Y parece que Santa Lioba le explicó a Juana que su convento era un lugar adorable donde las mujeres vivían al resguardo de las amenazas exteriores, muy felices y muy contentas, trabajando el huerto y conversando sobre asuntos filosóficos, sin que les faltara lo principal, pues por ellas velaban los señores feudales y las almas caritativas que proveían a las monjas de lo necesario y de algo más, a cambio de sus preces e intercesiones.

Y también le dijo que todo aquello que se contaba sobre la dura vida monacal, de arrodillarse en la piedra helada a altas horas de la noche y de comer pan duro era una fábula que habían hecho correr de boca en boca los religiosos, para evitar que los conventos se poblaran de forma que se hiciera imposible la convivencia. Y que, igual que los griegos habían inventado los monasterios mixtos, en los que hombres y mujeres estaban separados por un muro, las monjas de su convento habían perfeccionado el invento, practicando orificios en el muro que permitieran la visita de los padres benedictinos del convento próximo.

Para no tener una visión sesgada de lo que era el mundo, Juana recabó también conocimiento de los hechos de otra santa de su tiempo, Santa Ida, quien la puso al corriente de la vida mundana. Había tenido esta santa dos maridos, tres amantes y siete hijos, había vaciado muchas botellas de vino y había pasado muchas noches sin dormir, inmersa en el placer. En suma, había sido el polo opuesto de Santa Lioba. Llegó a santa a pesar de su vida un tanto disipada porque supo guardar la Cuaresma, dar a la Iglesia los diezmos debidos y entregar sus lujosos vestidos, cuando se cansaba de ellos, naturalmente, para vestir las imágenes de la Virgen o de las santas del lugar. Había nacido pobre, pero hermosa, y había enamorado al conde de Ecbert, quien le facilitó la entrada a la riqueza y al lujo por la puerta grande, como gran señora casada y bien casada.

Así fue como Juana conoció los dos tipos de vida que esperaban a una mujer joven, hermosa e instruida como ella, si sabía elegir con cuidado y no cometía errores a destiempo. Se había quedado sola y tenía que cuidar de sí misma. Lo pensó detenidamente y decidió seguir los pasos de Santa Lioba. Por tanto, se puso a buscar un convento en el que refugiarse.

El primero que encontró fue Mosbach, donde fue muy bien acogida por su simpatía, su juventud y su erudición. Pero la paz del convento no era tan entretenida como Santa Lioba le había asegurado y pronto empezó a sentir Juana el aburrimiento. Afortunadamente, los estudios que le había dado su padre le fueron de gran utilidad porque eran tiempos de evangelización de salvajes paganos y el abad del monasterio de Fulda había decidido conseguir algunos códices y evangeliarios miniados en oro para ver si, mostrándolos a los bárbaros paganos, lograban los misioneros atraerlos a la religión cristiana, pues, si no entendían de bellezas místicas y perfecciones escatológicas, sí apreciaban la belleza del oro y las pinturas. Y la madre abadesa, que era Santa Biltrude, encargó a Juana que se ocupara de copiar las Epístolas de San Pablo destinadas a los germanos de Turingia.

Eso hubiera sido un trabajo agradable y pacífico si no hubiera sido porque, como mujer, no podían confiar en ella sola para tan santa y docta labor y la pusieron a las órdenes de un fraile que el prior de Fulda, que era entonces San Rábano el Negro, discípulo del gran Alcuino de York, había enviado al convento en busca de la inestimable ayuda de la erudita monja.

El fraile en cuestión se llamaba Frumencio y era joven y de presencia agradable. Y ya se sabe lo que sucede cuando dos perso-

nas jóvenes y hermosas comparten un cuarto a solas durante varios días, inmersas en una labor que requiere concentración y silencio. Que viene el diablo y parlotea para desconcentrarles, romper la quietud y conducir su atención a otros objetivos que no son la encomiable misión que tienen asignada.

Una vez terminado su trabajo, el hermano Frumencio hubo de volver a Fulda, pero pronto escribió a la hermana Juana para citarla junto a la tumba de San Bona y partir juntos en busca de un futuro en amor y compañía. Y se la llevó con él, vestida de monje, al monasterio de Fulda, donde el abad San Rábano el Negro la admitió como a un nuevo fraile en la regla benedictina, con el nombre de hermano Juan.

Allí vivieron en paz y armonía hasta que los sorprendieron *in fraganti* y tuvieron que huir del monasterio en la oscuridad de la noche, como dos malhechores.

En aquellos días murió el emperador Luis I el Piadoso, y las cosas tomaron mal cariz para los religiosos porque Lotario, el primogénito, se alió con los sajones contra sus hermanos y, como eran paganos, no tuvo empacho en permitir la vuelta a la adoración de los ídolos germanos que San Bonifacio, a costa de su propia vida, había conseguido desterrar tiempo atrás. Efectivamente, este santo había muerto mártir de su destino misionero, si bien es cierto que los frisones lo asesinaron en venganza por haberles derribado una encina sagrada para ellos, ya que llevaba siglos dedicada al dios Donar.

Alemania se pobló de cadáveres y por todas partes había incendios, saqueos y matanzas protagonizadas por los partidarios de los hijos de Luis I, que se disputaban el Imperio a sangre y fuego, como era habitual en la Edad Media. Para librarse de un

Rábano Mauro o Rábano el Negro fue prior del monasterio de Fulda en tiempos de la papisa Juana. Él fue quien la requirió por su sabiduría y le encargó los trabajos que hubo de realizar junto con Frumencio, el monje que después sería su amante.

destino trágico, los dos monjes amantes se trasladaron, no sin grandes penalidades, a Suiza. Desde allí siguieron el curso del Ródano hasta Provenza, a bordo de un barco, y desde allí, a Córcega, a bordo de otro, alojándose siempre en los monasterios y conventos que encontraban y en los que se presentaban como dos monjes benedictinos en misión cristiana.

Finalmente recalaron en Atenas, donde asistieron, en un monasterio situado al pie de la Acrópolis y fundado por San Basilio, a la Misa de rito oriental, bastante diferente a la que se celebraba en Occidente, porque los asistentes podían comulgar con un trozo de pan que era el cuerpo de Cristo o con otro pedazo que era el cuerpo de la Virgen María. Los demás pedazos de pan se consagraban en nombre del Bautista, de los apóstoles, de los mártires y de los santos.

La belleza, inteligencia y erudición del hermano Juan se hicieron pronto famosas entre los frailes y entre todas aquellas gentes, y pronto tuvo su corte de admiradores que acudían a discutir con él las diferencias teológicas entre Oriente y Occidente. Pero el secreto de aquel fraile hermoso y erudito dejó bien pronto de serlo, porque algunos advirtieron que se trataba de una mujer y corrió la voz de que era un monstruo enviado por los francos para devorar a la Iglesia de Oriente. Parece que también influyeron las maledicencias de algunos monjes rechazados por la bella, pero el caso fue que todo el mundo llegó a enterarse de que se trataba de una mujer y de que no era precisamente una santa, como Santa Pelagia o Santa Matrona, que habían vivido entre monjes, con hábitos varoniles, sin prestarse jamás a los requerimientos de los varones, ni siquiera del obispo o del abad.

Entonces Juana encontró su salvación en un barco que había recalado aquellos días en El Pireo y que partía para Roma en

---

Lotario I, hijo de Luis el Piadoso, emprendió una guerra terrible
contra sus hermanos, disputándoles parte del Imperio. La guerra llevó a
Juana a huir de Alemania, desde donde llegó a Grecia en compañía de
Frumencio, su amante.

breves días. Escapó del monasterio, dejando desolado a su amante y burlados a sus enemigos.

Llegó a Roma siendo papa León IV, un hombre prudente y valeroso, protector de las letras, que había creado un convento de monjas dentro del recinto papal, donde podía fácilmente protegerlas de las numerosas vicisitudes de la época.

Juana, mejor dicho, el padre Juan, buscó a los estudiosos que el Renacimiento Carolingio hubiera podido llevar hasta Roma, para discutir con ellos sobre las donaciones de Pipino y Carlomagno y sobre el lujo con el que la Iglesia trataba de hacer parecer más fácil a los fieles la espera de la bienaventuranza.

Pronto pudo echar de menos los debates con los atenienses, porque la mayoría de los sacerdotes y monjes romanos eran analfabetos y, en vez de explicar los Evangelios desde el púlpito, se dedicaban a contar historias y leyendas de hechos milagrosos de la Virgen o de los santos, como los que citamos anteriormente de la protección de la Virgen sobre los ahorcados, quemados o ahogados que alguna vez hubieran encendido una vela para ella.

Pero si no hubo debates, sí hubo masas de oyentes y admiradores que escuchaban pasmados lo mucho y muy elocuente que salía de la boca de Juana durante sus disertaciones en el monasterio de San Martino, a las que solía acudir el mismo Papa.

Juana, viendo la situación, no se dedicó a criticar, sino a elogiar las virtudes del Santo Padre, a refutar las ideas de los bizantinos y a explicar las innumerables cosas que sabía y que había ido aprendiendo en sus viajes.

Durante dos años enseñó y explicó, y su elocuencia obtuvo una enorme fama. El propio Papa llegó a nombrar secretario privado y secreto al padre Juan , porque ya se encontraba muy viejo y padecía de reumatismo, desde que un día intentara emular el milagro de caminar sobre las aguas y terminara con un chapuzón en el frío Tíber.

Al acercarse a la vida pontificia, Juana quedó deslumbrada ante las alfombras tupidas, el trono de oro y marfil, las marmitas de plata, los incensarios incrustados de piedras preciosas y los muchos tesoros que guardaban los palacios y las iglesias, pero lo que mayor admiración le produjo fueron las fiestas que el Santo Padre ofrecía a sus amistades, fuera de todo protocolo, y a las que jamás parecía que se hubiera invitado a los santos apóstoles Pedro y Pablo, fundadores y guardianes de la Santa Sede.

Los cortesanos del Papa, quienes al principio recelaron de la presencia de aquel secretario extranjero, privado y secreto, pronto rodearon a Juana y la convirtieron en el centro de sus adulaciones y de sus demandas, viendo su irresistible ascensión en la vía político-religiosa.

Así llegó el día en que el papa León IV enfermó de gravedad y ya no hubo sanguijuelas, ungüentos ni rituales que le devolvieran la salud, por lo que los santos padres le condujeron a una iglesia subterránea, ante cuyo altar recibiría la inspiración de San Tiburcio, el santo al que la iglesia estaba encomendada, quien le revelaría durante el sueño el nombre de su sucesor.

Este era, al parecer, el trámite que seguían en Roma para elegir nuevo papa en las épocas en las que la Iglesia se libraba de la designación directa del emperador. Y aquella fue una de las pocas ocasiones en las que se eligió a un papa mediante un sueño, porque en los tiempos venideros, los elegirían las facciones de partidarios peleando a garrotazos en la plaza de Roma.

La elección de Juana era, en cualquier caso, segura. Si había de ser por designación del Papa, estaba claro que iba a soñar con ella. Si hubiera sido a pedradas y garrotazos, Juana contaba con numerosos partidarios entre sus estudiantes, sus admiradores, los que le debían favores y las mujeres, enamoradas sin tapujos de la belleza del padre Juan. Así, pues, fue papa con el nombre de Juan VIII.

Y cuentan que la naturaleza se rebeló contra tan grande profanación; y que cayó una intensa nevada que bloqueó los caminos de Roma; y que hubo temblores de tierra en Alemania y en Francia; y que cayó en Bresse una lluvia de sangre y otra de langostas muertas en Normandía; y que los búhos y las lechuzas cantaron durante tres noches sobre los techos de la basílica de San Pedro *in Bateca-*

num, como decían que habían cantado los gansos en el Capitolio cuando Alarico asomó sus barbas rojas a las puertas de Roma.

Pero nadie atendió los signos reveladores de la profanación que sin duda San Pedro puso en funcionamiento para defender su Santa Silla. Juana la ocupó durante dos años, cinco meses y cuatro días, sin que nadie advirtiera lo evidente ni lo menos evidente, hasta que la naturaleza finalmente triunfó sobre la blasfemia. Durante ese tiempo, Juana ordenó a catorce obispos, añadió un artículo al Credo y levantó cinco iglesias. Además, escribió cinco libros contra los iconoclastas, rapó la cabeza del vencido emperador Lotario y coronó a su sucesor Luis II el Germánico.

Pero la naturaleza triunfó porque Juana terminó por enamorarse de uno de sus más bellos cortesanos, un joven llamado Floro, que dormía junto a la cámara de San Pedro, presto a despertar a la llamada del Papa. Y el Papa empezó a visitarle por las noches.

Primero lo hizo en silencio, sin despertarle ni darse a conocer, pues dicen que el joven Floro creía cada mañana haber tenido un hermoso sueño en el que un blanco fantasma le acariciaba.

Pero una noche hizo más ruido del debido y el joven se despertó y creyó morir al ver brillar la luna sobre los blancos pechos del santísimo padre Juan VIII.

Pasaron los meses hasta que, un día, el Papa descubrió en su propia carne los síntomas que señala Aristóteles de que una nueva vida se abre camino. Y cuentan que aquella noche tuvo una visión en la que un ángel le dio a elegir entre dos caminos: la muerte prematura, la ignominia y la salvación o una larga vida y una muchísimo más larga reclusión en el infierno. Era lo menos que merecía por sus pecados.

Para unos es solo una leyenda. Para otros, una realidad vergonzosa. Para otros, una alegoría a la personalidad de algunos papas del período llamado los Siglos Oscuros. Lo más probable es que se trate de una más de las numerosas historias medievales. Sin embargo, en la historia de la Iglesia se han dado casos reales mucho más increíbles.

Juana eligió la muerte, porque, por mucho que la aterrara, más aterradora era la visión de los castigos eternos en los antros infernales. Ella había estudiado lo suficiente como para conocerlos y temerlos.

Entonces, mientras Juana permanecía llorando sin salir de su habitáculo, se presentaron los cuatro jinetes del Apocalipsis asolando Roma en forma de sarracenos que saqueaban las costas, de bandoleros que amenazaban la ciudad, de enjambres de langostas que se abatieron sobre campos y ciudades, entrando incluso en las iglesias para devorar el pan de la consagración y la cera de los cirios. Y, como el Papa no hacía nada por evitar todo aquello, la plebe se levantó y se concentró bajo las ventanas del palacio de Letrán, exigiendo una solución a tan tremenda crisis y empuñando palos y piedras en caso de que el pontífice no resolviese.

Así, pues, no le quedó más remedio que salir. En lugar de aguardar recluida el final de su destino, tuvo que organizar una procesión rogativa en la que lanzaría anatemas y exorcismos contra las fuerzas del mal y bendiciones a los fieles. Se despidió de su amante, vistió sus ropajes extraordinarios y se dispuso a acallar sus dolores y malestares para atender a su pueblo.

En mitad de la procesión sintió los dolores del parto y a duras penas consiguió encaramarse al alto trono que le habían preparado en la plaza de Letrán. En el momento en que tomó la cruz para enviar su bendición a los cuatro puntos cardinales, cayó sobre las escaleras del trono, blanca como la cera, ante el estupor de los fieles, que se precipitaron para ayudarla a ponerse en pie, temiendo que hubiera pisado una raíz de mandrágora o un escorpión.

Pero cuando el obispo de Porto arrojó agua bendita sobre el Papa, pronunciando al mismo tiempo las palabras sagradas del exorcismo, en lugar de salir los demonios por la boca del pontífice, lo que salió fue un niño prematuro por entre los pliegues de sus vestiduras.

Puede imaginarse el horror y el estupor, los gritos y los desmayos que se produjeron en aquel momento. Primero, alguien gritó "¡Milagro!", pero pronto se impuso la cordura y todos comprendieron la verdad. Y la fervorosa turba se trocó en una chusma frustrada y desengañada que se abalanzó sobre el Papa y su sacrílego retoño, pateándolos y golpeándolos hasta causarles aquella muerte anticipada que Juana misma había elegido.

LOS TESTIMONIOS

No es fácil averiguar si la papisa Juana existió en realidad o si se trata de una de las numerosas leyendas que surgieron en aquellos tiempos de descontrol. La verdad es que existen tantos testimonios a su favor como en su contra.

No faltan quienes aseguran que esta historia no fue más que el preludio de los tiempos que vendrían a continuación, aquellos tiempos marcados por el dominio de las mujeres sobre la silla de San Pedro y a los que se ha denominado la Era de la Pornocracia o el Reinado de las Rameras.

La secuencia oficial de papas ha eliminado a Juana, porque ya dijimos que, precisamente en las mismas fechas en que se supone que ella ostentó la tiara se ha situado el pontificado de Benedicto III, sucesor de León IV, elegido con toda la legalidad de la que carecieron la mayoría de las elecciones papales de aquella época.

Según la versión oficial, León IV no eligió al hermano Juan como su sucesor, sino a Benedicto III. Entonces apareció en escena un ambicioso y siniestro personaje, impío y violento, al que el Papa había tenido que excomulgar por sus demasías, un tal Anastasio. Pero no entró en escena por una puerta más o menos legítima, sino que irrumpió en el palacio de Letrán con una banda de malhechores que la emprendieron a golpes con los servidores y familiares del pontífice, a quien encerraron en prisión con el fin de deponerle y coronar a Anastasio. Y fue tal la brutalidad que este demostró, que sus mismos seguidores se espantaron de las consecuencias de su acción y abandonaron al antipapa a su suerte. Los servidores del Papa consiguieron expulsarle del palacio de Letrán tras dos días de lucha.

Pero Anastasio no había acudido a coronarse sin padrinos, porque, en ese caso, su candidatura no hubiera prosperado de ninguna de las maneras. Venía muy bien recomendado por el emperador Luis II. Quizá por eso, cuando el papa legítimo, Benedicto III, salió de su prisión para ocupar la silla de San Pedro, no solamente no desterró ni encarceló a su agresor, sino que le nombró abad de un monasterio y, por si no fuera suficiente, le concedió el cargo de Bibliotecario del Vaticano. Él es, pues, el mismo Anastasio el Bibliotecario que narró la vida de la papisa Juana y a quien también se atribuye el *Liber Pontificalis*.

Quizá fuera otro ejemplo de la adulación propia del siglo, pero el caso es que aquello calmó la posible ira del Emperador y atrajo para el Papa las simpatías de todos los fieles, por lo que lo aclamaron multitudinariamente en la plaza de Roma antes de consagrarlo el 29 de septiembre de 855, exactamente la misma fecha que los partidarios de la papisa Juana reclaman para la de su coronación sacrílega.

Un monje benedictino llamado Marianus Scotus pasó sus últimos 17 años en la abadía de Mainz y escribió, ya en 1083, una crónica de los sucesos de 854, señalando que el papa León IV murió en las Calendas de agosto y que le sustituyó una mujer llamada Juana, que reinó durante dos años, cinco meses y cuatro días. Otros cronistas benedictinos cuentan lo mismo e incluso uno del siglo XII, Sigebert de Gemblours, cuenta que se rumoreaba que Juan VIII era una mujer y que solo se supo con certeza cuando su compañero la dejó embarazada y dio a luz siendo papa.

Otros autores afirman que quien dejó embarazada a la papisa no fue uno de sus "familiares", nombre que se da a los cortesanos papales más próximos, sino el embajador Lamberto de Sajonia. Según la *Historia de Francia* que escribió Du Haillan, la tal papisa se llamaba Gilberta, y su amante era un monje de la abadía de Fulden. Un autor alemán del siglo XIV asegura que fue con un cardenal con quien Juana pecó.

Tito Martínez, autor del libro *El verdadero rostro del poder papal,* cuenta que las crónicas más amplias y concretas sobre la papisa Juana proceden del siglo XIII y que se deben a un fraile dominico llamado Martín de Troppau, llamado también Martín Polonus por su origen polaco, el cual, siendo maestro de Teología e inquisidor de Praga, estudió las biografías de los papas a partir de los datos recopilados por Anastasio el Bibliotecario, a quien, como hemos dicho, también se atribuye el *Liber Pontificalis* y quien cita a la papisa en un manuscrito que, según Martínez, se halla codificado en los Archivos del Vaticano como MS 3762. Siendo Anastasio coetáneo de la papisa, debió conocer su existencia mucho más directamente que los cronistas anteriormente mencionados.

No faltan otros estudiosos que cuentan sobre la papisa una historia similar a la que contó Emmanuel Roydis y que hemos recreado anteriormente. Similar pero con ciertas diferencias. Algunos dicen que Juana era una joven de buena familia originaria de lo que hoy es Polonia, aunque eso también podría derivarse del hecho de que su cronista más prolijo fuese el fraile dominico de origen polaco. Fuera cual fuera su origen, lo cierto es que unos dicen que Juana recibió de su familia instrucción en Filosofía y Medicina, cosa no muy probable en aquella época, pero que su familia perdió sus haberes a causa de la peste y ella hubo de vestirse de hombre para ganarse la vida poniendo en práctica sus conocimientos.

Otros dicen que era de cuna humilde y que debió vestirse de hombre con el afán de instruirse, puesto que la instrucción estaba vedada a las mujeres. Entonces se tenía por dañina la sabiduría en la mujer por suponer que su naturaleza perversa solo sabría emplear el conocimiento para el mal.

Con el fin de estudiar y llegar a ser en la vida algo más que una mujer, Juana se vistió de hombre como muchas mujeres han hecho en la Historia, y se dedicó a aprender y a predicar con hábito de monje, puesto que los eclesiásticos, y no todos, eran los únicos que tenían acceso a la cultura.

En aquella época, el Renacimiento Carolingio había dado ya sus frutos y existían algunas escuelas episcopales en Europa, que, con el tiempo, se convertirían en universidades. Las escuelas episcopales estuvieron siempre supeditadas a la Iglesia, ya que fue la Iglesia quien las creó, concretamente, Alcuino de York y otros doctos santos de aquellos que devolvieron el saber a Europa desde los monasterios ingleses. Estas escuelas episcopales estaban destinadas a alojar a la Escolástica, aunque eso no se supiera todavía en aquellos siglos oscuros.

Lo cierto es que los pocos conocimientos que circulaban por Europa estaban limitados a un grupo de eclesiásticos elegidos. Y este es el motivo por el que Juana hubo de vestirse no solo de hombre, sino de fraile, para lograr sus deseos.

Y como era hermosa, estudiosa, inteligente y elocuente, es lógico que su fama se extendiera y que recibiera invitaciones de aquí y de allá hasta llegar a Roma, donde hacía buena falta que alguien instruido predicase los Evangelios, en vez de limitarse a contar supersticiones y leyendas.

Y aunque en aquellos tiempos no había obispo ni papa que no tuviera padrinos, bien pudo serlo de Juana el mismo papa León IV.

En cuanto a su embarazo, muchos autores lo achacan a uno de sus pajes o "familiares", como hemos citando anteriormente, y otros, al embajador sajón. Donde hay más discrepancias, por cierto, muy curiosas, es en cuanto al fin de la papisa.

Según unos autores, murió en el momento de parir en la iglesia de San Juan de Letrán, donde se había refugiado al sentir los dolores del parto. La iglesia de San Juan de Letrán estaba unida al palacio de Letrán, regalo de Constantino al papa Silvestre I. Después de cedérselo, el emperador mandó construir la iglesia de San Juan sobre las antiguas caballerizas del palacio. Y en él vivieron los papas hasta su traslado a Aviñón en el siglo XIV. En cuanto a la basílica de San Pedro *in Batecanum*, fue solamente una iglesia, erigida también por Constantino el Grande, y no se convirtió en lo que hoy es el Vaticano hasta el siglo XVI.

Dicen que, al encontrar el cadáver de la papisa junto al hijo sacrílego, los desengañados fieles hicieron arrastrar su cuerpo atado a la cola de un caballo, hasta despedazarlo. Otros cuentan que el niño nació vivo, pero que era la personificación de Satanás, pues, nada más nacer, ya blasfemó e insultó a toda la concurrencia, por lo que los fieles, horrorizados, lo mataron a golpes. Otros insisten en que ambos, madre e hijo, fueron encerrados con vida en uno de los numerosos castillos del patrimonio de San Pedro, para ocultar la infamia.

Los que pretenden dar un fin juicioso a Juana, afirman que murió desangrada tras un parto difícil en mitad de la procesión, al pasar cerca del Coliseo, y que allí se erigió un "monumento infamante", que permaneció en pie hasta que Pío V lo hizo destruir, ya en el siglo XVI. Hay bastantes testimonios que mencionan la escultura de un papa con un bebé. Bocaccio, por su parte, asegura que dio a luz mientras celebraba el oficio divino, y que los cardenales la enviaron a una prisión por haber engañado al mundo.

Cada autor ha contado un fin para la vida sacrílega de la papisa Juana. Cada uno ha dado una razón a la conversión de aquella mujer en papa. Incluso existe el argumento del padre Henrion, el cual ha asegurado que fue, según los cronistas, una mujer de espíritu, pero de vida malvada. Por tanto, admite su existencia.

Según Miguel Ángel Almodóvar, que recoge el comentario de Rucquoi en su libro *Armas de varón,* la leyenda de la papisa pudo elaborarse en el siglo XIII, puesto que es mencionada en cerca de cincuenta obras escritas entre 1250 y 1500.

El nombre de la papisa Juana salió a relucir al menos en dos enfrentamientos entre la Iglesia y sus disidentes. Una fue el concilio de Constanza, en el que Juan Hus fue condenado a la hoguera a principios del siglo XIV, y otra, en las críticas que intercambiaron las Iglesias de Oriente y de Occidente cuando su última disputa las condujo al cisma definitivo de Oriente. En ambos casos, la existencia de la papisa Juana sirvió para que una de las partes reprochase a la otra la indignidad de sus actores.

Lo curioso es que en ninguno de los dos casos refutó la parte ofendida la existencia real de la papisa Juana. Al menos, no ha quedado constancia.

Lo que sí es cierto es que Leibniz negó la existencia de papisa alguna en 1698, y que una obra tan anticlerical como la *Encyclopédie française* del siglo XVIII afirma que ya entonces no se podía discutir su origen y que la falsedad de la leyenda no dejaba lugar a dudas.

A muchos autores les parece increíble que Juana pudiera burlar la etiqueta de la corte papal. El doctor Cabanés afirma que, por entonces, la Iglesia occidental había tomado gran parte del protocolo bizantino y los personajes importantes estaban rodeados de oficiales que no les abandonaban en ningún momento, presenciando los actos más íntimos de su vida.

Fuera como fuere, veremos en las páginas siguientes cosas mucho más increíbles que aquel episodio y, a pesar de ser sus hechos más asombrosos y disparatados, los nombres de los papas que los protagonizaron aparecen en la lista oficial, y sus bustos se encuentran hoy en el friso de la catedral de Siena.

La de Juana no es la única historia de mujeres vestidas de hombre que han ejercido un ministerio en el seno de la Iglesia. Se dice que Santa Tecla acompañó en muchos de sus viajes pastorales a San Pablo, vestida con ropas masculinas. Cuentan también que, bajo el reinado de Galiano, una tal Eugenia, hija de Filipo, gobernador de Alejandría, dirigió un convento de monjes en calidad de abad y solo descubrió que era mujer para defenderse de la falsa acusación de una joven de haber intentado seducirla. Suponemos que fue falsa. En todo caso, es probable que se tratara de un acercamiento normal de una mujer a otra, lo que la joven tomó por un intento de seducción, al creer que Eugenia era un hombre. Más adelante veremos la historia de Teodora, un caso que se parece sospechosamente al de Eugenia.

Existe otra historia que procede de las crónicas lombardas de Montecassino y que cuenta el caso de una mujer que fue patriarca de Constantinopla. La relata un sacerdote llamado Heremberto quien, al parecer, escribió que un príncipe de Benevento llamado

El friso de los papas de la catedral de Siena contó durante años con el busto de la papisa Juana, hasta que el cardenal Baronio, ya en el siglo XIV, convenció al papa para que lo hiciese retirar.

Arequiro tuvo una visión en la que un ángel le comunicó que el patriarca de Constantinopla era una mujer. Arequiro lo hizo saber inmediatamente al emperador Basilio, quien mandó reconocer al patriarca. Al comprobar que se trataba efectivamente de una mujer, la arrojaron a un convento de monjas.

Y más de un autor afirma no solamente que hubo una papisa, sino varias.

La silla estercolera

Otra de las historias, verdadera o falsa, que rodean el asunto de la papisa es la obligación de examinar físicamente a los papas electos, para prevenir un nuevo fraude. A finales del siglo XV, se decía de forma proverbial que nadie podía disfrutar de las santas llaves de Roma sin antes demostrar que era un verdadero hombre.

Para ello se arbitró una silla de mármol rojo con un orificio en el centro, que permitiría la exploración de los genitales del papa. Esta silla procedía de los antiguos baños públicos de Roma, y su función había sido la de retrete. Al introducirla en el ritual de la consagración papal, se la denominó *Sedia Stercoraria,* término que puede traducirse por "silla estercolera". La silla estercolera aparece en una guía de las iglesias de Roma que compiló William Brewyn en 1470 y que señala la existencia de dos o más sillas de mármol rojo con dos o más aberturas, mediante las cuales se prueba si el papa es hombre. Parece que tales sillas se guardaban a la sazón en la capilla de San Salvador de la basílica de San Juan de Letrán. Oficialmente se trata de un retrete móvil que utilizaban los papas medievales. Otros autores lo califican de "silla de baños", una especie de bidet empleado en las Termas de Caracalla.

El *Ceremonial Romano* describe que el papa electo debía sentarse en una silla sin asiento, para que no olvidara que, pese a la alta dignidad a la que se le elevaba, no era más que un hombre sometido a las necesidades de la naturaleza. Esta silla dejó de utilizarse en el siglo XVI y fue relegada al museo del Vaticano en el siglo XVIII.

LA POLÉMICA DE LA PAPISA

Durante la Reforma Protestante, se desencadenó una reyerta entre Ginebra y Roma en la cual los protestantes rebuscaban argumentos y bases para consolidar la oprobiosa leyenda, denominando a la papisa "la gran libertina romana" y "la prostituta de Babilonia". Mientras, los católicos se levantaban indignados contra lo que aseguraban que era una fábula imaginada.

A principios del siglo XX, el doctor P. Noury, de Rouen, señaló que, con el fin de desorientar a los investigadores profanos que indagaban la existencia de la papisa, la Iglesia Católica había cambiado los nombres de algunos papas en la galería de retratos de la iglesia de San Pablo en Roma, atribuyendo a la papisa Juana el retrato de León V y viceversa. Afirma este autor que la papisa, llamada falsamente León V, tenía el aspecto de una mujer de acusados rasgos masculinos.

Explica también el doctor Noury que la silla estercolera conservada en el gabinete de las Máscaras del Museo del Vaticano procedía de los baños de Constantino y parecía haber servido para fumigaciones anales, un tratamiento habitual de las hemorroides que se aplicaba con frecuencia entre los romanos, que eran, como sabemos, grandes comedores.

EL PAPA JUAN VIII

Muchos estudiosos que suponen la historia de Juana una más de las muchas leyendas medievales han llegado a la conclusión de que dicha leyenda surgió a causa del afeminamiento y de la conducta disoluta del papa Juan VIII, de quien se dice que fue sodomita declarado.

El mismo cardenal Baronio cuenta que los contemporáneos de este papa le llamaban "papisa", no se sabe si por recordar el pontificado de Juana o porque la personalidad del papa les recordaba más a la de una mujer que a la de un hombre. En los *Anales de Fulda* se cuenta que este papa nombró a un eunuco obispo de Torcello y protegió al feroz obispo de Nápoles, feroz porque, entre otras cosas, había hecho cegar a su propio hermano, un sistema que ya hemos comentado que resultaba muy socorrido en aquellos tiempos para anular a competidores y enemigos, sin necesidad de asesinarlos. En todo caso, son cosas que nada tienen que ver con la posibilidad de que el papa Juan fuera una mujer o lo pareciera.

Conocemos la vida y los hechos de Juan VIII por varios historiadores, entre ellos, el citado cardenal César Baronio, quien la narra en sus *Anales Eclesiásticos,* parte de los cuales se editaron como repuesta a las *Centurias de Magdeburgo,* una historia de la Iglesia Católica publicada por los protestantes en 1574, que exageraba e incluso falsificaba hechos con el fin de deshonrar la memoria católica. Por supuesto, daba por segura la existencia de la papisa Juana.

El cardenal Baronio publicó la segunda parte de su obra para mejorar la reputación de la Iglesia, pero contó muchas cosas que hablan de la indignidad de los papas que reinaron durante aquellos famosos Siglos Oscuros.

Juan VIII ocupó la silla de San Pedro entre 872 y 888, y tuvo una vida bastante complicada. Las facciones de la aristocracia habían dividido Roma durante las guerras de sucesión de los hijos de Luis I que hemos narrado anteriormente. En Roma existía un partido longobardo, otro partido del Imperio, otro partido de los griegos y otros tantos de la nobleza romana. No en vano, Alcuino de York había dicho que el veneno de la discordia no se alejaba de Roma.

El papa tenía que inclinarse por unos o por otros, y no eran tiempos que permitieran contemporizar y estar a bien con todos, ya vimos un ejemplo en la desgraciada historia de Adriano II. En aquellos momentos, quien no era incondicional de un duque, un pretendiente o una facción, era su enemigo declarado, ya fuera príncipe, emperador o papa.

Los condes italianos y los obispos del noroeste de Italia apoyaban a Carlos el Calvo, pretendiente al trono imperial por la parte francesa. Los obispos del nordeste apoyaban a Luis el Bávaro, pretendiente al trono imperial por la parte alemana. El problema era que el difunto emperador había nombrado su sucesor a Carlomán, pretendiente por la parte franco oriental. De esta forma, eran tres los pretendientes al trono y tres las facciones que los apoyaban.

El papa Juan VIII eligió a Carlos el Calvo, aquel hijo menor de Luis I y de Judith que había salido del monasterio a tiempo para reclamar su parte de la herencia. Le coronó emperador en la Navidad de 875, una fecha simbólica, 75 años exactamente después de la coronación de Carlomagno, lo que significaba animar al nuevo monarca a reconquistar el Imperio. A cambio, Carlos renovó el pacto con la Iglesia, aumentó las donaciones de sus antecesores y además regaló al papa el trono, que se llamó Cátedra de San Pedro. Después de coronarle, los señores feudales italianos se reunieron en asamblea en Pavía para aclamarle como protector y defensor.

El Papa pudo reafirmar su autoridad independiente del Imperio, libre de intromisiones laicas y con poder para coronar a quien creyera oportuno, no al sucesor a quien el monarca muerto hubiera legado el trono.

Pero entonces surgieron los oponentes que vinieron a deteriorar las buenas relaciones entre el papa Juan y el emperador Carlos, quienes se intercambiaban servicios y favores. En primer lugar, se organizó un levantamiento de los obispos contra el emperador, al frente del cual dijeron que se hallaba el obispo de Porto, Formoso, quien fue excomulgado y destituido de su cargo por el papa. El emperador le quedó muy agradecido y así, cuando el duque de Nápoles, Sergio, decidió aliarse con los sarracenos para atacar Roma, el Papa pudo contar con el auxilio del Emperador, aunque algunos historiadores afirman que, como los refuerzos imperiales no llegaron a tiempo, el Papa tuvo que recurrir a una estratagema consistente en implicar en la pelea al obispo Atanasio, hermano del duque Sergio, y ordenarle que capturase a su hermano a traición y le hiciera sacar los ojos, lo que una vez más resultó un remedio medieval eficaz y contundente. Y dicen que, para convencer al obispo, el Papa recurrió al Evangelio según San Mateo que dice, "si tu ojo es ocasión de pecado, sácatelo".

Todo hubiera resultado bien si no hubiera sido porque, muy poco tiempo después, murió Luis el Bávaro, y Carlos el Calvo, con la idea de recuperar el Imperio para sí, decidió que era un momento propicio para anexionar la parte alemana a su territorio, aprovechando el trono vacante.

Pero no había tal vacante, sino que Luis el Bávaro había dejado un heredero, Luis el Joven, quien se opuso con todas sus fuerzas, que eran más de las que había pensado Carlos, y le venció en Renania. Con su victoria terminaron las posibilidades de reunir el Imperio Carolingio desbaratado a la muerte de Carlomagno.

Aquello no fue lo peor que le sucedió al vencido. Lo peor fue que su derrota le trajo el abandono de sus volubles partidarios. Cuando el Papa quiso ayudarle, se encontró con que los nobles del reino franco de Occidente y el mismo arzobispo de Reims, Hincmaro, se oponían a prestar ayuda alguna al emperador caído. Ya fuera debido al amargo trago o a las heridas de la guerra, lo cierto es que Carlos huyó de Italia para refugiarse en Saboya, donde murió en 877, aunque hay quien sostiene que murió envenenado por su propio médico.

Entonces reapareció Carlomán a pedir la herencia de su padre, Luis el Germánico, lo que el Papa le negó, pero sus aliados, los duques Lamberto I de Espoleto y Adalberto de Toscana, tomaron Roma y encerraron al Papa en prisión, donde permaneció casi un año entero.

Afortunadamente, pudo escapar en 878 y desplazarse al reino franco occidental, el que había abandonado en su día a Carlos el Calvo, para pedir auxilio, coronando a cambio emperador a Luis II el Tartamudo, hijo del mismo Carlos.

Sin duda le coronó para conseguir ayuda contra los duques revoltosos y, además, contra los sarracenos que amenazaban por entonces el Patrimonio de San Pedro. En 880 volvió a Roma y coronó rey de Italia a Carlos el Gordo, pretendiente al Imperio por la parte alemana. Y, cuando murió el emperador francés, el Papa coronó también emperador a Carlos el Gordo.

Pero Carlos el Gordo no entendió que la coronación supusiera para él deuda alguna con el papado, sino que era un derecho sucesorio, por lo que no prestó la menor atención a los problemas que el Papa tenía con los nobles romanos y con los sarracenos, y le abandonó a su suerte.

El Papa recurrió al rey español Alfonso el Grande, quien no pudo o o a quien no le vino bien auxiliarle. Después recurrió a Bizancio, cuyo patriarca, Focio, había sido depuesto años atrás por el papa Adriano II, después de todas las disputas que mantuvo con Nicolás I el Grande. Con eso y con todo, Juan VIII le rehabilitó en el patriarcado de Oriente, para conseguir del *Basileus* la ayuda que precisaba contra los sarracenos y contra el duque de Espoleto.

Y este es uno de los argumentos que, según algunos autores que no admiten la homosexualidad del papa, convirtieron a Juan VIII en Juana. Algo tan aparentemente simple como rehabilitar al patriarca Focio, anulando las decisiones conciliares que le habían depuesto. Esto se debe a que, a los ojos de muchos, aquella acción fue un signo de veleidad, de debilidad y de superficialidad, más propios de una mujer que de un hombre y mucho menos de un papa. Admitir de nuevo a Focio fue un gesto que condujo a la opinión pública de la época a considerar que la Iglesia estaba en manos de una mujer.

Otros autores afirman que hubo veleidades más graves en el carácter de Juan VIII que pudieron dar lugar a la leyenda de la papisa. Hablan de quebranto de la palabra dada y de traición a acuerdos tomados, y aseguran que Juan VIII llegó a ser depuesto, azotado y restituido en el solio pontificio.

Lo cierto es que el papa Juan VIII tuvo un final triste y mucho más trágico que toda su vida. Aunque muchos defienden su actitud como una víctima de aquellas circunstancias tan cambiantes y amenazadoras, parece que fue la de la veleidad y la adulación, hoy a un príncipe, mañana a un patriarca. Por eso tiene cabida en el siglo que Baronio denominó de los Aduladores.

Su fin fue atroz. Según los *Anales de Fulda,* cayó en una conjura organizada por su propia familia. Fue envenenado por quién sabe cuál de sus numerosos enemigos y, como tardaba en morir, rematado a martillazos.

LA AMBICIÓN DE UN PATRIARCA

En 858, el patriarca de Constantinopla, Focio, era el hombre más docto de su tiempo, uno de aquellos pensadores y discutidores bizantinos de los que hablamos en el capítulo I. Tenía grandes condiciones para ser lo que hoy se considera un líder. Y quiso serlo. Pero no solamente líder de su Iglesia de Constantinopla, sino de la Iglesia en general. Es decir, quiso que su poder y su autoridad igualasen a los del Papa. Antes que patriarca había sido secretario de Estado y comandante de la guardia del emperador Miguel III, quien era entonces muy joven y muy dado a la diversión. No en vano le llamaron el Borracho. Miguel había dejado el Imperio en manos del regente Bardas, y este, que era amigo incondicional de Focio, le convirtió en patriarca en un tiempo récord. En cinco días recibió todas las órdenes sagradas necesarias. El motivo de tanta urgencia fue alejar de la sede al patriarca verdadero, Ignacio, ya que el regente había repudiado a su esposa y vivía en concubinato, por lo que Ignacio le había negado la comunión.

Pero Ignacio no había renunciado al patriarcado y llegó un momento en el que la sede de Constantinopla tuvo dos patriarcas. Lo correcto era que el Papa pusiera fin al cisma y Nicolás I, que ocupaba entonces el solio papal, envió una embajada a Bizancio para averiguar cuál de los dos patriarcas tenía razón.

Cirilo y Metodio trabajaron por evangelizar a los rusos, pero no consiguieron grandes conquistas, sino que fue la princesa Olga y después el príncipe Vladimiro de Kiev quienes introdujeron oficialmente el bautismo en Rusia..

Entre halagos, regalos, presiones y amenazas, los legados papales quedaron convencidos de que había que expulsar a Ignacio y mantener a Focio. Y así fue hasta 863, cuando el Papa se enteró por fin de lo sucedido realmente en Bizancio y convocó un concilio en Roma para deponer a Focio y rehabilitar a Ignacio. Además, Focio se había permitido enviar misioneros a Moravia para evangelizar a los moravos y había hecho lo mismo con los búlgaros.

Cabe pensar que el hecho de que un patriarca bizantino enviase misioneros a Moravia y Bulgaria, entre ellos, a los santos Cirilo y Metodio, sería una acción digna de aplauso por parte de Roma. Pero no fue así.

En primer lugar, los búlgaros habían firmado un tratado con el emperador carolingio y el príncipe Rotislav de Moravia era enemigo de los búlgaros, por lo que necesitaba un aliado enemigo de ellos. Y al evangelizar a ambos pueblos desde Bizancio, se encontraban con un aliado único que no iba a poder apoyarles en caso de guerra.

En segundo lugar, lo que Focio perseguía era atraer a la órbita de la Iglesia de Oriente dos pueblos importantes, ricos y necesitados de ideología religiosa, para reforzar su poder frente a la Iglesia de Occidente. Con esta estrategia, habría dos estados más pagando diezmos y haciendo donaciones a las arcas bizantinas, en lugar de a las arcas romanas.

Todo esto le había costado a Focio la deposición por parte del papa Nicolás. Además, cuando Juan VIII accedió al solio, envió misioneros occidentales a Bulgaria y expulsó de allí a todos los obispos y clérigos griegos con el fin de atraer a los búlgaros a la órbita de la Iglesia de Occidente. En tiempos del papa Nicolás, ya dijimos que el khan Boris se había interesado por la doctrina católica occidental, pero había terminado adhiriéndose a la doctrina ortodoxa oriental.

Juan VIII tuvo la suerte de que los búlgaros aceptaran a sus misioneros, dado que lo que realmente les interesaba era tener su propio patriarca y Focio no se lo había querido conceder. Además, el khan de Bulgaria, Simeón X, albergaba la idea peregrina de entrar en Bizancio por la puerta grande y llegar a ser emperador del Imperio Búlgaro-bizantino que pensaba constituir. Y eso no era siquiera imaginable.

Toda la pugna tenía, además, una base teológica.

En primer lugar, la Iglesia de Occidente consideraba que la liturgia de Oriente estaba equivocada, porque seguían (y siguen) comulgando con pan fermentado. Tampoco había quedado claro que se hubiera erradicado la herejía de los iconoclastas, y lo peor de todo era que Focio era precisamente quien negaba el dogma del *Filioque,* es decir, la doble procedencia del Espíritu Santo tanto del Padre como del Hijo que explicamos en el capítulo IV.

Por su parte, Focio recriminó a la Iglesia de Occidente que ayunara los sábados, que prohibiera el matrimonio a los sacerdotes, que afirmara que el Espíritu Santo procede del Padre *y* del Hijo, que impidiera ungir a los catecúmenos en la frente con el Sagrado Crisma, que realizara la Santa Unción con el agua de un río latino en lugar del Jordán que es un río sagrado, que consagrara y bendijera un cordero por Pascua en el mismo altar y con el mismo ceremonial que el cuerpo de Cristo y, además, que los clérigos se afeitaran la barba.

Esto es, al menos, lo que había escrito el papa Nicolás a los arzobispos occidentales, para que conocieran las críticas que los obispos orientales hacían a la Iglesia Occidental. Las cartas están comprendidas en los *Annales de Saint Bertin.*

En 869, el concilio de Constantinopla presidido por legados papales condenó la disciplina eclesiástica de Focio y de sus seguidores y los excomulgó por sus proposiciones heréticas. Estas decisiones recibieron el apoyo del entonces emperador de Bizancio, Basilio II. Pero otra de las decisiones del concilio que también apoyó el emperador y que costó la partida malhumorada de los legados papales fue conceder finalmente a los búlgaros el tan deseado patriarcado, que quedó, para mayor escarnio, dependiente del de Constantinopla.

Con todo esto, es más fácil comprender por qué, después de tantos disgustos como costaron al papado las intervenciones de Focio, la opinión pública añadiera la veleidad a la característica de afeminado del papa Juan VIII cuando, impensadamente, admitió lo que sus antecesores habían rechazado y permitió al hereje, disidente, traidor y astuto Focio alzarse de nuevo al patriarcado constantinopolitano.

Dicen también que el asesino de Juan VIII fue probablemente su sucesor, Marino I, obispo de Tifferno, el cual, como ya empezaba a ser habitual, murió en 884 bajo grandes sospechas de envenenamiento.

TEODORA, OTRO ENGAÑO CON HÁBITO

El caso de Teodora no se parece al de la papisa Juana más que en la utilización de ropas de varón para ocupar un lugar en un monasterio masculino. Y se diferencia diametralmente de Juana porque Teodora, a pesar de haber sido adúltera y de haber engañado a toda una comunidad religiosa haciéndose pasar por monje, subió a los altares. Sin embargo, se parece sospechosamente al caso que anteriormente citamos de Eugenia, y eso viene a significar que se trata de una leyenda.

En el capítulo II hemos presentado al emperador Zenón, llamado el Isáurico por proceder de Isauria, quien ostentó dos veces la corona del Imperio Bizantino. Fue precisamente en su tiempo cuando vivió la protagonista de esta historia, y vivió en Alejandría, ciudad que fuera centro del helenismo y que, por serlo, hubo de padecer las iras de los cristianos exaltados, celosos de cuanto pudiera recordar que el mundo fue una vez pagano.

Se casó muy joven, como era habitual en las doncellas de la época, con un aristócrata de Alejandría tan rico y poderoso como viejo. Teodora vivió algunos años como correspondía a una joven dama honorable y cristiana, de costumbres irreprochables.

Pero la tentación se puso en su camino en forma de un joven hermoso e impúdico que la pretendió con gran desvergüenza. Dicen que ella rechazó sus pretensiones, pero que el joven, excitado ante la negativa, recurrió a una bruja, quien le procuró un hechizo para ayudarle a conseguir su propósito.

Naturalmente, junto con el hechizo, el joven puso en funcionamiento toda su capacidad de seducción, con palabras tan dulces y acertadas que finalmente dieron al traste con las barreras que Teodora había interpuesto entre su virtud y la tentación. Cayó, pues, en el abismo, y se entregó a la atracción de la carne.

Deshonrada y arrepentida, decidió entregar su vida a la penitencia y a la oración, y no se le ocurrió mejor sistema que vestir hábitos masculinos y presentarse en un monasterio como monje postulante.

Antes de ingresar en la orden hubo de someterse a la prueba de fuego que le impuso el abad, consistente en llenar un cántaro de agua en una fuente cercana, junto a la cual habitaba un temible cocodrilo, algo, por cierto, bastante habitual en Egipto. Pero Teodora estaba decidida a entrar en religión, y cuando se presentó el cocodrilo amenazándola con sus dientes, ella le recriminó sus ataques, como en su día recriminaría San Francisco de Asís al lobo. No le convirtió en hermano cocodrilo, pero sí le obligó a marchar lejos de aquella fuente, con lo cual consiguió su celda en el monasterio y, además, privó al abad de su particular vara de medir.

Recluida, pasó varios años meditando, orando, estudiando y pidiendo perdón a Dios, despellejando su espalda con vergajos y su cintura con cilicios. Y parece que el cielo tuvo a bien darle ocasión de purgar su falta y poner a prueba su capacidad de resistencia y silencio.

Cierto día, el abad decidió que era llegada la hora de abandonar la reclusión, la penitencia y el estudio y de dedicarse a predicar por las comarcas aledañas. En una de ellas, tuvo Teodora que enfrentarse a la prueba definitiva. Una joven posadera, que había quedado preñada de uno de sus huéspedes, tras practicar con él juegos amorosos en el pajar, decidió utilizar al joven fraile como chivo expiatorio y le acusó de haberla seducido. Naturalmente, la posadera acompañó su acusación de todo un cuadro de gritos y lamentos, lo que debió impresionar a todo el mundo y, sobre todo, a Teodora, quien no podía creer lo que le estaba sucediendo.

La penitente hubiera tenido una forma muy fácil de desenmascarar a la farsante posadera y de librarse definitivamente de sospechas, pero eso suponía renunciar, en primer lugar, a un enorme sacrificio que bien pudiera ofrecer en expiación por su pecado y, en segundo lugar, a su vida conventual que mucho debía agradarle.

Decidió, pues, callar y aguantar los improperios, acusaciones y maldiciones que llovieron sobre ella lo cual, como era de esperar, se interpretó como culpabilidad.

Afortunadamente, los monjes acudieron a tiempo de evitar un linchamiento, pero no para perdonar la falta, sino para separar al hermano pecador de la orden y para obligarle a hacerse cargo de su hijo.

Teodora se retiró a una cueva, donde vivió y alimentó como pudo a aquel niño gracias a que consiguió atrapar a dos cabras de las que obtuvo la leche necesaria. Y, cuando el niño hubo cumplido los siete años, la penitente no pudo soportar por más tiempo el duro castigo que indirectamente se había impuesto a sí misma. Probablemente sintió que le había llegado el perdón divino y falleció en la cueva que la había cobijado durante aquel tiempo. Al encontrarse solo, el niño lloró desesperadamente atrayendo con sus gritos la atención de un pastor quien, al contemplar el cadáver del ermitaño, decidió comunicarlo a la abadía.

Entonces fue cuando los monjes descubrieron la verdad, porque retiraron el cadáver para darle cristiana sepultura en su propio cementerio y, al amortajarlo, vieron que se trataba de una mujer y, por tanto, de una inocente. Como reconocimiento, la Iglesia la elevó a los altares. También se cuenta que aquel niño al que ella cuidó hasta su muerte llegó a convertirse en abad del monasterio y que fue él quien proclamó a los cuatro vientos la verdad y quien procuró la beatificación de Teodora.

Capítulo VI
El Concilio del Cadáver

Desde que Pipino y Carlomagno establecieron aquella estrecha alianza con la Iglesia, el Imperio y el Papado interactuaron unas veces para bien y otras para mal, y cada uno de ellos influyó notablemente en la historia del otro.

Es más que probable que, si se hubiera mantenido la unidad del Imperio Carolingio, la historia de la Iglesia hubiesea sido diferente y no hubiera dado lugar a las lamentables situaciones que se produjeron durante estos siglos de oscuridad, intromisión e indisciplina.

Si la historia de la papisa Juana resulta difícil de creer, sobre todo a la luz de nuestro tiempo, tanto o más asombrosos fueron los hechos posteriores que narraremos en este capítulo y en los siguientes. Y esta vez no se trata de hechos discutibles o discutidos por los estudiosos, ni de situaciones que se debatan entre la leyenda y la realidad histórica. Esta vez se trata de hechos probados y admitidos tanto por los historiadores laicos como por los religiosos católicos.

Basta decir que, desde el asesinato del papa Juan VIII en 872, hasta la subida al solio pontificio de León IX, en 1049, hubo cuarenta y cuatro papas y más de veinte en el período de ochenta años que media hasta la intervención de Otón el Grande, intervención encaminada a acabar de una vez con la secuencia de compras, ventas, asesinatos y deposiciones en que se había convertido la silla de San Pedro.

Joseph Lortz, historiador eclesiástico actual, señala que, en aquellos tiempos, los papas "como venían, se iban". En cuanto a León IX, hay que decir que fue santo, un santo entre todo aquel baratillo de papas de ida y vuelta. A pesar de ser santo, en su tiempo se consumó el cisma de Oriente que tantas veces hemos mencionado y que había venido amenazando las relaciones de las dos Iglesias prácticamente desde el principio de su constitución.

La herencia de Carlomagno

Hemos visto anteriormente el lento pero imparable desmoronamiento del Imperio Carolingio. Veremos ahora cómo estaban las cosas a finales del siglo IX, que es cuando tuvo lugar la historia que narra este capítulo.

En primer lugar, ya no había Imperio. A partir del tratado de Verdún de 843, se había dividido en tres pedazos: occidental, oriental y central. Esto significó la paz entre los herederos de Ludovico Pío por un lado y el fin del proyecto de Carlomagno por otro. Hubiera hecho falta otro Carlomagno para mantener el Imperio, pero tales figuras no suelen repetirse con mucha frecuencia a lo largo de la Historia.

También hemos visto en capítulos anteriores que sus descendientes heredaron las tierras, pero no el espíritu imperial de su abuelo, sino que cada uno heredó el espíritu típico de la época, de conseguir cuanto más mejor a cambio de lo que fuese. Tanto daba aliarse con unos como con otros. Hemos mencionado que el duque de Nápoles llegó a aliarse con los sarracenos con el fin de

EL PATRIMONIO Y EL SEPULCRO DE SAN PEDRO

El primero en conceder riqueza y lujo a los eclesiásticos cristianos fue Constantino el Grande. Pero a quienes verdaderamente puede considerarse responsable de la creación de los Estados Pontificios y del poder temporal de la Iglesia de Occidente es a Pipino el Breve y a su hijo Carlomagno, a partir del establecimiento del *Pactum,* el acuerdo que mencionamos en el capítulo I.

A principios del siglo VIII, el sumo pontífice de la Iglesia seguía siendo el emperador de Oriente. El papa no era más que una especie de cardenal a sus órdenes. Pero la Iglesia de Occidente inició su liberación del poder laico con la caída del Imperio Romano, porque empezó a recibir bienes y donaciones de sus fieles. Junto con lo que le correspondía a cada eclesiástico según el sistema feudal, las iglesias recibían grandes sumas de dinero y tesoros a cambio de protección espiritual. Lo mismo que los súbditos pagaban impuestos a sus señores a cambio de protección, los fieles de cada iglesia pagaban diezmos y otras cantidades a cambio de bendiciones, indulgencias, absoluciones y otros bienes espirituales. A principios del siglo VIII, Roma era la capital de un ducado gobernado por el gran duque regente imperial, designado por el emperador que, hasta ahora, era el *Basileus,* porque no había otro. Pero Roma luchó durante siglos por independizarse del Imperio, y el papa no fue ajeno a ese proceso de independencia, que influyó enormemente en la trayectoria de la Iglesia de Occidente.

A partir del año 727, las relaciones entre Roma y Bizancio se rompieron debido a la Querella de la Imágenes (de la que hablaremos en los capítulos IX y X), y los romanos decidieron que fuera el ejército quien eligiera al duque. Este tenía bajo su mando dos clases de aristocracia, a cual más levantisca y deseosa de autonomía, la aristocracia noble y la civil, a las que se añadía otra clase que también pedía a gritos la independencia del Imperio, los próceres de la Iglesia y el clero venerable, un nuevo estamento, una élite cultural y política que se sentía muy capaz de gobernar Roma y prescindir de Bizancio para siempre. De esta forma, Roma se empezó a gobernar a sí misma casi sin que Bizancio se diera cuenta, aprovechando que Oriente estaba desbordado por los conflictos de la guerra de las imágenes. Para llegar a esa liberación, el Papa tuvo que pelear duramente, porque tenía siempre sobre su cabeza el mando del duque, al fin y al cabo, una autoridad civil al que no debía estar sometido el poder universal de la cristiandad. Afortunadamente, una cesión transitoria de Bizancio que permitía al papa ser la única autoridad de Roma se convirtió en definitiva cuando el obispo romano consiguió ser representante de todos los cristianos y que Roma fuera el centro de la cristiandad.

Esto se consiguió merced al sepulcro de San Pedro. Si San Pedro, cabeza de la Iglesia cristiana, había ido a morir a Roma y estaba sepultado allí, sin duda era decisión divina el que Roma fuera la cabeza de la cristiandad y el papa, sucesor de San Pedro, la máxima autoridad.

Lo cierto fue que tener a San Pedro en Roma resultó primordial para la supremacía del papa sobre los demás obispos y las demás iglesias. Tener a San Pedro en Roma sirvió para someter la voluntad de los príncipes y defender los privilegios del santo. El portero del cielo se ganó inmediatamente la veneración de los germanos y otros pueblos de mente primitiva, que accedieron al cristianismo con la mayor candidez, seducidos por sus misterios. Abrir y cerrar las puertas del cielo era una función de gran importancia, y los francos, como los demás germanos, cayeron subyugados a los pies del apóstol Pedro. Los tratados y capitulaciones que firmaron los reyes con los papas se depositaron siempre en el sepulcro de San Pedro y fueron pactos y tratados firmados entre un rey y San Pedro, no entre un rey y un papa. Cuando Pipino el Breve recuperó los territorios que los longobardos habían arrebatado a Bizancio para entregarlos al papado, según lo establecido en el *Pactum,* no entregó al papa las llaves de las ciudades reconquistadas, sino que las depositó en el sepulcro de San Pedro.

La estancia de San Pedro en Roma sirvió para argumentar ante todas las Iglesias la supremacía de la cátedra romana, fundada por el primer apóstol en persona, aunque no se consiguió hasta el siglo XI, porque los demás obispos se negaron hasta entonces a aceptar tal supremacía, rechazando su fundamento; es decir, negando el hecho de que San Pedro hubiera vivido y muerto realmente en Roma.

Realmente, nadie sabe cuándo ni cómo llegó Pedro a Roma, pero oficialmente está enterrado allí porque, según la tradición cristiana, allí predicó y allí murió crucificado cabeza abajo, aunque ninguna crónica ni mención lo avale. Los Hechos de los Apóstoles narran el viaje de Pablo a Roma, pero nada dice del de Pedro. Tampoco el mismo San Pablo, que fue y vino a Roma en varias ocasiones, cita en sus escritos el hecho de que Pedro estuviera, hubiera estado o pensara ir allá. Únicamente existen dos cartas atribuidas a San Pedro, escritas con el inconfundible estilo culto y refinado de las Epístolas de San Pablo, y también en griego, cuya despedida incluye saludos de "la Iglesia que está en Babilonia", nombre dado a Roma en las interpretaciones evangélicas, así como saludos de su hijo Marcos.

adueñarse de Roma, que era el sueño dorado de todos, príncipes, señores feudales, desheredados, bandoleros, invasores y militares. Roma había sido una vez la capital del mundo y eso era un objetivo muy atrayente. Ahora no era capital del mundo, sino del patrimonio de San Pedro, que cada vez prosperaba y crecía más, nutriéndose de nuevas conquistas, donaciones y anexiones, por lo que se consideraba un sabroso bocado.

En este período en el que dominaba la fuerza bruta, los obispados y abadías fueron ocupados por seglares ávidos de disfrutar de los bienes de la Iglesia y sin ningún interés por cumplir con ninguna de sus obligaciones. El papado tampoco se libró de la codicia, de la manipulación y del desenfreno.

Y al cuadro general de pugnas, ataques y divisiones hay que sumar las invasiones y embestidas de sarracenos, normandos y húngaros, que producían tremendas devastaciones. Por si fuera poco, al Papa ya no le quedaba la alianza de los carolingios, porque ya vimos en el capítulo anterior la escasa atención que prestaron a Juan VIII. Por tanto, no le quedaba más remedio que pactar con quien estuviera más próximo y cuya palabra ofreciera un mínimo de seguridad y confianza, cosa difícil en aquellos tiempos.

Precisamente por eso, el papa León IV, anterior a Juan VIII, había construido una muralla defensiva en torno a la colina Vaticana, poniendo a resguardo lo que desde entonces se llamó la Ciudad Leonina.

A finales del siglo IX, había un reino franco dominado por miembros de la aristocracia carolingia. Carlos el Calvo, que murió en 877, había nombrado un representante llamado Bernardo Plantapilosa, primer duque de Auvernia, muerto en 885 y sucedido por su hijo Guillermo el Piadoso, quien se convirtió en duque de Aquitania al transformarse el territorio en un principado. El reino franco comprendía además un condado de Borgoña, fundado por aquellos burgundios que mencionamos en el capítulo III. Unos años después de nuestra historia, Carlos el Simple, que fue también rey de los francos, cedió el condado de Normandía a los vikingos.

En el reino franco, las familias aristocráticas se fueron haciendo cada vez más fuertes en la misma medida en que el rey se fue debilitando cada vez más, hasta el punto de que el control real sobre los príncipes francos era más teórico que práctico. Entre los príncipes, merece la pena mencionar a los Robertini, que con el tiempo se llamaron Capeto en recuerdo de la capa de San Martín de Tours, una de las reliquias más sagradas e importantes que se guardaban en suelo franco, precisamente en Tours que era propiedad de la familia Robertini.

Y mientras el imperio y después el reino franco se descomponían en facciones encabezadas por príncipes que luchaban unos contra otros, los papas hacían todo lo posible por volver a aquella unidad que tan propicia fue para la Iglesia en tiempos de Constantino y Carlomagno.

Además del reino franco había un reino germánico compuesto por varios ducados que se podrían llamar de sangre o de raza, porque ya dijimos que los germanos eran varios pueblos diferentes y que recibieron su nombre de Julio César, para distinguirlos de los que se habían asentado en Galia. Germanos eran los francos, los alamanes, los sajones, los frisones, los vikingos, los godos, los longobardos. Por ese motivo, se agruparon por etnias y formaron ducados o principados que no solo eran vasallos del emperador, sino que con el tiempo fueron los responsables de su elección, en una asamblea llamada la Dieta, en la que los príncipes electores recibían la asistencia divina para nombrar a quien Dios designara para reinar.

En aquellos tiempos, todo se atribuía a Dios. Si había que dirimir una disputa, el juicio de Dios era el único que todos acataban, porque el vencedor en la pelea lo era por designio divino. Si

El sistema feudal estratificó la sociedad quedando los campesinos y los artesanos en la base de la pirámide. Cada vasallo debía prestar juramento de fidelidad a su señor, y cada señor debía ocuparse de dar seguridad y justicia a sus vasallos. La Iglesia medieval adoptó el mismo sistema y los obispos y abades, así como el mismo papa, fueron señores feudales.

había que elegir un gobernante, era Dios quien influía en la elección. Por tanto, no solamente el papa lo era por mandato de Dios, sino que también lo eran los reyes, los emperadores e incluso los vencedores en las numerosas contiendas medievales.

Los ducados alemanes eran, pues, los feudos del emperador, y cada uno había recibido el nombre de la etnia de sus ocupantes. Los bávaros en Baviera, los sajones en Sajonia, los frisones en Frisia, etc. Eran cinco:

Baviera, cuya capital era Ratisbona, era una especie de colonia de los francos, porque sus gobernantes regían en nombre de Carlomagno. Suabia, que comprendía el sur de Alemania y gran parte de la actual Suiza. Sajonia, al norte, un ducado que conquistó Carlomagno tras duros enfrentamientos y que finalmente se alió con los francos mediante enlaces matrimoniales de aristócratas. Franconia, en el centro del antiguo reino franco. Lotaringia, un territorio que recibió ese nombre por haberle correspondido a Lotario en el tratado de Verdún. Lotaringia estuvo un tiempo indecisa entre Francia y Alemania. En 925 pasó a formar parte de Alemania. Luego pasaría a Francia y se llamaría Lorena, pero, en el momento de nuestra historia, era todavía causa de querellas y contiendas entre unos y otros.

Hubo otros ducados como Austria, Brabante, Frisia y Carintia. Pero la configuración geográfica y política dependía del momento y cambiaba frecuentemente de un día para otro.

Además de francos y alemanes, había, naturalmente, un reino de Italia que se extendía hasta Roma. El poder estaba en manos de margraves o marqueses, similares a los duques de Francia, siendo los más importantes los de Friuli, en la parte oriental; los de Toscana, en la zona de los Apeninos; y los de Espoleto, que había sido fundado por los longobardos. El ducado de Benevento estaba también en poder de los longobardos. Al sur, quedaba el último reducto perteneciente a Bizancio, la Italia bizantina. Y, finalmente, los sarracenos, que se habían independizado del califato, se habían asentado en Sicilia y se dedicaban a piratear en el Mediterráneo.

Pípino el Breve (752-768)							
Carlomagno (768-814)				Carlomán (768-771)			
Luis I llamado Ludovico Pío (814-840)							
Guerras entre los hijos de Ludovico Pío (840-843) hasta el Tratado de Verdún (843)							
Francia Carlos el Calvo (843-878)		Alemania Luis el Germánico (843-876) Dividida entre sus hijos a su muerte			Roma, Italia, Lotaringia Lotario (843-855)		
Luis II el Tartamudo (878-879)		Carlomán (876-882)	Luis II el Joven o el Sajón (876-882)	Carlos el Gordo (876-887)	Provenza Carlos (855-863)	Lotaringia Lotario II (855-864)	Italia Luis II el Joven (855-875)
Francia Luis III (879-882)	Aquitania, Borgoña y Septimania Carlomán (879-884)	Arnulfo de Carintia (hijo ilegítimo de Carlomán) (887-899)					Carlos el Calvo (875-877) Carlomán (877-879)
Carlos el Gordo, hijo de Luis el Germánico, coronado emperador en 882 reunifica el Imperio Carolingio. Fue rey de Italia de 879 a 887							
Francia Carlos el Simple (922-923)		Luis III el Niño (900-911)			En 887, la Dieta de Tribur destituye a Carlos el Gordo, último rey carolingio de Italia y Lotaringia		
Roberto I duque de Francia (923-936)		Conrado I (911-919) Último rey carolingio de Alemania			Provenza y Borgoña Carlos el Gordo y Arnulfo de Carintia (887-899)		Italia Berengario I (888-924)
Luis IV de Ultramar (936-954)		Enrique I el Pajarero (919-936) Primer rey de la casa de Sajonia			Luis III el Ciego (899-924)		
Lotario (954-986)		Los Otones					
Luis V el Holgazán (986-987) Último rey carolingio de Francia							
En 987, Hugo Capeto usurpa el trono de Francia a Carlos, hijo de Luis IV.							

Todos los señores locales italianos disputaban constantemente entre sí, una vez por un asunto y otra vez por otro, pero el más importante era la candidatura al Imperio, puesto que unos apoyaban al pretendiente alemán, otros al pretendiente francés y otros, como veremos, apoyaban su propia candidatura. Entre 875 y 897 hubo cuatro pretendientes alemanes y cinco franceses. Así, pues, a sus partidarios no les faltaron motivos para discutir y matarse entre ellos.

La frustración de Agiltrudis

Estamos en 885 y los vikingos, que todavía no se han asentado en su futura tierra de Normandía, devastan, asolan, invaden, saquean y atropellan todo lo que encuentran.

Es un mal momento para cualquier emperador, sobre todo si, como el actual, tiene perturbadas sus facultades mentales y no siempre actúa con sensatez. Se trata de Carlos el Gordo, el último carolingio de la rama legítima, a quien vimos en el capítulo anterior aceptando la corona del papa Juan VIII pero negándose a comprometerse en la alianza que firmaran sus antepasados.

Quizá fuera castigo divino, pero el caso fue que los vikingos estuvieron a punto de tomar París tras un asedio de tres meses y no lo consiguieron gracias al valor de sus defensores, el gobernador Odón y el obispo Gozlin. Ya hemos visto que en aquellos tiempos los obispos empuñaban el báculo con una mano y la espada con la otra.

Los vikingos se declararon dispuestos a abandonar el asedio de París si les entregaban un objetivo tan suculento como la capital del reino franco. A ellos les daba igual un lugar que otro. Lo único que les importaba era el botín.

Y entonces fue cuando el trastorno mental de Carlos el Gordo le jugó la mala pasada y trastocó su pensamiento porque, olvidando toda sensatez, no solamente pagó a los asaltantes 700 libras de plata para que liberasen París, sino que les permitió invadir y saquear el condado de Borgoña.

El permiso para el saqueo era una forma de pago muy habitual en aquellos tiempos, ya que a quien lo concedía no le costaba nada y quien lo recibía se cobraba con el botín. Era una fórmula muy cómoda, pero a la corta o a la larga salía muy cara. El emperador bizantino Mauricio la utilizó y le costó la corona y, después, la vida. También la puso en práctica el papa Gregorio VII con Roberto Guiscard, un duque normando a quien permitió saquear Roma a cambio de su ayuda para combatir al emperador Enrique IV. Al Papa le costó la tiara, porque los romanos no le permitieron volver al solio papal y tuvo que retirarse a Salerno, donde murió pobre y olvidado.

Y a Carlos el Gordo no iba a resultarle gratis. Tres años después, en vista de que el emperador no daba señales de cordura, le sometieron a una trepanación, que entonces consistía en agujerear el cráneo para permitir la salida de los malos vapores, junto con los posibles demonios alojados en el cerebro del enfermo. No eran demonios ni vapores, sino epilepsia lo que le produjeron los trastornos del juicio. La epilepsia había sido considerada enfermedad sagrada en los tiempos clásicos. San Pablo había sido epiléptico, como también lo fueron Julio César y Alejandro. El mismo Aristóteles se planteó la relación entre la epilepsia y la genialidad. Pero en la Edad Media no se imputaba a los dioses, sino a los demonios. El emperador tenía 47 años y sus males no habían hecho más que empezar.

Después de la trepanación, debió de quedar peor de lo que estaba. Su esposa Ricarda, que le engañaba desde tiempo atrás con su propio confesor, terminó por abandonarle y marcharse con el fraile. Y, para colmo de males, los nobles reunidos en la Dieta de Tribur, que le habían otorgado la corona en 880, lo depusieron en noviembre de 887, argumentando la falta de cordura que había mostrado en su trato con los vikingos.

El último descendiente legítimo de Carlomagno murió en Maguncia sin esposa, sin juicio y sin corona, en 887.

A pesar de su pretendida falta de cordura, Carlos había conseguido unificar casi todo el Imperio. Pero, después de él, volvió a dividirse en siete reinos independientes: Francia, Provenza, Borgoña, Italia, Lorena, Alemania y Navarra. En cuanto a Italia, se desintegró hasta convertirse en un mosaico de pequeños estados, como apunta Indro Montanelli.

Había un reino de Italia al norte de la península, cuyo último rey había sido también el emperador Carlos el Gordo. Como era de esperar, a su muerte, los duques, condes y marqueses se lanzaron sobre el reino, disputándoselo materialmente a dentelleadas. Dado que faltaba la sagrada autoridad imperial, todos se creían con derecho a la corona italiana, porque el reino no era para ellos más que un botín de guerra.

Empezaba una nueva historia interminable de alistamientos de tropas, de intrigas, corrupciones, crímenes, traiciones y combates. Y esto es tristemente aplicable tanto a la historia de Italia como a la historia del papado.

El patrimonio y el sepulcro de San Pedro

En 911, Carlos el Simple cedió una amplia zona del norte de Francia al caudillo vikingo Rollon, con el fin de conseguir un asentamiento pacífico que terminase con las razzias y ocupaciones violentas. Los vikingos se establecieron en la zona que se llamó desde entonces Normandía, ya que la oración habitual entre los aterrados aldeanos era "¡Líbranos Señor de la furia de los hombres del Norte!", hombres del Norte o *"Nord mäner"* derivó en "normandos".

Una vez asentados en Normandía, adoptaron la cultura francesa y aceptaron el bautismo cristiano, aunque mantuvieron durante muchos siglos sus costumbres y continuaron adorando a sus dioses germanos confundidos, por su similitud, con el belicoso arcángel San Miguel.

Algo similar sucedió en el sur de Italia, donde se establecieron en la zona de confluencia de Sicilia, Córcega y Cerdeña con el Imperio Bizantino. Para evitar enfrentamientos, el papa Nicolás II otorgó el ducado de Apulia al normando Roberto Guiscard. Su hermano Roger llegó a expulsar a los musulmanes de Tinacria y recibió a cambio el título de rey de las Dos Sicilias, siendo coronado en Palermo en 1130. El reino de las Dos Sicilias, que comprendía Sicilia y Nápoles, había sido fundado por los musulmanes.

En 888, tras la muerte de Carlos el Gordo, hubo dos figuras destacadas, Berengario, marqués de Friuli, y el duque Guido III de Espoleto, esposo de una mujer singular que tuvo un papel destacado en nuestra historia, de nombre Ingeltrude o, latinizado, Agiltrudis, hija del duque de Benevento, fuerte, valiente, arriesgada y ambiciosa, con un objetivo claro en su vida: ser emperatriz.

Berengario, nombre romanizado de Berenguer, era francés, descendiente de Luis I el Piadoso, por parte de madre. Guido de Espoleto había intentado coronarse emperador, pero la decisión de la Dieta y, sobre todo, la del papa Juan VIII, habían recaído sobre

Carlos el Gordo fue el último descendiente legítimo de Carlomagno y el último rey carolingio de Italia y Lotaringia. Consiguió volver a unificar el Imperio Carolingio pero, a su muerte, este volvió a dividirse en siete estados independientes.

Carlos el Gordo, como ya vimos. A falta de corona imperial, Guido se hubiera conformado con la real, pero la corona de Italia tampoco fue para él, sino para Berengario, quien fue aclamado rey en Pavía con el nombre de Berengario I.

Así había empezado la frustración de Agiltrudis.

Pero ni ella era mujer que se dejase amilanar por una coronación, ni su esposo Guido iba a permitir que la corona de Italia, que era la famosa corona de hierro de los longobardos, quedase en manos de un francés.

Guido era duque de Espoleto, y Espoleto era un ducado que había conquistado el rey longobardo Alboino en el siglo VI. Se extendía en torno a la antigua ciudad inexpugnable *Spoletium,* en un amplio territorio que abarcaba Umbría y Toscana, y cuyos primeros gobernantes longobardos político-militares recibieron el título de *duce* o duque.

Dispuesto a todo, Guido de Espoleto reunió su ejército más los de dos marqueses longobardos aliados y marchó hacia Brescia, donde, en la batalla de Trebbia, venció en 889 al rey legítimo Berengario I, quien tuvo que huir y dejar la corona de Italia a disposición del más fuerte. Después de su victoria, Guido de Espoleto convocó un concilio en Pavía en el que los obispos del norte de Italia le coronaron rey, a cambio de que les fuera asegurada la inmunidad eclesiástica.

En aquellos momentos el papa reinante era Esteban V, quien, como era habitual en aquella época, intentaba contener la amenaza de los sarracenos a los estados papales. Y, como también era habitual, el *Basileus* se desentendía del asunto, porque tenía suficiente trabajo con defender sus posesiones italianas y tratar de rescatar Sicilia de manos musulmanas.

Por tanto, al Papa no le quedaba más remedio, al parecer, que recabar la ayuda del príncipe más próximo, que era precisamente el duque Guido III de Espoleto, mucho más poderoso que el vencido rey de Italia, Berengario. Y, para que la alianza con el duque de Espoleto fuera más fuerte que la política y que la ambición, Esteban V tuvo la idea peregrina de adoptarle como hijo. No le pareció suficiente con hacerle su aliado, su amigo o su socio, sino su hijo.

Y ¿qué podía pedir Guido a cambio de dejarse prohijar y de atender a las necesidades militares del papa Esteban? No hace falta pensar mucho. Pidió la corona imperial para su cabeza y la de Italia para la de su hijo Lamberto. Y aquí comenzaron las tribulaciones del Papa. No es fácil comprender cómo pudo el pontífice suponer que el duque consentiría en ser su hijo sin pedir a cambio algo mucho más sustancioso que el honor de una adopción papal.

Cuando se dio cuenta de la gravedad del asunto, el papa Esteban no se atrevió a negarse abiertamente a coronar a Guido, aunque todavía aguardó un tiempo, con la esperanza de que saliese a escena el verdadero sucesor a la corona imperial, el último descendiente de los carolingios, aunque por la rama bastarda. Se trataba de Arnulfo, marqués de Carintia (margrave se decía entonces), un estado situado entre Austria, Italia y Tirol, que en el tratado de Verdún le había tocado a Luis el Germánico, quien lo legó a su hijo Carlomán y este, a su vez, se lo dejó a su hijo bastardo Arnulfo, habido con su amante Liutswinda.

El Papa se dirigió, pues, a Arnulfo de Carintia suplicándole que acudiera a Italia para limpiarla de paganos y de malos cristianos, entre los cuales parece que incluyó al duque de Espoleto, probablemente decepcionado al ver que no se conformaba con el honor de ser su hijo adoptivo. Pero Arnulfo no se decidió, y a Esteban V no le quedó más remedio que admitir la demanda de Guido de Espoleto y coronarle emperador en 891.

Ya habían logrado su objetivo Guido y Agiltrudis, pero por poco tiempo, porque los únicos que aceptaron aquella coronación fueron los espoletinos. Los demás quedaron en espera de la coronación legítima del heredero carolingio, Arnulfo.

Ahora conviene recordar aquella revuelta de obispos contra el emperador que hubo en tiempos del papa Juan VIII, que había significado la excomunión y el destierro del supuesto cabecilla, el obispo de Porto, Formoso.

Formoso de Vivariu era corso, hijo de alguno de aquellos emigrantes que llegaron a Roma huyendo de los sarracenos en tiempos del papa León IV, y que habían establecido una alianza con el papado, asentándose finalmente en la ciudad de Porto, al norte de Ostia, en la costa del Lacio.

Formoso había llevado a cabo importantes misiones en Bulgaria, donde consiguió convertir al cristianismo al rey Boris y a sus súbditos. Había convencido a Carlos el Calvo para que viniese a Roma a hacerse coronar por Juan VIII. Antes de esa misión diplomática, había sido candidato a la silla de San Pedro, pero no lo había conseguido porque el papa elegido había sido Juan VIII, aquel que terminó por excomulgarle.

Aunque se dijo que la excomunión de Formoso se debió a encabezar la revuelta de obispos contra el emperador, hay quien sostiene que sus resultados brillantes despertaron la envidia y la maledicencia y esas y no otras fueron las causas de su destitución. Es raro que encabezara una revuelta contra el emperador cuando él mismo se había encargado de convencerle de hacerse coronar. También es posible que el papa Juan VIII le viera como a uno de sus posibles oponentes, puesto que ya dijimos que fue candidato a la silla de San Pedro antes que él. Y no sabemos si el Papa sufrió un delirio persecutorio o si realmente hubo un fundamento realista en sus sospechas, pero lo cierto es que llegó a tener la seguridad de que Formoso se había conjurado con la nobleza para destituirle y arrebatarle la tiara.

Fuera cual fuera el motivo, sabemos por las actas del sínodo de Ponthion que le depuso en 878, que los cargos fueron el haberse dejado llevar por su ambición y aspirar al arzobispado de Bulgaria y a la silla de San Pedro, además de haberse opuesto al emperador y haber abandonado su diócesis sin consentimiento papal. La excomunión de Formoso se debía pronunciar en el concilio de Troyes, pero no se llegó a confirmar la terrible sentencia, porque el obispo amenazado juró no volver nunca más a Roma ni ejercer sus funciones episcopales.

No obstante, el papa siguiente, Marino I, aquel que probablemente murió envenenado, repuso a Formoso en su diócesis de

Porto en 883. Tras Marino I vinieron Adriano III y Esteban V, que murió en 891, tras coronar emperador a Guido de Espoleto. Entonces se decidió la suerte de Formoso, porque fue proclamado papa el 6 de octubre de 891.

Formoso I tuvo ocasión de arrepentirse de su acceso al solio papal porque tuvo que enfrentarse a todos los dilemas de sus antecesores. El primero fue la demanda de Guido de Espoleto, que le exigía que a él le confirmase como emperador y a su hijo Lamberto como rey de Italia.

Formoso no era en absoluto partidario de los espoletinos, a los que consideraba usurpadores, y además con razón, pero tampoco tenía mucha fuerza para luchar contra ellos, por lo que accedió y se desplazó a Rávena para coronar el 30 de abril de 892 a Lamberto II de Espoleto rey de Italia, y confirmar a Guido emperador.

Pero Berengario I no pensaba conformarse con la derrota y, probablemente en connivencia con el papa Formoso, que ya empezaba a cansarse de los abusos de los espoletinos, buscó la alianza de Arnulfo de Carintia, invitándole a venir a Roma a arrebatar la corona imperial al usurpador y, de paso, a reponerle a él como rey de Italia.

Por su parte, el papa Formoso estaba cada vez más arrepentido de haber transigido con los de Espoleto, porque se encontraba en sus manos y tenía que tolerar frecuentes intromisiones. Además, en Bizancio, el emperador Basilio había nombrado patriarca de Constantinopla a su propio hijo Esteban. Y todavía coleaba el oscuro asunto de Focio, restituido por Juan VIII y nuevamente destituido por el emperador Basilio. El nuevo problema era que, si Focio nunca había merecido la consideración de patriarca al haber sido nombrado de forma irregular y al haber recibido las órdenes sagradas en cinco días por interés del regente Bardas, ¿qué sucedía entonces con los obispos que había consagrado mientras era patriarca? ¿Seguían siendo obispos o no? ¿Debían conservar sus haberes o no? Aquella era la cuestión más importante.

A esta reyerta bizantina se unió otra disputa entre los obispos alemanes Hermann de Colonia y Adalgar de Hamburgo, quienes se disputaban el obispado de Bremen.

Estos y otros asuntos eclesiásticos tenía que dilucidar Formoso, a la par que los asuntos seglares que planteaban los de Espoleto, siempre solicitando la sacralización de sus negocios. Y era peligroso decirles que no. Recordemos a aquel Lamberto I de Espoleto que había tomado Roma y había mantenido preso al papa Juan VIII por no plegarse a sus demandas. Guido III era su hermano. Últimamente, había decidido imitar a los tetrarcas romanos y asociar a la corona imperial a su hijo Lamberto II, para asegurarle así la sucesión si él moría. Asegurársela a su hijo y a su esposa Agiltrudis, que no pensaba renunciar.

Y si las reyertas religiosas se duplicaban, también lo hacían las terrenales porque, a todo esto, el trono de los francos tenía dos pretendientes que también se lo disputaban con uñas y dientes, eran Odón de París y Carlos el Simple, que pedían al Papa que mediara en la contienda y tomara partido por uno de los dos.

No es de extrañar que Formoso se arrepintiera alguna vez de haber accedido a la silla de San Pedro.

Resolvió los asuntos religiosos corroborando las decisiones de sus predecesores, los papas Nicolás y Adriano en el asunto de Focio, y aplicando los decretos del concilio de Frankfurt a la querella de los obispos alemanes.

Pero los asuntos laicos eran más delicados. Su posición era difícil debido a la proximidad de la amenaza de Guido de Espoleto. En realidad, a quien el Papa quería coronar emperador era a Arnulfo de Carintia, su aliado, pero estaba demasiado lejos para venir a protegerle, y menos aún a protegerle sin pedir nada a cambio.

En esta situación, el papa Formoso tomó una decisión drástica.

En el caso francés, aceptó el consejo del obispo de Reims y se adhirió a la causa de Carlos el Simple, lo que parece que fue un acierto, porque ya dijimos que fue Carlos el Simple quien consiguió pacificar a los vikingos cediéndoles el condado de Normandía para que se establecieran pacíficamente y abandonaran el pillaje y el saqueo.

Después de esta decisión, el Papa llamó a Arnulfo de Carintia para pedirle apoyo y para que defendiera la herencia de San Pedro contra la tiranía de los malos cristianos, los espoletinos. Era la segunda vez que un papa le llamaba para reclamar su apoyo y recordarle que era descendiente de Carlomagno. Recordemos que la vez anterior había sido el papa Esteban V quien solicitó, sin éxito, su ayuda contra los mismos malos cristianos, los duques de Espoleto.

Aquella vez, Arnulfo atendió a medias la llamada del Papa y condujo a su ejército hasta el norte de Italia, extendiéndose por la llanura del Po y llegando hasta Piacenza, aunque lo único que consiguió fue asustar a los habitantes de aquellas tierras, demostrar que si se enfadaba podía resultar peligroso y responder en parte a la llamada del Papa. Pero las cosas siguieron como estaban. Arnulfo sufría fuertes ataques de reumatismo y las humedades del Po le agudizaron los dolores, por lo que decidió retirarse y dejar la contienda para otra ocasión más propicia o, al menos, más seca. Corría el año 893.

Y decíamos que atendió a medias la petición del Papa porque no acudió a Roma aceptando la invitación del pontífice. Y no acudió no solo por sus ataques de reumatismo, sino porque también se desató una de aquellas epidemias que se conocieron genéricamente como "la peste" y que diezmó las tropas alemanas.

En 894 murió Guido III de Espoleto a causa de una hemorragia producida seguramente en la contienda. En vez de solucionarse las cosas, terminaron de enredarse, porque Agiltrudis se irguió soberana de su ducado de Espoleto y se alió con su hijo Lamberto II para reclamar la corona imperial, aunque tuviera para ello que reconocer otra vez rey de Italia a Berengario I.

El papa Formoso se resistía a coronar emperador a Lamberto, y la pugna que ambos mantuvieron dio lugar a un período de franca jocosidad que vino muy bien para eliminar tensiones, ya que los buenos ciudadanos de Roma se burlaron del pretendiente y dieron en llamarle emperador de Espoleto, cosa que sentó muy mal sobre todo a su madre, Agiltrudis, quien había sufrido su segunda frustración.

Pero no sería la última.

El papa Formoso, en lugar de reflexionar sobre su peligrosa situación, tomó una decisión drástica, como dijimos antes, pues se dedicó a bombardear a Arnulfo de Carintia con mensajes en los que le pedía auxilio, exponiéndose con ello a las represalias de los de Espoleto. En vista de que el Papa no accedía a coronarle y seguía persiguiendo al de Carintia, Agiltrudis hostigó a su hijo contra el pontífice y consiguió, sin grandes esfuerzos por cierto, que Lamberto II emulase a su antecesor Lamberto I y encerrase a Formoso en el castillo de Sant'Angelo para ver si así conseguía hacerle reflexionar.

Algo habría en los mensajes del Papa, seguramente la sugerencia de reconstruir el Imperio Romano o el Imperio Carolingio de los antepasados del marqués alemán, porque, finalmente y a pesar del reumatismo, Arnulfo emprendió la marcha hacia Roma en otoño de 895. En febrero de 896 se hallaba ante las puertas de Roma, enfrentándose a las fortificaciones que había construido Agiltrudis para hacerse fuerte y sostener la corona sobre la cabeza de su hijo.

Pero aquella vez fue definitiva, porque Arnulfo entró en Roma e hizo huir a Agiltrudis y a Lamberto II, que se refugiaron en Espoleto. La forma en que consiguió vencer las fortificaciones de los de Espoleto tiene su historia y su leyenda, porque la fuerza de los de Espoleto era grande e incluso se permitieron el lujo de responder con burlas e insultos a los llamados del de Carintia para que entregasen la ciudad y liberasen al Papa. Cuenta Indro Montanelli que un día apareció una liebre que corría a toda velocidad desde el campamento sitiador hacia Roma, y Arnulfo se lanzó espada en mano en su persecución. Los soldados creyeron que era una señal de ataque y se lanzaron como un solo hombre sobre Roma, consiguiendo vencer con el ataque lo que no habían conseguido con el asedio, utilizando escalas para trepar por los muros, hachas para destrozar las puertas y un ariete impulsado con gran energía sobre la puerta de San Pancracio.

Dice este autor que Arnulfo se paseó primero por la ciudad tomada, sobre su caballo blanco, molesto por no haber conseguido atrapar a la liebre, pero que en seguida ordenó liberar al Papa de su prisión.

Arnulfo se tomó su tiempo. Primero, se hizo coronar emperador por el papa Formoso, quien debió entonar todas las alabanzas y laudes que cabe imaginar. La coronación fue un acto solemne y tuvo lugar en el atrio de la basílica de San Pedro *in Batecanum,* el 22 de febrero de 896.

Después, con la corona firmemente ceñida, se dirigió a Espoleto para hacer pagar cara su osadía a la ex emperatriz Agiltrudis y a su hijo Lamberto.

Pero en aquellos tiempos las cosas no eran tan sencillas. Precisamente, cuando ya Arnulfo se veía vencedor de aquellos dos malandrines y el papa Formoso se sentía a salvo de ellos, a Arnulfo le jugó su reumatismo una mala pasada, tan mala que aquella vez fue una verdadera parálisis la que le atacó, obligándole a abandonar el asedio de los espoletinos y a dejar la contienda una vez más para mejor ocasión. Otros dicen que su mal se debió a excesos venéreos, porque ya anteriormente se había sentido enfermo cuando estaba solazándose con una de sus numerosas amantes.

Pero sí fue la mejor ocasión para Agiltrudis y Lamberto II, quienes la aprovecharon para entrar en Roma sin contemplaciones. Iba a saber el papa Formoso lo que era una emperatriz frustrada.

El 4 de abril de 896 murió Formoso, como era previsible, de muerte violenta, dicen que con un veneno lento y doloroso. Fue sucedido por Bonifacio VI, cuyo pontificado no duró más que 15 días porque murió de un ataque de gota. También es posible que muriera a causa de unas gotas de veneno en la comida, porque Bonifacio VI fue elegido por el pueblo y no debía de contar con las simpatías de la emperatriz frustrada.

La corona del Imperio Carolingio fue motivo de numerosas guerras, crímenes y traiciones. Fue la máxima aspiración de la duquesa Agiltrudis y, al perderla a causa del papa Formoso, tramó contra él la mayor venganza imaginable.

No debió de ser ningún santo, porque cuentan las crónicas que, cuando era sacerdote, había sido suspendido de sus funciones en más de una ocasión por corrupto e indigno. Incluso a su muerte, en mayo de 896, se reunió un concilio en Rávena que tomó la decisión de eliminar su nombre de la lista de los papas. Nunca se eliminó y allí sigue sin que sepamos por qué motivo, aunque eso no viene ahora al caso.

Lo que nos interesa hacer constar es que ella, la emperatriz frustrada, todavía no se había vengado lo suficiente.

DAMNATIO MEMORIAE

A la muerte de Bonifacio VI le sucedió Esteban VI, obispo de Anagni, un papa al parecer bastante acorde con los intereses de la ex emperatriz Agiltrudis.

El nuevo papa procedía de una familia noble de Roma y había sido discípulo de Anastasio el Bibliotecario, el cronista que narró el singular episodio de la papisa Juana. Pero dicen que no valía mucho más que su antecesor Bonifacio VI, al menos, si tenemos en cuenta su comportamiento, porque no fue más que una simple marioneta en las manos de Agiltrudis.

Por aquellos días, principios de 897, el emperador Arnulfo estaba muy enfermo y se había retirado prácticamente de la escena, lo que había permitido a Lamberto II y a su madre entrar una vez más, triunfantes, en Roma. Entonces, con un papa amigo, no hubo necesidad de asedios, contiendas ni encierros.

Pronto se dio cuenta la ex emperatriz de que aquel papa era atento y servicial, incapaz de negarse a cualquier favor que ella pudiera solicitarle. Y ella hacía tiempo que acariciaba una idea que requería un favor muy especial.

En el mundo clásico se había condenado con cierta frecuencia la memoria de alguien, lo que suponía destruir los vestigios que pudieran quedar de esa persona. Muchos faraones habían utilizado las estatuas y colosos de sus enemigos para dejar memoria de sí mismos, borrando las inscripciones del anterior y reemplazándolas por las suyas. Los conquistadores cristianos y musulmanes han borrado muchas huellas de religiones anteriores, para reemplazarlas por las propias.

Una de las condenas más graves que podían recaer sobre una persona era la *damnatio memoriae,* una sentencia judicial que decreta la condena del recuerdo de alguien que ha sido enemigo del Estado, borrando las inscripciones en las que apareciese su nombre, destruyendo sus estatuas y prohibiendo el uso de su nombre familiar, lo que hoy llamamos apellido.

Esta sentencia condenatoria se había aplicado ya a gobernantes que habían dejado un recuerdo ignominioso, como Nerón, Máximo y Cómodo y el Senado había decidido borrar sus nombres de los anales de la Historia. La misma sentencia se aplicó a la papisa Juana, si es que existió realmente.

Eso precisamente era lo que quería Agiltrudis, borrar de la faz de la tierra el recuerdo de aquel papa que se atrevió a traicionarla y a coronar a su enemigo mortal, Arnulfo. Y para eso era necesario un acto solemne que recordaran todos los tiempos y que se conociera en todo el mundo. Un concilio.

Pero un concilio y la eliminación de la memoria del papa Formoso no eran suficientes para satisfacer las ansias de venganza de la emperatriz frustrada. Ella quería algo que tuviera mucho más eco. Pensó que una profanación sacrílega dejaría una huella mucho más honda y duradera, porque no solamente afectaría al ámbito cristiano, sino que aterraría también a los mismos vikingos, sarracenos, húngaros y otros paganos que recorrían aquellas tierras.

En 898, Berengario I había vuelto a ser rey de Italia, porque Lamberto II, el hijo de Agiltrudis, se había caído del caballo durante una partida de caza en la selva de Marengo y se había partido la cabeza, muriendo a los pocos días sin siquiera recobrar el conocimiento, y Berengario, aprovechando el momento, se había vuelto a hacer coronar rey en Pavía por una asamblea de obispos y condes romanos. Ya hemos visto que aquellos no eran tiempos para perder ni un instante.

Tampoco lo había perdido Agiltrudis, quien había movilizado a Esteban VI para consumar su venganza. A principios del año 897 se convocó un concilio en Roma, que tendría lugar en la basílica de San Juan de Letrán.

Hacía nueve meses que el papa Formoso había muerto y, como todos los papas, había sido enterrado en la basílica de San Pedro *in Batecanum*. Allí debía descansar en paz en espera de la prometida resurrección de la carne.

Pero Agiltrudis tampoco se hubiera detenido ante un sepulcro o un cadáver, aunque se hallara en estado avanzado de putrefacción. Ella mandó al papa Esteban llevar a cabo su venganza completa, al pie de la letra, y él ordenó a sus secuaces que sacaran de su tumba el cuerpo de Formoso, porque tenía que comparecer ante el concilio para responder de sus malas acciones.

Así, pues, un grupo de individuos entró en la basílica, cavó en el lugar en el que se hallaba el sepulcro de Formoso, buscó sin encontrarlos los tesoros que con él pudiera haber enterrados y extrajo el cadáver a medio descomponer y a medio momificar, en cumplimiento de las órdenes de la papisa reinante.

Las actas del concilio, la crónica de Gregorovius *Historia de la Ciudad de Roma en la Edad Media,* los escritos de Auxilius, probable seudónimo de un eclesiástico alemán, y otros textos coinciden en que aquella venganza fue "lo más horrendo que jamás haya podido contar la Historia".

Llevaron, pues, el cadáver ante los padres conciliares, habiéndole vestido previamente con la lujosa vestimenta que correspondía a un papa y habiéndole colocado todas las insignias papales. Lo sentaron en un sillón y pusieron junto a él a un diácono que haría el papel de abogado defensor o representante de Formoso, y por cuya boca se suponía que hablaría el muerto.

La escena debió de ser como la describe el Primer Canon conciliar, según el cual Esteban VI hizo colocar el cadáver ante un tribunal. También cuenta el hedor nauseabundo que emanaba de

Jean Paul Laurens vio así el concilio celebrado por el papa Esteban VI
para deponer al papa Formoso. El concilio se celebró nueve meses
después de la muerte de Formoso, estando presente su cadáver.

los restos medio momificados del papa Formoso y describe el aspecto lamentable que ofrecía la mitra sobre aquella calavera con jirones de carne, por cuyas órbitas oculares circulaba algún que otro gusano. Comoquiera que el cadáver oscilaba bajo el peso no se sabe si de las acusaciones o de las prendas de la dignidad papal, tuvieron que sujetarlo con una cuerda al sillón, para evitar que cayera y se partiera en pedazos.

El papa Esteban VI presidía desde su sitial. Los jueces iban planteando preguntas que el diácono trataba de responder tembloroso y con una voz que apenas llegaba a escucharse, suponemos que no solamente por el papel que estaba representando, sino por su tono nasal. Los escribanos iban tomando nota en las actas que recogían los cargos, los interrogatorios y las correspondientes respuestas.

"¿Por qué medio, obispo de Porto, usurpaste el sitio universal de Roma?" Esta acusación, una de las más graves, significaba que su ambición culpable le había llevado a cambiar su sede episcopal de Porto por la de Roma, algo similar a permitir que le eligieran obispo de Roma siendo obispo de Porto.

Eso equivalía a que su elección había sido inválida y que los actos realizados como papa carecían de valor alguno. Le acusaron, además de ambición desmedida, de las querellas que mantuvo con el papa Juan cuando era obispo de Porto. Entre otras cosas, le acusaron de perjuro, porque había obtenido de Juan VIII el perdón jurando no volver a Roma ni a ejercer sus funciones eclesiásticas. Sacaron a relucir todas las leyes canónicas posibles para amontonar acusación tras acusación, con preguntas a las que el infeliz diácono no pudo, no supo o no quiso responder.

Tras el juicio vino la sentencia. Se le declaró indigno servidor de la Santa Iglesia, se le declaró culpable de haber accedido a la silla de San Pedro de forma irregular, por lo que era un papa ilegí-

La bendición papal se realiza con tres dedos de la mano derecha, dos extendidos y uno doblado. Esos fueron los que le cortaron al cadáver del papa Formoso, para corroborar su degradación.

timo y todo cuanto había hecho y proclamado durante su pontificado se convertía en nulo en virtud de su deposición.

Después de la degradación verbal pasaron a la manual, arrancándole a jirones las insignias y vestiduras papales, que dejaron al descubierto un cilicio que siempre llevaba y que apareció pegado a la carne momificada.

A continuación, le cortaron los tres dedos centrales de la mano derecha, los dedos de bendecir, y los arrojaron al fuego. En cuanto a los restos de la momia despojada de Formoso, los entregaron a los soldados para que los enterraran en tierra no cristiana, en una fosa común, maldita, porque contenía los cadáveres de algunos ajusticiados y desconocidos que no habían merecido cristiana sepultura.

Pero ni ahí pudo quedar en paz el cadáver de Formoso, porque, después del concilio, los partidarios de Agiltrudis volvieron a sacarlo de la tumba y lo arrojaron al río Tíber, donde cuentan, con espanto, que la momia reapareció varada al poco tiempo, arrojada por una crecida del río a la orilla, donde quedó trabada entre las ramas y la vegetación, insumergible, como reprochando a sus profanadores todo lo que le habían hecho.

LA MOMIA VARADA

Cuentan que, al entrar Esteban VI en su residencia de Letrán, el techo de la basílica se vino abajo, desde el altar hasta el pórtico, clara señal de la cólera divina por el sacrilegio cometido. Al menos así lo interpretaron los partidarios del papa Formoso, que aprovecharon el terremoto para vengarle.

Lo aprovecharon para vengarle y, al mismo tiempo, para evitar perder sus episcopados. Si los actos del papa Formoso habían quedado anulados, ellos, que habían recibido el nombramiento de ese papa, iban a perderlo todo. De hecho, Esteban VI estaba ya preparando la demanda oficial para que renunciaran por escrito a sus cargos.

Y, como ya hemos dicho que no eran tiempos para perder ni un minuto, los partidarios de Formoso consiguieron revolver al voluble pueblo romano en contra del papa Esteban. Asaltaron el palacio de Letrán, arrancaron al papa de la silla de San Pedro, lo despojaron de sus insignias y vestiduras como él había hecho con Formoso, le pusieron un hábito de fraile y lo arrojaron a una mazmorra, donde, poco después, alguien se encargó de completar la venganza, pues Esteban VI apareció estrangulado.

Eso cuenta, al menos, el historiador Flodoardo, obispo de Reims del siglo X, quien señala que aquel era el castigo que merecía sobradamente el papa Esteban. Era agosto de 897. Esteban VI no había sobrevivido más de seis meses al Sínodo Horrendo.

Tras él, recibió la tiara papal Romano I, hermano de Marino I, aquel que había rehabilitado a Formoso a la muerte de Juan VIII, por lo que debió recibir el apoyo de los partidarios de Formoso.

Pero los partidarios de Formoso tenían demasiados enemigos, los partidarios de Esteban más los de los Espoleto quienes, por cierto, estaban un tanto alejados de los negocios pontificios toda vez que habían conseguido su venganza. Además, Roma se había vuelto inhabitable después del Sínodo Horrendo y por todas partes se producían asaltos, atropellos y crímenes entre los partidarios de un papa y del otro, habiéndose llegando a constituir dos partidos, el formosiano y el antiformosiano.

Por otra parte, Lamberto II y Agiltrudis habían tropezado con un nuevo rival, Guido IV. El esposo de Agiltrudis, Guido III, no había heredado el ducado de Espoleto directamente de su hermano Lamberto I porque a este le había sucedido su hijo Guido II. Pero Guido II había muerto el mismo año que su padre y de él había heredado Guido III el título ducal.

Entonces supieron que Guido II no había muerto sin descendencia, sino que había dejado un hijo que con el tiempo había crecido, se había hecho fuerte y ahora surgía para disputarle a su tía Agiltrudis y a su primo Lamberto el título. Aprovechando la estancia de estos en Roma con la famosa venganza, Guido IV se había titulado duque de Espoleto y, además, se había apoderado

de Benevento, la tierra de Agiltrudis. Y lo peor era que los beneventinos lo habían aclamado como príncipe.

Todo parecía ponerse en contra de los de Espoleto, porque, además del primo Guido, se había presentado un nuevo rival, Adalberto II de Toscana, quien también quería participar en el reparto de los restos del Imperio Carolingio. Ya había venido peleando encarnizadamente contra Arnulfo de Carintia, de quien había estado prisionero durante bastante tiempo, pero, a su muerte, Adalberto quedó libre y entonces recrudeció su ofensiva aquella vez contra Lamberto II, el hijo de Agiltrudis, el cual consiguió vencerle y apresarle.

No permaneció mucho tiempo en prisión. Ya hemos dicho que Lamberto II murió en 898 durante una partida de caza. Entonces se produjo un suceso curioso aunque no increíble al lado de los que hemos venido narrando, y fue que, a la muerte de su hijo, Agiltrudis abandonó la lucha y decidió terminar sus días en un convento.

Estas fueron, entre otras que desconocemos, las razones que llevaron a los duques de Espoleto a abandonar a su suerte al papa Esteban VI, que tan bien les había servido.

Romano I no duró más que tres meses en el papado, lo que ya empezaba a ser habitual en aquellos tiempos. Parece que murió envenenado, pero antes tuvo tiempo de anular todos los disparates que había cometido su antecesor, entre ellos, naturalmente, el Concilio del Cadáver, como también se llamó al Sínodo Horrendo.

Le sucedió Teodoro II en diciembre de 897 y murió 20 días después. Aparte de Bonifacio VI, este fue uno de los papas que menos tiempo se mantuvieron en el solio papal. También parece que murió por envenenamiento, aunque en los 20 días de su pontificado tuvo tiempo para realizar un acto de justicia que ya estaba siendo necesario.

Como todos los ríos de las grandes ciudades, el Tíber se encargaba de engullir desperdicios y cadáveres de asesinados. En ocasiones, como sucedió con la momia del papa Formoso, los devolvía al cabo de un tiempo.

Fue durante su pontificado cuando la momia de Formoso apareció varada en el río Tíber. La encontró un campesino. Al saberlo, el papa convocó un concilio en el que rehabilitó la memoria de Formoso, quemó las actas del Sínodo Horrendo y mandó traer el cadáver, con toda la pompa que requería el caso, para darle nuevamente honrosa sepultura en la basílica de San Pedro *in Batecanum.*

Y cuentan que, como todavía no se había recuperado la basílica de San Juan de Letrán del terremoto que la derrumbó tras el sacrilegio, las imágenes de San Pedro habían acudido a saludar a Formoso cuando devolvieron el cadáver a su tumba.

EL ANTIPAPA CONDE DE TUSCULUM

En aquellos momentos todavía vivía Lamberto II de Espoleto, y su madre Agiltrudis aún no había tomado la asombrosa decisión de retirarse a un convento, porque estos hechos ya dijimos que sucedieron en 898 y el saludo de San Pedro a la rehabilitación de Formoso sucedió en diciembre de 897.

En enero de 898, todavía era Lamberto de Espoleto el más fuerte, porque acababa de apresar a Adalberto de Toscana. Sin enemigos a la vista, vivía en Rávena junto a su madre, la temible Agiltrudis.

Los partidarios del asesinado papa Esteban VI se reunieron para elegir un papa de su gusto y eligieron a un buen amigo de Esteban, Sergio, conde de Tusculum y obispo de Cere, el primer Tusculano de nuestra historia, una familia que iba a protagonizar otra serie de hechos tan lamentables como asombrosos.

Pero el apoyo que recibió el papa Sergio debió de ser insuficiente, porque su candidatura no solamente no prosperó, sino que tuvo que devolver la tiara que ya se había colocado en la cabeza, y tuvo además que recibir la consideración de antipapa. Naturalmente, no lo hizo por voluntad propia, sino después de echarse a la calle con un ejército de soldados reclutados en su feudo y de resultar vencido en la escaramuza.

El nuevo papa fue Juan IX, un fraile benedictino que decidió coronar de nuevo a Lamberto de Espoleto, después de declarar nula la consagración de Arnulfo de Carintia, porque contaba con los de Espoleto para restablecer el orden en Roma.

Pero no consiguió su propósito, porque entonces fue precisamente cuando Lamberto se mató en aquella partida de caza y Agiltrudis se retiró de la vida pública, dejando el terreno libre para Adalberto y para Berengario I, quien fue coronado rey de Italia por segunda vez.

Con lo que no contaba nadie en aquel tiempo de sorpresas era con la aparición de un nuevo invasor, los entonces llamados magiares y después húngaros, cuyas hordas irrumpieron en el norte de Italia, presentando a Berengario un reto de bastante envergadura.

Pese al mucho coraje que pusieron los ejércitos reales, los salvajes los arrollaron y los hicieron refugiarse en Pavía. Y aquello le costó a Berengario I la corona, porque los mismos que le habían elegido le despojaron no solamente de la corona de Italia, sino de su título de marqués de Friuli, lo que le obligó a refugiarse en Baviera, desde donde intentó recuperar sus dominios y arrebatar la corona al nuevo rey, Luis III, un joven descendiente de Carlomagno por parte de madre.

Lo consiguió en 905, haciendo correr la voz de que había muerto, por lo que Luis III bajó la guardia y Berengario aprovechó el momento para caer sobre él, con ayuda del obispo de Verona en cuya ciudad había establecido Luis su sede. Cuando las tropas de Berengario I entraron en Verona, el joven rey se asustó y se refugió en una iglesia, solicitando asilo sagrado, pero como el mismo obispo se había conjurado con el atacante, lo sacaron de la iglesia y le arrancaron los ojos, lo que ya hemos visto que era el castigo habitual. La Historia le conoce por eso como Luis III el Ciego. Berengario I se coronó rey de Italia por tercera vez. Aún tendría que coronarse una cuarta vez, es decir, aún le arrebatarían la corona una vez más y volvería a recuperarla de manos de un nuevo rival, Rodolfo de Borgoña. En 924, una conjura de italianos se ocuparía de terminar para siempre con él, apuñalándolo por la espalda. Pero antes de esto sucedieron muchas cosas que contaremos en el siguiente capítulo.

En cuanto a Sergio, el antipapa, tuvo que huir a refugiarse precisamente en las tierras de Adalberto de Toscana. Unos cuantos años más tarde sería papa con el nombre de Sergio III y erigiría en la basílica de San Pedro un monumento fúnebre a su amigo Esteban VI, con un epitafio que recordase el odio que había sentido por Formoso.

De momento, permaneció allí durante un tiempo hasta que llegó alguien mucho más poderoso que Agiltrudis, que Lamberto y que Adalberto. Un personaje que hizo vibrar en torno suyo la historia de Roma durante el siglo x. Hablaremos de ella con detenimiento en el capítulo siguiente: Marozia, *donna senatrix*, duquesa de Espoleto y dueña de Roma.

Capítulo VII
La era de la Pornocracia

De entre la larga lista de condes, duques, príncipes, reyes, papas, antipapas, emperadores y otros personajes que gobernaron las tierras italianas a principios del siglo X, al que el cardenal Baronio denominó también Siglo de Hierro, habíamos dejado pendiente en el capítulo anterior a un tal Sergio, conde de Tusculum y obispo de Cere, amigo del necio Esteban VI y que se había retirado a los dominios del marqués Adalberto de Toscana en espera de un momento propicio para adueñarse de la silla de San Pedro.

El papa Cristóbal le había convertido en antipapa, pero tampoco él estaba muy lejos de merecer el mismo título, porque, siendo un simple presbítero de la iglesia de San Dámaso, había encarcelado al papa León V para coronarse papa él mismo. Esto había sucedido en 903, a los dos meses de la elección de León V.

Maligno, lascivo y feroz, al menos así lo describen los historiadores, Sergio no tuvo que esperar mucho. En primer lugar, Lamberto de Espoleto había muerto en 900. Arnulfo, su enemigo mortal, también había muerto al año siguiente. El rey de Italia volvía a ser Berengario I. Roma se debatía entre las facciones de la nobleza, entre las que destacaban las familias de Guido de Espoleto y la familia Teofilacto.

En Bizancio, León VI el Sabio llevaba la corona y pedía a gritos un papa que bendijera su cuarto matrimonio con Zoe Carbonopsina, para legitimar a su hijo natural, el cual debía heredar el trono bizantino; pero el Derecho prohibía casarse por cuarta vez y el patriarca de Constantinopla se negaba a reconocer aquel matrimonio. El papa Sergio le brindó todas las bendiciones necesarias. León VI quizá mereció el apodo de "el Sabio" no solo por sus escritos sobre la autocracia imperial y su legislación, sino por haber sabido utilizar a su favor, probablemente por primera vez en la historia eclesiástica, la influencia del papa romano sobre el patriarca de Constantinopla. El mismo patriarca, enfurecido y escandalizado, retiró el nombre del papa Sergio III de los Dípticos, las listas oficiales de papas y obispos. Esta exclusión era equivalente a la excomunión, lo cual no importó gran cosa al papa Sergio, quien mereció sobradamente ser excomulgado, pero por otras cosas mucho más importantes que bendecir un cuarto matrimonio.

La corona del Imperio de Occidente tenía, como es lógico, numerosos pretendientes que seguían peleando entre sí. Finalmente correspondió a Berengario, que fue emperador y rey de Italia hasta que lo asesinaron en 924.

Además, después del Sínodo Horrendo se habían producido enormes disturbios entre los partidarios de Formoso, pues sus oponentes y el constante cambio de papa estaban íntimamente relacionados con el hecho de rehabilitar o deshabilitar la triste memoria del Papa profanado. Pero ya dijimos anteriormente que no se trataba de un acto romántico de solidaridad con el Papa deshonrado, sino de un sentimiento muy práctico. Si el papa Formoso quedaba anulado, anulados quedarían todos los cargos eclesiásticos que él nombró. Había mucho que perder.

Aprovechando el desorden ya habitual y la ausencia de una autoridad que se impusiera, Sergio, con el apoyo de la familia

Teofilacto, se sentó un buen día en la silla de San Pedro. En cuanto al papa Cristóbal, Sergio recurrió al mismo sistema al que Cristóbal había recurrido en su momento: encarcelarlo sin más preámbulos.

Y una vez los dos antecesores encarcelados, en prevención a que alguien viniera a liberar a alguno de ellos y saliera de prisión con pretensiones de pontificar, Sergio, después de volver a coronarse papa, los hizo degollar tras un juicio en el que se testificó cualquier cosa en su contra. Después, para terminar de eliminar posibles enemigos, confirmó la condena de Formoso y mandó ahorcar a los que le habían rehabilitado. Con esto, tenía el camino libre.

Con Sergio III se inicia la era de los Tusculanos o la era de los Teofilactos o la era de la Pornocracia o el Reinado de las Rameras, pues cada historiador ha querido darle un nombre. Ya hemos visto el perfil de su representante. Sin embargo, su busto y su nombre permanecen en la famosa galería de papas de la catedral de Siena.

El Siglo de Hierro

A 24 kilómetros de Roma, había una ciudad etrusca llamada Tusculum cuyos habitantes varones tenían la costumbre de acudir a Roma para adquirir nombre y fortuna y después volver a su pueblo con el triunfo pintado en la cara y la bolsa repleta de oro.

De allí salió hacia 890 un tal Teofilacto, perteneciente a una familia que tenía propiedades en la vía Lata, la cual, en los tiempos grandiosos de Roma, se llamó vía Flaminia.

Este Teofilacto era descendiente de un tal Teodato, que parece que fue tío del papa Adriano I, en los años finales del siglo VIII. Teofilacto es la versión castellana del nombre actual italiano Teofilatto.

Su emigración a Roma debió de resultarle provechosa, porque la primera crónica que le menciona, datada en 901, señala que era un simple juez, pero, en 904, era ya *magister militum* en Roma, es decir comandante del ejército, así como administrador de los bienes e ingresos del papa. En 904 se había adjudicado los títulos de cónsul, duque y senador del pueblo romano. Otros autores dicen que tales títulos le fueron concedidos por Luis III el Ciego que fue rey de Provenza y emperador de Alemania.

Además, Teofilacto fue designado jefe de la capilla papal con poderes de canciller y fue escalando puestos cada vez más altos e importantes en la corte, incluido el de Señor de la Urbe. Estos últimos títulos no tuvieron mérito alguno, porque quien le elevó fue el papa Sergio III, después de que el mismo Teofilacto le hubiera alzado a su vez a la silla de San Pedro.

Los Teofilactos tenían una posesión muy importante en Roma, el castillo de Sant'Angelo, una fortaleza inexpugnable llena de laberintos, que, en aquellos tiempos y en otros posteriores, era semejante a la llave de la ciudad y servía tanto para fortificarse contra un atacante como para encerrar a un enemigo de por vida.

A principios del siglo X, Teofilacto era el jefe de la aristocracia romana, según cuenta el cronista Benedicto de Soracte y era, como dijimos, senador, cargo que ostentaron su esposa Teodora y su hija mayor, María, llamada Mariozza y después conocida como Marozia.

Su esposa, Teodora, a quien los historiadores han denominado Teodora la Mayor para distinguirla de su hija menor, Teodora la Joven, era una princesa bizantina bellísima, con una inteligencia privilegiada y un talento especial para el enredo y la intriga, dones que heredó y superó con creces su hija Marozia.

Las damas de la familia Teofilacto tuvieron, como la emperatriz Teodora, su propio cronista, un cronista tan hostil para ellas como lo fue Procopio de Cesarea para la Augusta. El cronista de Teodora la Mayor y de Marozia, que también lo fue de Teodora la Joven, era el obispo de Cremona, Liutprando.

El obispo de Cremona era longobardo y, además, era clérigo; las mujeres Teofilacto eran romanas, hermosas, atrevidas, inteligentes y bravas, cosa imperdonable para un obispo longobardo. Por eso, Liutprando de Cremona exageró los defectos de estas damas, aunque no estuvo tan alejado en sus crónicas como lo estuvo Procopio de la emperatriz Teodora de Bizancio.

En su *Antapodosis,* el obispo de Cremona habla de "cierta ramera sin vergüenza llamada Teodora, que fue durante algún tiempo el único monarca de Roma y ejerció el poder como un hombre" (*Antapodosis*, II, 47, 48, III, 44-46, Liutprando - *Antologia delle fonti altomedievali*, Edición en línea). Es cierto que ejerció el poder, pero la expresión "como un hombre" indica claramente cuál era uno de los mayores defectos de Teodora a los ojos del cronista: ser mujer y tener mando.

A continuación, dice que tuvo dos hijas, Teodora y Marozia, las cuales, no solo la igualaron, sino que la sobrepasaron en las prácticas que ama Venus.

La verdad es que la madre y la hija mayor fueron ambiciosas, poco o nada escrupulosas y utilizaron su belleza y su fuerza para encaramarse a lo más alto de la autoridad romana. Pero no eran rameras, sino damas de alcurnia. Muy poderosas, porque entre la madre y la hija nombraron siete papas en menos de 30 años. Ellas fueron la razón por la que el cardenal Baronio denominó "la Pornocracia" a este *Saeculum Ferreum*.

En cuanto a Teodora la Joven, parece que no hay fundamento histórico alguno para acusarla absolutamente de nada, incluso hay autores que aseguran que se dedicó a las buenas obras.

El otro cronista, el fraile Benedicto del monte Soracte, se limitó a comentar sobre las mujeres Teofilacto que eran las que detentaban el poder de Roma, y comparó su tiempo con la profecía de que Jerusalén estaría un día dominada por los afeminados. Este pudo ser otro de los numerosos orígenes de la leyenda, si es que lo fue, de la papisa Juana.

Teodora la Mayor ejerció el poder civil sobre Roma en lugar de su marido, quien seguramente se dejó manipular por ella como tantos otros. Este hecho es histórico porque sabemos que, a partir del año 900, es el nombre de Teodora y no el de Teofilacto el que predomina en los anales de la ciudad.

En cuanto a Marozia, su madre estableció una alianza sólida y duradera entre la familia Teofilacto y el papado, pero ella hizo mucho más. Consiguió que el papado y la familia Teofilacto llegaran a ser la misma cosa.

Por otro lado, no hay mucha información sobre Teofilacto, aunque sabemos que apoyó el partido de los antiformosianos, a cuya cabeza se encontraba Sergio, conde de Tusculum y, sobre todo, amante oficial de Marozia.

El auténtico dueño de Roma durante los siete años que duró su pontificado (mucho para aquellos tiempos), fue el papa Sergio III. Siendo Marozia su amante, quien en realidad pudo beneficiarse de la situación fue Teodora, la madre, por lo que es más que probable que fuese ella quien empujase a su hija a los brazos del papa. Después, cuando Marozia se quedó embarazada, su madre le procuró un marido capaz de aceptar como suyo al hijo del pontífice.

Marozia nació hacia 892 y, según las crónicas, tuvo el hijo de Sergio en 909, año en el que se casó con Alberico I el Mayor, marqués de Camerino, 22 años mayor que ella y dispuesto a adoptar al hijo natural de su mujer, quien se casó visiblemente encinta.

No parece probable, aunque lo aseguren los cronistas, que Marozia siguiera teniendo relaciones con el papa Sergio después de casarse. Al fin y al cabo, por muy enamorado que estuviese Alberico de su mujer o por muchas prebendas que obtuviese de sus poderosos suegros, no es fácil que soportase un adulterio. Alberico era un soldado de fortuna que acababa de llegar a Roma cuando Teodora le entregó a su hija en matrimonio. Era allegado a la casa Teofilacto, pero debía de haber conseguido su título de marqués de Camerino por medio de la guerra, que era como se conseguían entonces los títulos, a menos que los concedieran el papa o el emperador. Ya sabemos que un título llevaba aparejados territorios más o menos vastos.

Alberico I acudió a Roma precisamente invitado por Teofilacto, porque un soldado profesional que mandaba una banda de soldados veteranos resultaba entonces imprescindible para la lucha de facciones que se desarrollaba en Roma. Alberico sirvió tan bien a Teofilacto que este le concedió habitaciones para vivir en el palacio familiar de la colina Aventina y, junto con ellas, la mano de Marozia.

En aquellas habitaciones del palacio nació precisamente el segundo hijo de Marozia, habido dentro del matrimonio, Alberico II el Joven, duque de Espoleto, entre 911 y 912.

En cuanto al papa Sergio, sabemos que era la familia Teofilacto quien le había llevado al solio pontificio para cobrarse después el favor con títulos y prebendas. En agradecimiento, él hizo lo posible por mantener la alianza con la familia y les concedió cuanto pidieron, para no disgustarlos.

De su actuación como pontífice romano sabemos que bendijo el matrimonio del *Basileus,* como ya dijimos, que reconstruyó la basílica de San Juan de Letrán, la que había destruido un terremoto tras la profanación del papa Formoso, y sabemos también que intentó oponerse a la famosa tesis de Focio sobre el *Filioque,* sin encontrar eco alguno en Oriente, lo que era muy lógico porque ya dijimos que el patriarca de Constantinopla le había borrado de los Dípticos y le consideraba antipapa. Además, tampoco parece que el papa Sergio se interesara personalmente por el asunto del *Filioque,* sino que fueron los obispos franceses quienes le pidieron que tratara de solucionar aquella diferencia teológica.

Murió el 14 de abril de 911, dejando la silla papal en manos de Teodora la Mayor.

ITALIA EN LOS SIGLOS IX Y X

Carlomagno instauró la costumbre de nombrar rey de Italia al heredero del trono imperial. El primero en ostentar ese título fue su hijo
Pipino, entre 806 y 810. A la muerte de Carlomagno, sus herederos no
consiguieron integrar Italia en el Imperio, ya que nunca lograron con-
quistarla completamente. Siempre había longobardos, bizantinos,
sarracenos o normandos disputando provincias y ciudades. Y si no
eran extranjeros, eran los mismos nobles italianos quienes trataban de
detentar la corona. A pesar de ello, los reyes carolingios de Italia con-
servaron el título imperial, aunque no todos los reyes de Italia fueron
emperadores. Los italianos, incluidos los papas, lucharon constantemente por librarse del yugo imperial, siendo unas veces beneficiados
y otras perjudicados por el Emperador. El siguiente rey de Italia después de Pipino fue su hijo Bernardo, entre 810 y 817, quien reinó sin
tener derecho al trono, ya que la corona debía pasar de Pipino a su hermano Ludovico Pío. En 816 Ludovico Pío, coronado emperador, dis-
putó la corona a su sobrino Bernardo y, tras vencerle, le hizo cegar
para impedirle revolverse, pero la ceguera le causó la muerte.

A partir de Ludovico Pío, la cronología es la siguiente:

El tratado de Verdún adjudicó Italia y Lotaringia a Lotario en 843

843-855 Lotario.

855-875 Luis II el Joven.

875-877 Carlos el Calvo.

877-879 Carlomán.

En 879, Carlos el Gordo compró el trono de Italia al papa.
Coronado emperador al morir sus hermanos Carlomán y Luis III,
fue depuesto en 887 en la Dieta de Tribur. Con él termina la dinastía carolingia en Italia.

889 Berengario I de Friuli.

889-893 Guido de Espoleto.

893-895 Lamberto I, hijo de Guido de Espoleto.

895-899 Berengario I, rey de Italia de nuevo, depuesto en 899.

899-905 Luis III el Ciego. Antes de ser emperador fue rey de
Provenza.

905-924 Después de vencer y cegar a Luis, Berengario I volvió a coronarse rey de Italia.

925-926 Rodolfo II de Borgoña rey de Italia.

926-947 Hugo de Arlés, rey de Provenza y de Italia.

947-950 Lotario II, hijo de Hugo de Provenza.

950 Otón I coronó a Berengario de Ivrea rey de Italia pero le
hizo feudatario de Alemania.

962 Otón I, emperador del Sacro Imperio Romano
Germánico.

LAS SENADORAS

Lo cierto es que Teofilacto debía de ser un hombre débil sometido prácticamente en todos los aspectos a su poderosa esposa. No solamente toleró, no sabemos si de buena o mala gana, la relación entre su hija y el papa, sino que también toleró la de su propia esposa con un joven clérigo que vivía en Rávena, Juan Cenci.

Pero Juan no vivía en Rávena por ser natural de allí, sino porque era joven y ambicioso. Había sido diácono de Ímola, en cuya diócesis había nacido; después fue obispo electo de Bolonia y por fin se trasladó a Rávena donde debía ejercer un cargo de tipo diplomático, dado que viajaba con frecuencia de Rávena a Roma. Allí debió de conocer a Teodora la Mayor, y allí se enamoraron. Al menos ella se enamoró de él, y puede que él se dejara querer, aunque la dama debía de conservar muchos de sus atractivos, ya en su madurez.

Tanto quiso Teodora protegerle y hacerle ascender, que, a la muerte del obispo de Rávena, el 30 de abril de 914, Juan ocupó su lugar. Un título importante que obtuvo gracias a su valedora y vino a colmar las ambiciones del joven clérigo. Pero, ¿y Teodora?

Porque tan pronto como le nombraron obispo, se acabaron los viajes a Roma. Si antes iba con frecuencia, ahora no tenía motivo alguno para ir, a menos que el papa le llamase o que se celebrara un concilio, asamblea o acto importante.

Así fue como Teodora, la senadora, perdió el disfrute de su amante. Es probable que se arrepintiese de haberlo apadrinado hasta el extremo de procurarle la silla episcopal e incluso puede ser que llegase a maldecir a quienes se prestaron a complacerla hasta el punto de nombrarle obispo.

Pero Teodora no era mujer que se dejara arrebatar la felicidad fácilmente y suponemos que, tras no demasiadas cavilaciones, llegó a una conclusión muy práctica: hacerle papa. Si el obispo no tenía que salir de Rávena, el papa no tenía que salir de Roma, por lo que ella lo tendría a su disposición cuando quisiera. Y, además, recuperaría el flujo de influencias y prebendas que había disfrutado con el papa Sergio.

No sabemos cuándo se le ocurrió a Teodora semejante idea, pero sí sabemos que, durante los 3 años siguientes a la muerte de Sergio III, hubo dos papas de paja que no hicieron más que, como dice el cronista, "calentar el asiento hasta que Juan lo ocupase".

Anastasio III y Landon fueron totalmente dóciles a los dictados de Teodora hasta el punto de morir en el momento oportuno de muerte natural, para dejar libre el solio pontificio para Juan, quien fue consagrado en marzo de 914 con el nombre de Juan X.

Cabe suponer las habladurías que se produjeron en Roma cuando el papa Juan X recibió la tiara y las insignias de su cargo. Pero no resultó en absoluto un pelele ni un pontífice ineficaz, sino todo lo contrario. Fue un gran estadista y un buen diplomático, aliado de los Teofilactos, quienes continuaron con el tráfico de influencias hasta lograr que Alberico I, el soldado, alcanzase el título más alto al que podía acceder: duque de Espoleto.

Así fue como Marozia llegó a ser duquesa, Teodora la Mayor consiguió tener cerca a su amante y Teofilacto y Alberico pudieron disfrutar de la posición de sus respectivas esposas.

Entonces se presentaron los sarracenos a romper el ambiente cálido y amable en el que vivían los cuatro Teofilactos, pero también fue la oportunidad para que los hombres de la familia demostraran su arrojo en la pelea. Inopinadamente, los sarracenos aparecieron un buen día amenazantes a 50 kilómetros de Roma.

El papa aprovechó doblemente la situación, demostrando sus dotes diplomáticas. Llamó a Berengario I, que era rey de Italia por cuarta vez después de vencer a su rival Rodolfo de Borgoña, y le ofreció coronarle emperador para que le ayudase a detener a los sarracenos. Este fue el motivo principal y visible. El motivo subyacente fue que Juan X quiso coartar de alguna manera el poder de su amante y de la familia de su amante, que ya debían de haber rebasado sobradamente los límites de intrusiones y manipulaciones.

En la Navidad de 915, siguiendo la tradición carolingia, coronó emperador a Berengario, aunque luego no recibió de él toda la ayuda prometida en la lucha contra los sarracenos.

Pero el papa Juan X no se arredró, sino que decidió unir a los príncipes de las distintas facciones para combatir a los musulmanes. Para ello formó la Liga de los Príncipes Italianos del Centro y del Sur, incluyendo en este último grupo a los bizantinos, ya que el emperador de Oriente se adhirió a la Liga, y, con ayuda de los Teofilactos, detuvieron al Islam en el monte Gangliano, en una batalla en la que cuentan que el papa Juan demostró gran arrojo e inteligencia, ya que la montaña escenario de la pelea había tenido hasta entonces fama de inexpugnable. En 916, entraban triunfantes en Roma el papa Juan X, Teofilacto y su yerno Alberico I de Camerino, entre aclamaciones del pueblo y loores de los prelados.

Además de utilizar su arrojo e inteligencia estratega en la guerra contra los sarracenos, el papa Juan supo utilizarlos para recuperar las prerrogativas y la autoridad de la Iglesia sobre el poder secular. Lo consiguió a medias en el concilio de Hohen-Altheim, donde se reunieron en asamblea los obispos francos de los tres ducados que gobernaba el rey de Alemania, Conrado I. El Papa envió a su legado Pedro de Orta. El concilio se declaró en contra de las potencias particulares y a favor de la unidad que garantizaba el rey, condenando a quienes levantaran la mano contra un ungido. Esta declaración fue un apoyo al poder de la Iglesia, que era la única institución que podía aplicar la Santa Unción.

Dotó de privilegios apostólicos a los monasterios importantes de Alemania, como Fulda y Saint Gall (hoy Suiza). Llamó al orden a los dálmatas y a los eslavos, escribiendo a los obispos correspondientes para recordarles las reglas litúrgicas romanas, porque últimamente mostraban cierta inclinación a la liturgia griega, que les resultaba mucho más próxima geográficamente.

Se ocupó de atraer a los croatas y de fomentar la liturgia mozárabe de Santiago de Compostela. Hizo muchas cosas positivas para la Iglesia de Roma, sobre todo, independizarla en lo posible del poder laico, porque no fue en absoluto el hombre de paja que esperaba la poderosa senadora Teodora.

Además, Juan X consagró obispo de Reims a Hugo de Vermandois cuando no tenía más que 5 años. Según el cardenal Baronio, tal consagración fue una monstruosidad jamás vista, pero el padre del muchacho argumentó cargado de razón que si el niño podía ser conde por qué no iba a ser obispo. Además, los condes de Vermandois eran muy poderosos, descendían de Carlomagno, concretamente de Bernardo, aquel rey de Italia a quien había hecho cegar su tío Luis I el Piadoso.

Mientras el Papa se ocupaba de los asuntos religiosos, el hervidero de ambiciones, rencillas y rencores que eran Roma y casi toda Italia continuaba incesante su actividad, consistente en matarse los unos a los otros o, cuando menos, hacerse todo el daño posible.

Entre 924 y 928 ocurrieron muchas cosas muy importantes para el papado y para la historia de Italia.

En 924 murió Berengario de Friuli, rey de Italia y emperador. Murió de la causa más frecuente en aquella época, apuñalado por la espalda mientras oía misa en Verona, aunque parece que él mismo se ganó aquella muerte indigna como un castigo merecido.

Dado que, en aquellos tiempos, ostentar la corona o haber recibido la unción sacramental no eran garantía de reinar con un mínimo de tranquilidad, se había formado una alianza entre Guido de Toscana, Adalberto de Ivrea, el arzobispo de Milán, Lamberto, el marqués de Olderico y el conde Giselberto de Bérgamo, cuyo objetivo era destronar a Berengario y entregar la corona a su rival, Rodolfo II de Borgoña, quien les había prometido grandes beneficios si le ayudaban a conseguir el ansiado trono italiano.

Cuando Berengario lo supo, puesto que ya no le quedaban príncipes con los que aliarse, hizo lo peor que podía hacerse en aquella época, aliarse con los húngaros. Los húngaros o magiares eran entonces hordas de salvajes a los que las gentes creían descendientes de aquellos temibles hunos, cuyo objetivo era, como el de todos los pueblos invasores, matar, pillar, saquear, incendiar, destruir y conseguir el mayor botín posible. La única manera de pacificarlos era entregarles algo valioso que no pudieran lograr por sus medios, como un territorio, un título nobiliario o una princesa en matrimonio para el caudillo. Pero como nadie había tenido aún la suficiente clarividencia para ofrecerles títulos, ni princesas, ni territorios, los húngaros combatieron a los príncipes aliados a su manera, es decir, asolando, destruyendo, violando y saqueando cuanto encontraban. Aquello dio legitimidad a los príncipes para planificar el asesinato de Berengario. Desde el punto de vista del pueblo, matarle significaba vengar el terror a que los sometían los salvajes aliados del rey; desde el punto de vista de los príncipes, matarle suponía disponer de los dos tronos que ocupaba.

De esta manera, el trono imperial y el trono de Italia quedaron libres, lo que, como era de esperar, provocó una nueva tanda de luchas sangrientas entre los pretendientes. Si luchaban entre sí y contra el monarca que poseía el poder, cabe imaginar lo que harían cuando el trono estuviera vacante. Y aquella vez había dos tronos para disputarse.

Además de Berengario, murió Alberico I. Parece ser que ascendió más de lo que debía, que pretendió el dominio total sobre Roma, suponemos que nominal, porque el dominio real lo tenía su suegra, Teodora, y que sus oponentes se aliaron para expulsarlo de la ciudad. Terminó como había empezado, al frente de una cuadrilla de soldados bandidos refugiados en una fortaleza de Toscana, donde los húngaros los mataron tras un corto asedio, dejando a Marozia viuda.

En 925 murió Teofilacto. Teodora la Mayor había fallecido poco antes, por lo que Marozia quedó huérfana. Heredó el título de Senadora de Roma y todo el poder de su padre y de su madre. Roma entera fue para ella sola. Más de un autor le ha otorgado el título de papisa.

Rodolfo II de Borgoña, aquel que había combatido contra Berengario I de Friuli por el trono de Italia, fue uno de los candidatos al trono vacante. Pero cometió el error de enamorarse de otra mujer fatal, Ermengarda de Toscana, viuda de aquel Adalberto de Ivrea que fuera su aliado, y nieta del rey Lotario II.

La mujer fatal en cuestión, de quien se cuenta que incluso llegó a ser excomulgada por dos papas que se enamoraron de ella y a los que negó sus favores, era hermanastra de Guido de Toscana y de Hugo de Provenza. Alguien comparó alguna vez a Ermengarda con Cleopatra, la reina en el arte de la seducción, pero, en todo caso, el área de influencia de ambas fue muy diferente.

El papa Juan X, que había recuperado su poder al morir Teodora, vio pronto el peligro que le amenazaba ante Marozia, ya sola y libre. Como era inteligente, comprendió que la hija resultaría mucho más peligrosa que la madre por dos razones. La primera, porque la madre estaba enamorada de él y había podido controlarla con la afectividad, lo que no era el caso de Marozia. La segunda, porque Marozia tenía dos hijos, Alberico II el Joven, que, en 926, tenía unos 14 años, y Juan, el hijo del papa Sergio, que tendría entonces alrededor de 20 años. Lo lógico sería que Marozia estuviera pensando en poner a uno de sus hijos en la silla de San Pedro.

Ermengarda, la mujer fatal, sentía cierta debilidad por su hermanastro Hugo de Provenza y se alió con él, a pesar de ser la amante de Rodolfo de Borgoña, su enemigo. Y se alió con él cuando Hugo y Rodolfo se encontraban en plena guerra por conseguir el trono italiano. Rodolfo debió de sufrir un enorme desengaño, y dicen los cronistas que estaba tan enamorado de la bella Ermengarda que no fue capaz de continuar la lucha, porque los celos pudieron más que su interés por el trono. En consecuencia, Hugo tuvo un contrincante menos contra el que luchar y solo le quedó como rival importante su hermanastro Guido de Toscana.

Entonces fue cuando el papa Juan X se dispuso a jugar su baza. Coronaría rey a Hugo y obtendría su apoyo frente a los previsibles ataques de Marozia. Mientras, el obispo de Milán, Lamberto, había cambiado de bando y abogaba también por coronar a Hugo. Con todas las bendiciones del pueblo, el papa salió a su encuentro en Mantua y le coronó rey de Italia en 926.

Pero no fue tan buen rey como esperaban, porque también reinó con inflexibilidad y crueldad, aunque los italianos ya debían de estar acostumbrados a tales comportamientos reales.

Entonces, Marozia se encontró sola frente al bloque que formaban el papa y el rey. Era cierto que ella tenía planes, pero no para su hijo legítimo Alberico II, sino para el ilegítimo, Juan, a quien estimaba más por ser el primogénito y, además, hijo de un papa. Alberico había quedado relegado a un segundo plano, acumulando inquina que un día le costaría cara a su inconsciente madre. Pero, entretanto, ella preparaba a Juan para hacer de él un gran papa que le devolviera todo el poder de Roma. De esa manera, Marozia dispuso su armamento para salir victoriosa en la contienda que se avecinaba.

Mientras el papa se desplazaba a Mantua para aliarse con Hugo de Provenza y coronarle rey de Italia, ella ofreció su bella mano al hermanastro que quedaba libre, Guido de Lucca, marqués de Toscana. Además de su mano, le aportaría un buen número de soldados heredados de su anterior marido Alberico I. Naturalmente, Guido aceptó el matrimonio. Y entonces ella se pudo sentar a la puerta de su palacio, a ver pasar el cadáver de su enemigo el papa Juan X.

Dos años se defendió el papa a capa y espada de los soldados del marqués de Toscana, con ayuda de su hermano Pedro, al que había nombrado cónsul, y con ayuda de soldados mercenarios húngaros. Pero en 928, a finales de mayo, algo falló en su defensa y las tropas papales tuvieron que replegarse al palacio de Letrán. Los soldados de Guido de Toscana capturaron a los dos hermanos, Juan y Pedro, y los encerraron en una mazmorra del Castillo de Sant'Angelo, donde cuentan que el mismo marqués se encargó de matar a Pedro en presencia de su hermano el papa y, después, se ocupó de asfixiar a este último con una almohada.

Quizá para disimular su participación en los hechos, todavía esperó Marozia tres años antes de llevar a su hijo al solio pontificio. En el intermedio hubo otros dos papas figurantes que ocupa-

HUGO DE PROVENZA

Hugo de Provenza era hijo de Lotario, conde de Arlés, por lo que muchos historiadores lo llaman Hugo de Arlés. En las crónicas aparece indistintamente como Hugo de Arlés y como Hugo de Provenza. El nombre más completo que aparece de este personaje es Hugo de Lucca, conde de Arlés, rey de Provenza y rey de Italia.

ron el trono y lo mantuvieron caliente para el papa definitivo. En marzo de 931, ascendió a la silla de San Pedro el papa Juan XI.

Y ¿para qué necesitaba ya Marozia a su marido? Tenía un hijo papa y un medio cuñado rey, que podía ser emperador si el papa le coronaba. ¿A qué esperaba para ser reina y emperatriz?

Lo primero que hizo, según los cronistas más enconados, fue librarse de Guido de Toscana. Fuera ella o fuera de muerte natural, el caso es que Guido murió el mismo año de la coronación de Juan XI, 931, y que Marozia empezó a pensar en casarse con Hugo de Provenza. Tenía casi cuarenta años, pero dicen que aún era muy hermosa y que, cuando llamó al rey Hugo a su lado, este no se hizo de rogar.

Liutprando de Cremona cuenta que fue paje en la corte de Hugo y que se quedó espantado cuando le vio a los pies de Marozia.

Después de ser coronado rey de Italia, en 928, Hugo trató de consolidar su soberanía en la Baja Borgoña, que hasta entonces había sido reino de Luis III el Ciego, quien murió aquel año. Pero al final fue Rodolfo de Borgoña, su eterno rival amante de su hermanastra Ermengarda, quien obtuvo la soberanía del reino que había dejado libre Luis III el Ciego.

Eso sucedió ya en 933, cuando los dos rivales llegaron a un acuerdo y Hugo quedó como rey de Italia con la garantía de que Rodolfo no trataría de arrebatársela. Para sellar la paz, Rodolfo entregaría en matrimonio a su hija Adelaida a Lotario, hijo de

Hugo y asociado por este al trono de Italia. Pero no se casaron hasta 947.

Marozia era cruel, ambiciosa y despiadada, y cuentan que también mandó matar al papa que había reinado antes que su hijo Juan, Esteban VII, a pesar de que fue un monigote a sus órdenes. Pero su futuro esposo el rey Hugo era digno de ella. Dicen que fue un sátiro y, su corte, un burdel. Fue bebedor, glotón y jugador, y también parafílico, porque cuentan que una de las cosas que más le excitaban sexualmente era gozar con una aldeana sucia y desharrapada.

Para casarse con Marozia, que le ofrecía la posibilidad de ser emperador, había un único inconveniente. Eran hermanastros políticos. Pero eso lo solucionó Hugo acusando públicamente a su madrastra de adúltera para demostrar que Guido de Toscana no había sido hermano suyo. Tras declararle bastardo, preparó su boda con la marquesa.

En febrero de 932, Hugo salió de Pavía camino de Roma, donde le esperaba la novia con un enorme cortejo de parientes, amigos y súbditos. El papa los casaría en el castillo de Sant'Angelo, propiedad de la familia Teofilacto.

Como era dos veces viuda, Marozia no le esperaba vestida de blanco, sino vestida de púrpura, clara alusión a su siguiente objetivo que era la púrpura imperial. Indro Montanelli cuenta que, aunque la novia se había adornado con ricas joyas de oro y piedras preciosas, el novio la encontró arrugada y avejentada, sobre todo si la comparaba con sus desaliñadas aldeanas de la Baja Lombardía o las desgreñadas lavanderas de Pavía. Se casaron ante el panteón de Adriano y fijaron su residencia allí mismo, en el castillo de Sant'Angelo. Su siguiente objetivo era que el papa los ungiese emperadores de Occidente.

Pero en todas las historias perversas, los malvados, ufanos de su poder, de sus logros o de su alcurnia, se olvidan siempre de alguien que, relegado a un rincón de su hacienda, aguarda el momento propicio para vengar las infamias.

El humilde olvidado fue aquella vez Alberico II, el hijo legítimo de Marozia y de su primer esposo el soldado. Era hermanastro del papa, pero la tercera boda de su madre no dejaba espacio para él. Su padrastro tenía a su propio hijo Lotario asociado al trono y, si el papa llegaba a coronarle emperador, Hugo querría que el heredero imperial fuera su propio hijo, no su hijastro Alberico.

Indagando y cavilando, Alberico el Joven llegó a una conclusión. Antes o después, su padrastro le haría sacar los ojos para inutilizarle y dejar libre el camino a su hijo y su propia madre, más interesada en ser emperatriz que en su pobre hijo abandonado, no le iba a defender.

Un bofetón que hizo historia

El historiador Gregorovius cuenta cómo el propio Hugo facilitó a su hijastro el camino para librarse del destino cruel que le esperaba.

Hugo era un hombre malvado, iracundo y déspota, y pronto reveló su verdadero carácter. Fue poco después de su boda, en una de las fiestas de celebración que los futuros emperadores celebraron en Sant'Angelo.

El joven Alberico se había convertido en paje de su padrastro, y su madre le obligaba a servirle el vino y a verter agua para que Hugo se lavara las manos. Eran una humillación tras otra las que cada día confirmaban a Alberico el destino que le estaba esperando.

En aquella fiesta, Alberico el Joven dejó caer, unos dicen que el agua y otros que el vino, pero el resultado fue que Hugo le propinó un sonoro bofetón en presencia de la corte. Y el joven salió corriendo y llorando ante las burlas de todos.

Pero ya hemos visto en situaciones anteriores que no eran tiempos para burlarse ni gastar bromas pesadas. Alberico corrió perseguido por los perros del rey que un mayordomo lanzó contra él y tuvo que refugiarse en el Coliseo. Y, desde aquel lugar histórico, comenzó a arengar a los romanos con todo el ardor de la

El castillo de Sant'Angelo es una fortaleza junto al Tíber que edificó Adriano para su propio mausoleo, aunque fue Antonino Pío quien terminó de construirla. Este castillo ha sido utilizado por los gobernantes de Roma, tanto eclesiásticos como laicos, para defenderse o para encarcelar a enemigos capturados.

ofensa recibida y con toda la rabia de las humillaciones acumuladas: "Si me pega a mí, qué os hará a vosotros".

No faltan autores que afirman que Alberico solo quería vengarse del bofetón y que él mismo se sorprendió e incluso se asustó al ver la envergadura que llegó a alcanzar su arenga. Pero es evidente que los romanos debían de estar cansados de Marozia y de sus manejos. Por otro lado, hay que tener en cuenta que el pueblo nunca recibía ni siquiera las migajas de todas las ganancias y prebendas que se repartían o se disputaban los nobles, por lo que nada tenía que perder ya que no debía poseer casi nada y una ocasión de saquear una casa de ricos no debía resultarle desdeñable. Lo hemos visto en todas las revoluciones en las que el pueblo se ha levantado contra sus gobernantes. La masa ha aprovechado la revuelta para llevarse todo lo que ha podido, todo lo que ha admirado y que siempre le ha parecido inalcanzable. Y lo que no se ha podido llevar, lo ha destruido.

Aquello debió, pues, ser el motor que impulsó al pueblo de Roma a avanzar convertido en una muchedumbre furiosa hacia el castillo de Sant'Angelo. Hugo los vio, aterrado, cruzar el puente sobre el Tíber. Como no le había parecido prudente hacer entrar a los soldados en Roma durante su boda, los suyos estaban acampados fuera de las murallas, por lo que mal podían defenderle. Ordenó cerrar todas las puertas y se refugió con Marozia en el panteón de Adriano, después de enviar un recado a su ejército para que viniera a socorrerlo.

Pero a socorrerlo a él, no a socorrerlos a ambos, porque también era un cobarde. Presa del pánico, Hugo salió de puntillas del panteón mientras su mujer dormía, y se descolgó por una cuerda desde la ventana. Y cuando llegó abajo, corrió lo más rápidamente que pudo hasta atravesar la muralla y reunirse con su ejército. En lugar de entrar con ellos a salvar a su mujer, se marchó al galope a Pavía y dejó detrás su matrimonio, su castillo y su posibilidad de ser emperador.

Alberico solo tuvo que entrar en Sant'Angelo y encerrar a su madre en un convento, donde pasó los últimos años de su vida, que no fueron muchos, ya que estos hechos sucedieron en 932 y, en 937, ya no vivía, puesto que Hugo se volvió a casar. El papa Juan sufrió el mismo castigo por haber consentido en aquel matrimonio. Acabó sus días encerrado en el palacio de Letrán, donde murió en diciembre de 935.

El pueblo romano reconoció a Alberico II príncipe y senador, y dicen que reinó durante veintidós años con bastante acierto y equidad.

Precisamente en aquellos momentos, el abad Odón de Cluny había dado los primeros pasos para la reforma que después se llamó cluniacense, un principio de reconstrucción de las bases de

Fundada por los monjes franceses del siglo X, la orden de Cluny protagonizó la reforma de la Iglesia que el papa Gregorio VII impulsó en el siglo XI. Alberico II, príncipe y gobernador de Roma, protegió los primeros pasos de la reforma iniciada por el abad Odón de Cluny.

la Iglesia que culminaría en el siglo XI con Gregorio VII y otro abad de Cluny, San Hugo.

Alberico II protegió al abad de Cluny, propició la reforma de la Iglesia, que estaba siendo muy necesaria, y ambos reorganizaron el monacato occidental, ya con ayuda del siguiente papa, León VII, a quien muchos acusan de haber sido un simple instrumento en las manos de Alberico II.

Y también dicen que lo mismo les sucedió a los papas siguientes, Esteban VIII, Marino II y Agapito II, aunque Martín de Troppau, el cronista de la papisa Juana, asegura que Esteban VIII se rebeló contra su príncipe y encabezó una conjura, lo que le llevó a prisión, donde murió de las heridas que le produjeron al cortarle la nariz como castigo.

De Agapito II puede decirse que realmente se sometió a Alberico, porque hizo un intento de coronar emperador a Otón el Grande, quien, vencedor de su oponente, esperaba en Pavía un aviso del Papa para correr a Roma y recibir la unción sacramental. Cuentan los cronistas que Alberico se negó en absoluto, que el papa Agapito obedeció y que el aspirante a emperador tuvo que replegarse a Alemania en espera de un momento más adecuado.

Pero otros autores aseguran que Alberico II no ejerció tiranía alguna ni manejó a los papas como habían hecho su madre y su abuela, sino que limitó la autoridad papal a los negocios espirituales y privó al papado de su poder temporal.

Si fue así, es cierto que la medida resultó sumamente inteligente, porque durante aquellos años no hubo luchas por el papado ni facciones que apoyasen a uno u otro aspirante a la silla de San Pedro. No habiendo poder temporal que codiciar, el papado se mantuvo limpio de bandidaje y recayó en manos más o menos dignas.

Además, es muy probable que también por ese motivo prosperase la reforma cluniacense, dado que los papas se dedicaron a reformar la Iglesia y a evangelizar a los húngaros y a los normandos, que es a lo que deberían haberse dedicado siempre.

Y cuentan que fue un gobernante inteligente y capaz, que supo utilizar los escasos recursos de Roma. Escasos porque, a diferencia de otros feudos que prosperaban gracias al comercio o a la industria, en Roma no había más que clérigos que vivían de los legados recibidos en su consagración, nobles que vivían de las rentas heredadas o ganadas en la guerra, y plebeyos que vivían prácticamente de limosnas y migajas.

También es cierto que fue un dictador, pero en aquellos tiempos la democracia era incomprensible. Alberico II dividió Roma en doce distritos, cada uno al mando de un jefe militar, con una milicia bien pagada, elegida entre los ciudadanos y que prestaba juramento de fidelidad.

Trasladó la sede de la justicia a los palacios de Aventino y de la vía Lata, en la que ya dijimos que Teofilacto tenía propiedades, y allí se juzgaban no solamente las causas civiles, sino también las eclesiásticas. Aquello supuso un recorte importante de los poderes eclesiásticos, pero el resultado debió de ser bueno, porque en lo que todos los cronistas parecen estar de acuerdo es en que el gobierno de Alberico II fue para el pueblo de Roma un período de paz, una paz que muchos tenían ya olvidada y otros ni siquiera habían llegado a conocer.

En 933, todavía volvió a aparecer Hugo de Provenza en un intento fallido por reconquistar la Roma que perdió por un bofetón a destiempo y, según dicen algunos cronistas, por liberar a su mujer prisionera en el convento; pero Alberico supo defenderse y, además, una peste muy oportuna para él e inoportuna para Hugo le obligó a abandonar la empresa, porque sus soldados se redujeron en un número importante. Al final tuvo que negociar la paz con su hijastro y darle, como garantía, a su hija Alda.

De ella tuvo un hijo que nació en 936, Octaviano de Tusculum, a quien sus padres educaron para ser militar. Años después se casó, o quizá solamente se unió, con una noble senadora romana llamada Estefanía, de la que tuvo un hijo que llegó a ser un importante personaje en la historia posterior, Gregorio I de Tusculum.

Hablaremos más delante de ambos hermanastros.

UN CUENTO DE HADAS

Aunque Alberico el Joven mantuvo la paz en Roma, el resto de Italia continuó siendo un hervidero de rencillas, ambiciones y luchas constantes por el poder.

Tras uno de sus intentos fallidos de apoderarse de la Urbe, Hugo de Provenza tuvo que huir perseguido por su hijastro, llegó a Lombardía y allí encontró una sorpresa desagradable. Muchos de los príncipes que tiempo atrás le apoyaron se habían sublevado contra él, porque había surgido un rival poderoso, hijo de uno de los nobles que en su día le habían elevado al trono, Berengario de Ivrea. Además de los de Ivrea, otros nobles se habían revuelto contra su rey para independizarse de la corona, como los marqueses de Toscana y de Friuli.

Así pues, donde antes había encontrado amigos, Hugo encontró príncipes díscolos, contra quienes no tuvo más remedio que luchar. Y, mientras el rey de Italia guerreaba contra sus súbditos rebeldes, Alemania se reorganizaba para dar al mundo una sorpresa que nadie esperaba.

Unos años atrás, los nobles franconios y sajones habían elegido rey a Enrique I el Pajarero, llamado así porque estaba cazando pájaros cuando vinieron a avisarle de su elección.

Enrique I había sido un gran rey, justo, prudente y sagaz estratega, que había conseguido controlar a los húngaros por la fuerza, causándoles tan graves descalabros en 933 que no habían vuelto a intentar entrar en tierras alemanas.

Construyó ciudades fortificadas en Turingia y en Sajonia, ejercitó a sus vasallos en la pelea a caballo, instituyendo la caballería alemana bajo la bandera del arcángel San Miguel, que luchaba al grito de ¡Con Dios y por el honor del Imperio alemán!

La historia de Lohengrin, que Wagner recogió en su célebre ópera, presenta las virtudes del rey Enrique el Pajarero, fundador de la dinastía alemana que ostentó la corona del Sacro Imperio Romano y le agregó el calificativo de Germánico.

En lugar de someter por la fuerza a sus nobles, hizo de mediador en sus querellas y respetó la autonomía de los francos, alemanes y bávaros, porque quiso unificar Alemania creando una confederación de estados. Por todos fue obedecido como rey y sobre todos reinó con justicia, bondad y sabiduría. Sus bondades y bien hacer aparecen en un poema medieval convertido siglos después en ópera, *Lohengrin*.

Enrique I fundó la monarquía alemana que continuó su hijo Otón I el Grande, el primer alemán que reconquistó el Imperio Carolingio, el cual, a la llegada de los Otones, se convirtió en el Sacro Imperio Romano-Germánico, aunque hay quien afirma que ese título se lo dio Federico Barbarroja y que en tiempos de los Otones se llamaba Santo Imperio Romano.

Otón I ascendió al trono alemán a los 24 años de edad, en 936. Widukindo de Corbey, cronista de los sajones, cuenta que eligió Aquisgrán para su coronación, para hacer constar que él era el sucesor de Carlomagno. Le ungieron el 7 de agosto de 936, al estilo de los francos, y fue aclamado por todos los príncipes, cosa indispensable para poder coronarse, ya que Alemania, a diferencia de otros reinos, no era una herencia transmisible, sino un gobierno a recibir por aclamación de los señores feudales. El arzobispo Hildebrando de Maguncia influyó de forma determinante en su aclamación, unción y coronación. Ya hemos dicho que el papa Agapito no se había animado a coronarle por la negativa de Alberico II.

Pero el ceremonial que se llevó a cabo en Aquisgrán en 936 quedó perpetuado en el *Pontifical romano-germánico*. Fue el modelo utilizado durante toda la Edad Media dentro y fuera del Imperio.

En el reino de los Otones, los obispos eran príncipes, es decir, no solamente eran pastores, sino duques y condes del Imperio en lo que se llamó Sistema Otoniano de la Iglesia Imperial. El arzobispo Guillermo de Maguncia, años después de la coronación de Otón I, se quejaba en una carta dirigida al papa Agapito II de que los duques y los condes se arrogaban las competencias de los obispos y, los obispos, las competencias de los duques y los condes. Pero esta crítica parece que no se debió a la oposición del arzobispo al rey, sino a haberse enterado de que este iba a crear nuevas diócesis y archidiócesis, lo que sin duda iba a mermar su poder.

En una de las muchas peleas que se libraron entre Hugo de Provenza y Berengario de Ivrea, este último tuvo que salir huyendo de Italia y refugiarse en la corte de Otón I. Y no le quedó más salida que jurarle fidelidad como vasallo para conseguir su apoyo como pretendiente al trono italiano. Al menos eso creyó Berengario, quizá porque no se había dado cuenta de que el objetivo de Otón iba encaminado a gobernar Francia e Italia, porque se sentía heredero de Carlomagno. Y también se había propuesto apoderarse de Roma, aunque solo fuera para liberar al papado de aquella vergonzosa obediencia al príncipe que, entre otras cosas, le había impedido a él recibir la corona de manos del Papa.

En 941, Hugo de Provenza se había casado con la viuda de su antiguo rival Rodolfo de Borgoña, Berta de Suabia, y reinaba a la par con su hijo Lotario quien, como dijimos, se casó en 947 con Adelaida, hija de Rodolfo. Curiosamente, la Iglesia no consideró incestuoso aquel matrimonio, aunque madre e hija se casaran con padre e hijo, probablemente porque no implicaba problemas sucesorios ni afectaba a otros intereses.

Estando refugiado en la corte de Otón, Berengario de Ivrea supo que los condes longobardos habían vuelto a rebelarse contra el rey Hugo y que su rival tenía las horas contadas, por lo que partió hacia Pavía con un ejército prestado por los sajones. Pero cuando llegó, no encontró a Hugo, sino a su hijo Lotario, quien le obligó a abandonar su propósito de conquistar la corona de Italia, porque, con las armas en la mano, le convenció de que él era el único heredero legítimo.

Hugo de Provenza, que ya tenía muchos años, volvió a su tierra natal donde dicen que murió de un atracón de higos, que eran su plato predilecto, en brazos de una sirvienta.

Desaparecido Hugo, Berengario no perdió el tiempo e hizo servir a Lotario una copa de veneno, con lo que le eliminó oportunamente en 950, para que él pudiera finalmente coronarse rey de Italia o, mejor dicho, de lo que quedaba de Italia, porque ya comentamos que se habían independizado muchos estados, otros seguían en poder de Bizancio y, otros, en manos de los sarracenos.

Dicen que Adelaida, la viuda de Lotario, era una mujer bellísima que había sido amante o, más probablemente, concubina de su suegro Hugo. Berengario pidió su mano para su hijo Adalberto de Ivrea, pero ella se negó. Para hacerle cambiar de parecer, Berengario la hizo encerrar en una torre junto al lago de Garda.

Pero el destino de Adelaida no era morir en una torre ni casarse con el insignificante Adalberto. Un monje llamado Martín supo de su cautiverio y cavó un túnel por el que la bella Adelaida pudo huir y esconderse en el bosque, donde el monje la alimentó durante un tiempo a base de pescados del lago de Garda, hasta que pudo advertir del hecho al duque de Canossa, Alberto Atto, vasallo del obispo de Reggio, quien acudió a rescatarla y la condujo a su castillo.

Pero ni Berengario ni Adalberto contaban con grandes simpatías entre los italianos, por lo que estos se organizaron para enviar a Otón el Grande una llamada de auxilio, contándole los malos tratos que había recibido una hermosa princesa que aguardaba, como en los cuentos, en el castillo del duque de Canossa. Para completar el cuento, solo era necesario que viniera a buscarla un valiente príncipe azul.

Y Otón viajó a Italia. En primer lugar, porque ya dijimos que su objetivo era llegar a emular a Carlomagno y le venía muy bien entablar amistad con los italianos, ser su valedor y, el día de mañana, su emperador. En segundo lugar, porque había oído grandes elogios de la hermosura de Adelaida, así como de las buenas relaciones con las que contaba en Italia. En tercer lugar, porque hacía cinco años que había quedado viudo de Edith de Wessex, y ya iba siendo hora de que se casara de nuevo. Su madre se lo recordaba a todas horas.

En 951, Otón el Grande cruzó los Alpes, llegó a Canossa, recogió a Adelaida y se fue con ella a Pavía, donde contrajeron matrimonio el mismo día de Navidad.

Siguiendo la política pacífica de su padre Enrique el Pajarero, Otón no se lanzó a la conquista de Italia, sino que coronó rey al mismo Berengario de Ivrea, pero convirtiéndole en su vasallo mediante aquel juramento feudal que ligaba de por vida.

Además, le había quitado la novia a su hijo.

Después, Otón envió a Roma a su embajador, intentando conseguir la alianza del papa, pero ya dijimos que Alberico II ni siquiera le dejó entrar en la ciudad. Hay que tener en cuenta que Alberico era ya viejo y que había perdido, en gran parte, la estima que el pueblo romano sentía por él. Se había vuelto un tirano insoportable, y por ello los romanos habían aceptado la coronación del nuevo rey Berengario II, sin advertir que su mirada ambiciosa se dirigía hacia el patrimonio de San Pedro.

Tampoco lo advirtió Otón I, que se retiró a Alemania a seguir esperando su momento. Es cierto que fue un gran rey. Puso bajo control a las hordas de húngaros o magiares como les llamaban entonces, que tenían estremecida de terror a Europa entera, hasta el punto de que los mismos sarracenos los temían. No habían vuelto por Alemania, pero recorrían Italia mostrando sus cabezas afeitadas y comiendo carne cruda, por lo que las buenas gentes creían a pies juntillas que se alimentaban de cadáveres humanos. Eso es, al menos, lo que cuenta Widukindo, cronista de la casa de Sajonia.

Además de valeroso, Otón demostró ser benevolente y sumamente paciente, sobre todo, cuando le tocó bregar con los descendientes de Marozia.

EMPERADORES DEL SACRO IMPERIO ROMANO Y ROMANO-GERMÁNICO

Emperador	Reinado	Dinastía
Carlos I (Carlomagno)	800 - 814	Carolingios
Luis I el Piadoso (Ludovico Pío)	814 - 840	Carolingios
Lotario I	840 - 855	Carolingios
Luis II el Germánico	855 - 875	Carolingios
Carlos II el Calvo	875 - 877	Carolingios
Carlos III el Gordo	881 - 887	Carolingios
Guido de Espoleto	891 - 896	Espoleto
Lamberto de Espoleto	894 - 898	Espoleto
Arnulfo de Carintia	896 - 899	Carolingios
Luis III el Ciego	901 - 905	-
Berengario I de Friuli	915 - 924	-
Otón I	962 - 973	Sajonia
Otón II	973 - 983	Sajonia
Otón III	983 - 1002	Sajonia
Enrique II de Baviera	1002 - 1024	Baviera
Conrado II el Sálico	1024 - 1039	Franconia
Enrique III el Negro	1039 - 1056	Franconia
Enrique IV	1056 - 1106	Franconia
Enrique V	1106 - 1125	Franconia
Lotario II	1125 - 1138	Sajonia
Conrado III	1138 - 1152	Suabia (Hohenstaufen)
Federico I Barbarroja	1152 - 1190	Suabia (Hohenstaufen)
Enrique VI	1190 - 1197	Suabia (Hohenstaufen)
Felipe	1197 - 1208	Suabia (Hohenstaufen)
Otón IV	1208 - 1218	Brunswick
Federico II	1196 - 1250	Suabia (Hohenstaufen)
Conrado IV	1250 - 1254	-

Emperador	Reinado	Dinastía
Ricardo de Cornualles (rival del siguiente)	1257 - 1271	-
Alfonso X de Castilla (rival del anterior)	1257 - 1273	-
Rodolfo de Habsburgo	1273 - 1291	Habsburgo
Adolfo de Nassau	1291 - 1298	Nassau
Alberto I	1298 - 1308	Habsburgo
Enrique VII	1308 - 1313	Luxemburgo
Luis IV el Bávaro	1314 - 1347	Wittelsbach
Carlos IV	1347 - 1378	Luxemburgo
Wenceslao	1378 - 1400	Luxemburgo
Roberto	1400 - 1410	Baviera
Segismundo	1410 - 1437	Luxemburgo
Alberto II	1438 - 1439	Habsburgo
Federico III	1140 - 1493	Habsburgo
Maximiliano I	1493 - 1519	Habsburgo
Carlos V	1520 - 1556	Habsburgo
Fernando I	1556 - 1564	Habsburgo
Maximiliano II	1564 - 1576	Habsburgo
Rodolfo II	1576 - 1612	Habsburgo
Matías	1612 - 1619	Habsburgo
Fernando II	1619 - 1637	Habsburgo
Fernando III	1637 - 1657	Habsburgo
Leopoldo I	1658 - 1705	Habsburgo
José I	1705 - 1711	Habsburgo
Carlos VI	1711 - 1740	Habsburgo
Carlos VII	1742 - 1745	Baviera Wittelsbach
Francisco I	1745 - 1763	Habsburgo Lorena
José II	1764 - 1790	Habsburgo Lorena
Leopoldo II	1790 - 1792	Habsburgo Lorena
Francisco II	1792 - 1806	Habsburgo Lorena

EL REINADO DE LOS DESCENDIENTES DE MAROZIA

Antes de morir de disentería en 954, Alberico II, que ya se sentía muy enfermo, cometió los dos errores más grandes de su vida, creyendo que realizaba una genialidad. Decidió que la única manera de que su sucesor fuera dueño de Roma y del patrimonio de San Pedro, es decir, que reuniese los derechos del papa y los del gobierno de la Urbe, era que, quien reinase sobre Roma, fuese al mismo tiempo papa.

Moribundo, después de tan extraordinaria idea, se arrastró al altar de San Pedro, llamó a los nobles y al papa Agapito y les hizo jurar que elegirían papa a su hijo Octaviano, conde de Tusculum, cuando el actual papa falleciese.

El primer error fue no conocer en absoluto el talante de su hijo Octaviano, a quien, como ya dijimos, había educado para soldado y no para religioso, porque ni siquiera sabía latín. Ni latín ni ninguna otra cosa que no fuera la guerra. En aquellos tiempos, ser analfabeto no excluía de ningún lugar privilegiado. La misma Marozia, su madre Teodora y su padre Teofilacto parece que fueron totalmente iletrados.

El segundo error de Alberico fue creer que el papa reinante iba a vivir más tiempo. No fue así. Agapito II murió en diciembre de 955, un año escaso después de morir el mismo Alberico.

Cumpliendo lo prometido, los nobles llevaron a la silla papal a Octaviano, conde de Tusculum, quien tomó la tiara con el nombre de Juan XII, el 16 de diciembre de 955. Alguien le sugirió que cambiara su nombre, Octaviano, que era pagano, por el de Juan, que era nombre de santo. Fue el primer papa que cambió de nombre y, tras él, muchos otros lo hicieron. Tenía 17 años.

Como ya dijimos que le habían educado para soldado y no para clérigo, los lugares preferidos de reunión del joven Octaviano eran las tabernas y los burdeles. Y cuando se convirtió en papa no solamente no prescindió de ellos, sino que los trasladó literalmente a la corte papal.

A los pocos días de su ascenso al solio pontificio, ya había llenado Juan XII el palacio de Letrán de eunucos, rameras, borrachos, jugadores y esclavos que servían de víctimas, amigos o sirvientes en las numerosas orgías y francachelas que allí se organizaban.

El Papa, dado que era analfabeto y carecía de cualquier tipo de ilustración, no se recataba de jurar por Venus, de brindar por Judas o por los amores de Satanás. Todo lo tomaba a juego y a diversión, hasta el punto de que ordenó diácono a un joven en las cuadras del palacio y consagró obispo a un chico de 10 años.

Y como se sentía soldado y no clérigo, acaudilló una expedición militar, mal dirigida y peor preparada, para combatir a los señores feudales de Capua y Benevento que se habían levantado contra el nuevo príncipe. Recordemos que ahora el papa era también príncipe de Roma por disposición de su señor padre. La expedición resultó un verdadero desastre, por lo que la cuadrilla tuvo que regresar a Letrán, a seguir celebrando fiestas, cacerías, timbas y organizando escándalos.

Ante semejante espectáculo, la codicia volvió a apoderarse de los nobles romanos, las facciones que habían permanecido aquietadas mientras el papa se limitó a ser el obispo de Roma se irguieron de nuevo al olor del poder y volvieron los asesinatos, las violaciones, los saqueos y los incendios. Además, el Papa no se privaba de fomentar las luchas intestinas que su padre había eliminado con su política restrictiva. Era digno heredero de Marozia y de Hugo.

Los ingresos del Patrimonio de San Pedro le permitían mantener no solamente una corte juerguista y desenfrenada, sino mesnadas de soldados que le protegían de cualquier ataque, a cambio de lo cual, el papa Juan XII solía permitirles saquear cualquier tesoro que se les antojara.

En poco tiempo, el papa Juan XII se convirtió en la réplica de Calígula. Cuentan que él y su cuadrilla se divertían violando a las mujeres que llegaban en peregrinación a la basílica de San Pedro, sin molestarse en sacarlas del templo; que las ofrendas de los altares les servían de botín; que dio a una de sus queridas el privilegio de señora feudal, nombrándola gobernadora y regalándole las cruces y los cálices de oro de San Pedro.

De todas formas, hay que tener en cuenta que todo esto lo cuenta nuestro antiguo conocido Liutprando de Cremona, aquel que tachó de rameras a Marozia y a su madre y el mismo que se quejó un día ante la emperatriz Adelaida de que el *Basileus* había menospreciado al emperador Otón I, de quien él era personalmente devoto. Es probable que en sus crónicas influyera lo mucho que el papa Juan XII, nieto de Marozia, hizo padecer al emperador Otón I, quien ya dijimos que demostró una enorme paciencia.

Aprovechando los desmanes de Juan XII, el rey Berengario II dejó de simular acatamiento y atacó directamente los territorios papales, el patrimonio de San Pedro que había vuelto a las manos pródigas del pontífice y, por ello, a despertar la codicia.

Además, Berengario II había resultado digno hijo de su época. Ya dijimos que dejó libre el trono de Italia envenenando a Lotario. Sabemos también por varios cronistas que su esposa Willa de Medici de Arlés era insaciable, y que las damas de la corte tenían que acudir a su lado sin joyas de valor, porque la reina tenía la mala costumbre de encapricharse de ellas y "pedírselas prestadas".

Decidido a invadir los territorios papales, Berengario se presentó cerca de Roma en 960.

¿Qué podía hacer el Papa? Aprovechando que su padre había muerto y que nada se oponía a su alianza con el alemán, llamó en su auxilio a Otón I.

Pero el alemán no era en absoluto impulsivo y lo pensó muy bien antes de decidirse a acudir a la llamada del papa Juan, de quien probablemente ya habría oído hablar.

En mayo de 961 fue a Aquisgrán con su hijo Otón II, para coronarle y así asegurar la continuidad dinástica. Después se dirigió a Italia, llevando consigo a su esposa Adelaida, que iba a cumplir su destino de emperatriz. Por el camino, detuvo los avances de Berengario II y le recordó que era rey de Italia en representación suya y no por derecho propio. Es decir, podía dejar de serlo si a Otón le parecía conveniente.

Otón I y Adelaida fueron ungidos el 2 de febrero de 962, con un intercambio de juramentos que constituyeron la nueva alianza entre el papa y el emperador y que, además, unió Italia a Alemania. El Papa y el pueblo de Roma hicieron juramento de fidelidad al nuevo emperador, quien concedió al pontífice el llamado *Privilegium Otonianum,* que confirmaba a Juan XII las donaciones de sus predecesores y restituía a la Santa Sede los territorios anteriormente conquistados por Berengario de Ivrea. A cambio, en adelante, todo nuevo papa debería prestar juramento de fidelidad al emperador, y el emperador no se entrometería en los asuntos religiosos. Aun así, obtuvo permiso papal para fundar un nuevo arzobispado en Magdeburgo y el privilegio de erigir diócesis en Alemania a su arbitrio.

Sin embargo, Otón I no debía de confiar en absoluto en los romanos, porque cuentan que dejó junto a las murallas un ejército de temibles soldados gigantescos, rubios y barbudos, y que entró en solemne procesión en el atrio de San Pedro *in Batecanum* sin perder de vista a su escudero Anfried, quien tenía orden de no retirar la mano de la espada ni la vista de la espalda de su rey. Parece que le dijo: "Cuando me arrodille ante el sepulcro del Apóstol, quédate detrás de mí y no me pierdas de vista". Y como el escudero arguyera que él también tenía que arrodillarse y mirar hacia el altar, Otón insistió: "Haz lo que te mando. Sé muy bien lo que mis antepasados sufrieron de estos innobles romanos".

Dicen que, además, el Emperador recomendó al Papa que cerrase los lupanares de Roma y que procurase llevar una vida más ordenada.

Cuando sucedieron estas cosas, Otón I tenía 50 años y el Papa, 25. Dicen los cronistas que por eso le trató como a un hijo y que, en lugar de darle su merecido, hizo lo posible por volverle al buen camino, sermoneándole sobre los efectos perversos que los vicios tienen sobre el cuerpo y sobre el alma y amonestándole para que se reformase. Y, como era de esperar, el Papa prometió todo lo que consideró necesario prometer.

Pero Otón el Grande se marchó a Alemania y Juan XII volvió a su vida anterior de jolgorio. No sabemos si realmente cometió todas las tropelías que se le imputan y de las que hemos hablado anteriormente, porque todo se basa en las acusaciones que le arrojaron sus enemigos cuando le depusieron. Aunque sí sabemos que cometió las que vamos a relatar a continuación.

Juan XII había heredado de su madre algunas cosas buenas y otras malas, pero desde luego que no heredó la inteligencia ni la firmeza, porque, una vez que el Emperador partió camino de su lejana y fría Alemania, el Papa no solamente volvió a sus juergas, sino que se arrepintió profundamente de haber accedido a coronarle y, sobre todo, de haber aceptado las condiciones impuestas que, por cierto, no eran tantas ni tan graves.

Pero, como era un chiquillo caprichoso e irreflexivo, olvidó en pocos días todos los juramentos y promesas, entregándose con total satisfacción a su vida anterior con mucha mayor tranquilidad. Ahora tenía quien le defendiera y, además, el Emperador le iba a devolver las posesiones arrebatadas por Berengario.

En vista de la poca seriedad que imperaba en el Papado, Berengario decidió volver a atacar y, entonces, Juan cometió una chiquillada que le costaría cara. Concibió una venganza infantil contra el emperador que tanto le sermoneaba y que además le decía lo que tenía que hacer. Tuvo la ocurrencia desatinada de ofrecer a Berengario la corona imperial. Afortunadamente, Berengario no aceptó, porque sabía a lo que se exponía.

La siguiente acción del Papa fue peor, si cabe, que la primera. Adalberto II de Ivrea, el hijo de Berengario, se había aliado con el enclave sarraceno de Provenza. En vista de que el padre no aceptaba, Juan escribió al hijo ofreciéndole la corona si iba a Roma y le liberaba del "yugo del emperador alemán". Ni siquiera se le ocurrió considerar la posibilidad de que, si Adalberto aceptaba, además de enfrentarse a Otón I, estaría abriendo las puertas de Roma a los sarracenos.

Por fortuna para él mismo, Adalberto no se atrevió a aceptar. Pero Juan no se arredró y continuó imparable dirigiendo embajadas a los húngaros del norte y al mismo emperador bizantino.

Seguramente interceptaron los correos pontificios, porque Otón se enteró de sus manejos. Le debió de parecer increíble que el papa hubiera podido llegar a urdir algo semejante, pero, como ya dijimos que se había propuesto enderezar aquella vara torcida, en lugar de enviarle un ejército y acabar con él por la fuerza, envió una embajada a Roma para que averiguase si era cierto lo que había oído decir de él.

Lo era. Los embajadores regresaron a Alemania contando el desenfreno y la violencia con que se cebaban en Roma, mientras que el pontífice se divertía con sus concubinas, sus esclavos, sus orgías y sus juegos.

Cuenta Liutprando, y no hay que olvidar que sentía debilidad por su emperador Otón I, que este se mostró benevolente, entendiendo que el Papa era un joven sin formación eclesiástica alguna, puesto ahí por un capricho de su irreflexivo padre, aquel Alberico II que no quiso siquiera recibirle en Roma, y que era necesario darle una nueva oportunidad para que se corrigiera.

Por tanto, en lugar de castigarle, se dedicó a evangelizarle con nuevos sermones, embajadas y poco menos que misioneros. Por curiosidad, veamos un párrafo del texto de una de las cartas atribuidas al emperador Otón y dirigidas al papa Juan XII:

"Santidad, todos, tanto los clérigos como los seglares, os acusan de homicidio, perjurio, sacrilegio, incesto con vuestros familiares, incluso con dos de vuestras hermanas, y por haber invocado a Júpiter, Venus y otros demonios, como si fuerais un pagano".

Podemos suponer la jocosidad que debieron producir en el Papa aquellas reprimendas paternales. Y como no le costaba nada simular sometimiento, respondió con emisarios que aseguraban que ya se había reformado completamente y que ahora se comportaba conforme a los deseos del Emperador; es decir, como debía comportarse un pontífice de la Iglesia. Además, aprovechó el inter-

Juan XII fue nombrado papa a los 17 años, por decisión de su padre. Sin embargo, no le habían educado para ser papa, sino para ser soldado y, como tal, convirtió las estancias papales en un cuartel y en un lupanar.

cambio de correos para recordar a su benefactor que aún no le había devuelto los territorios que Berengario había arrebatado al patrimonio de San Pedro. Es decir, tuvo la desfachatez de exigir el cumplimiento de las promesas del Emperador cuando él no cumplía ninguna de las suyas, empezando por el juramento de fidelidad, que era lo más sólido que se podía dar en aquellos tiempos.

Pero Otón I no debió de creerle del todo, porque la siguiente vez no envió a cualquiera, sino al propio cronista, el obispo Liutprando de Cremona, uno de los que más prolijamente han narrado toda esta historia de desmanes, de burlas y de afabilidad.

Liutprando continuó la política imperial de evangelización de aquella tierra pagana, pero el Papa se defendió siempre alegando que tampoco el Emperador cumplía sus promesas, porque no le había devuelto los terrenos usurpados por Berengario, a lo que Liutprando solo pudo responder que faltaba arrebatárselos a Berengario, que eso suponía una nueva guerra y que no era el momento oportuno.

Pero, tan pronto como Liutprando salió de Roma, entró Adalberto para aceptar la corona imperial que el Papa le había ofrecido y que él había tenido anteriormente la sensatez de rechazar. Puesto que ya se había comprometido, el Papa no se volvió atrás. Afortunadamente para la historia de Europa, Otón I se enteró a tiempo y aquella vez no se anduvo con contemplaciones ni con embajadores. Aquella vez marchó al frente de su ejército a meter en cintura a aquel mozalbete tan estúpidamente atrevido.

Dicen que el Papa llegó a ponerse una armadura para indicar que pensaba enfrentarse al Emperador; pero que cuando supo que Otón estaba cerca de Roma, robó todo el oro que pudo del tesoro de San Pedro y huyó a Tívoli a refugiarse junto a su nuevo aliado, Adalberto de Ivrea.

El 4 de diciembre de 963, el Emperador convocó un concilio en la basílica de San Pedro, en el que los prelados romanos pronunciaron un sinfín de acusaciones contra el pontífice, quien no se atrevió a aparecer por allí ni siquiera para defenderse, por más que Otón I insistió en que viniera a justificarse. Es posible que siguiera creyendo en él.

Las acusaciones eran graves. Aunque no le habían visto hacerlo, los padres conciliares que instruyeron el proceso sabían de buena ley que había copulado con la viuda de un tal Rainiero, con una tal Estefanía que había sido concubina de su padre, con otra viuda llamada Ana e incluso con su propia sobrina. Ese era el capítulo de la lujuria. Luego venía el de los asesinatos. Le acusaron de haber cegado a su propio padre espiritual, Benedicto, de haber provocado la muerte por castración al cardenal subdiácono Juan, además de haber brindado por Venus, por Júpiter, por el demonio y por cualquier dios pagano.

La respuesta de Juan XII llegó por escrito, no en persona. Contestó que ya sabía que sus enemigos se habían propuesto deponerle y elegir a otro papa, por lo que él, que era el legítimo papa, los excomulgaba a todos y les retiraba la facultad para conceder órdenes sagradas.

La carta iba dirigida a los obispos quienes, junto con el Emperador, le habían exhortado a que se justificase ante el concilio. Pero como Juan no sabía latín, compuso su escrito con faltas gramaticales, utilizando dos negaciones en una misma frase, lo que en latín se convierte en una afirmación. El efecto de su escrito fue la risa generalizada y la burla desdeñosa de los padres conciliares. Le depusieron por todo lo anteriormente señalado y, además, por no saber ni siquiera latín, y eligieron en su lugar a León VIII, que era seglar, pero una especie de notario, por lo que sabía latín sobradamente.

Pero a los romanos les supo muy mal que el emperador se arrogara el derecho de nombrar nuevo papa, y se levantaron en una larga serie de insurrecciones que volvieron a teñir de rojo las calles de Roma.

Otón I entendió que lo mejor era marcharse de nuevo a Alemania. Dejó al nuevo Papa con una guardia que le defendiera de lo que pudiera pasarle, y partió a ajustar las cuentas a Berengario y a Adalberto.

Nada más partir de Roma, volvió Juan, que había permanecido oculto en las proximidades, en espera de tomar venganza de quienes le habían acusado.

Y la tomó. Con ayuda de sus secuaces, hizo mutilar a los conciliares arrancando lenguas, narices, dedos o manos o azotando públicamente a los que se habían atrevido a deponerle.

Asentó su poder a base de terror, de crímenes y de violencia. Incluso se atrevió a excomulgar a León VIII y a declararle antipapa.

Era febrero de 964 y el papa León VIII había huido de Roma a refugiarse junto al emperador, el cual estaba todavía entretenido en su lucha contra los de Ivrea. Había terminado con Berengario y se hallaba en plena guerra contra Adalberto, cuando llegó el papa León contándole lo sucedido.

Y dicen que Otón I aún se entretuvo en destruir a Adalberto de Ivrea y que el Papa destronado iba tras él como un perrillo, pidiendo justicia.

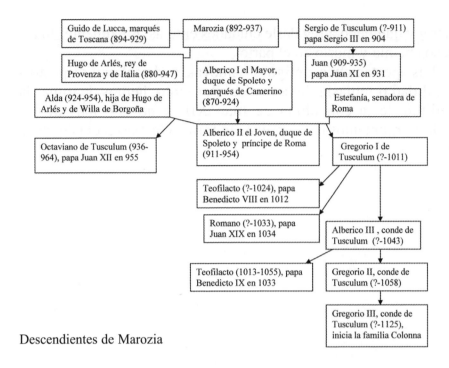

Descendientes de Marozia

Aquella vez volvió a Roma dispuesto a aplastar al papa Juan XII como a un gusano. No era para menos. Pero no fue necesario. El 14 de mayo, un marido engañado había matado al Papa a golpes, tras haberlo encontrado en la cama con su mujer. Las gentes del pueblo dijeron que aquel hombre había sido la mano de Dios.

Algunos autores opinan que los desmanes del papa Juan XII pudieron muy bien dar pábulo a la creación de la leyenda de la papisa Juana, de la que hemos hablado en el capítulo V.

Onophrius Pannonius señaló que la leyenda de la papisa reposa sobre un fondo de verdad "procedente de la vida inmunda de Juan XII", quien tuvo un gran número de concubinas. Una de ellas, llamada precisamente Juana, ejerció sobre el pontífice tal influencia y autoridad que sus coetáneos le dieron el sobrenombre de "papisa".

Otro autor afirma que Juan XII sintió por ella tal pasión que despojó a la iglesia de San Pedro de cruces y cálices para obsequiarla y que llegó a regalarle ciudades enteras. Finalmente, Juana quedó encinta y murió en el parto.

Las aportaciones, antiguas o nuevas, nada aclaran respecto a la realidad o fantasía de la papisa. Por tanto, hemos de tomar la similitud de la concubina de Juan XII como uno más de los muchos argumentos que circulan en torno a la existencia del papa Angelical.

Capítulo VIII
La herencia de Marozia

Hemos dicho que Teofilacto tuvo dos hijas, Marozia, de la que hemos hablado largamente en el capítulo anterior, y Teodora la Joven. De esta última se sabe poco, como ya dijimos, aparte de los probables infundios de algún cronista enemigo. No sabemos si fue buena o mala, lo que sí sabemos con certeza es que se casó con un tal Juan Crescencio, descendiente de una noble familia romana, los Crescencios o, en italiano, Crescenzi. En febrero de 901, los cronistas mencionan al patricio Crescencio Judex Palatinus en la corte de Luis III de Provenza. Probablemente se trata del mismo que se casó con Teodora la Joven.

De los hijos que tuvo Teodora la Joven con Juan Crescencio sí sabemos bastante. Algunos fueron papas, otros fueron príncipes romanos y gente principal. Las luchas por el poder continuaron a lo largo de los siglos y, curiosamente, la familia Crescencio se llegó a enfrentar a la familia Teofilacto, cuando ambas procedían de la misma rama. Es decir, con el tiempo, los descendientes de Marozia fueron enemigos de los descendientes de su hermana Teodora.

El último papa de quien hablamos en el capítulo anterior fue León VIII, durante el reinado del emperador Otón I. Continuaremos en este capítulo la historia, no sin antes mencionar que el tiempo que siguió no fue mejor que el pasado, es decir, que las cosas no se solucionaron, que el solio papal continuó en manos de hombres indignos, algunos de los cuales han sido tachados por los historiadores de tener "costumbres infames," y que las reyertas entre príncipes, reyes, emperadores, papas y cabezas de las distintas facciones se prolongaron hasta bien entrado el siglo XI.

No es que entonces terminara todo, sino que en el siglo XI se inició otra disputa milenaria, la Querella de las Investiduras, que también se llamó la Querella por el Dominio del Mundo, durante la cual papas y emperadores se disputaron el poder religioso y el gobierno del mundo.

El primer Crescencio

El primer papa Crescencio fue Juan XIII, obispo de Narni, coronado el 1 de octubre de 965. Dicen que era hijo de Teodora la Joven, pero no de su esposo Juan Crescencio, sino de un obispo llamado también Juan.

Según la genealogía *Vaticano 03* de Nicolás Homar, Teodora la Joven y Juan Crescencio tuvieron tres hijos, Estefanía, Teodora y Crescencio, llamado Crescencio I el Mayor, del que sabemos que vivió entre 923 y 984, aunque el año de su nacimiento es incierto. Más tarde tuvieron otra hija, Marozia, la cual se casó con Teofilacto de Tusculum hacia 940.

Juan XIII era el candidato de Otón I, quien le designó a través de sus legados. Aquello fue precisamente la perdición de Juan

El papa Juan XIII, de la familia de los Crescencios, fue el candidato del emperador Otón I. Por ello, a pesar de ser romano, cayó en desgracia ante el pueblo de Roma, porque se le consideró un espía pagado por el emperador alemán.

porque, aunque era romano de nacimiento y los romanos únicamente aceptaban papas nacidos en Roma, había sido nombrado
por el emperador alemán y todos le recibieron como a un espía
pagado por una potencia extranjera. Los romanos estuvieron
siempre en lucha contra el emperador alemán, fuera quien fuera, y
todo lo que procediese de él era mal recibido en Roma.

El nuevo papa había sido educado en la corte pontificia y
había desempeñado diversas funciones, entre ellas la de bibliotecario del papa Juan XII. Claro está que haberse educado en la
corte de Juan XII no solamente no era garantía de fiabilidad, sino
más bien un descrédito, en vista de la clase de corte que mantuvo
el malhadado papa. Pero Otón quería tener a alguien de confianza
en Roma, y Juan XIII le debió de parecer el más adecuado.

Pero el nuevo papa no solamente no hizo nada por atraerse la
confianza de sus escépticos conciudadanos, sino que los trató con
tal altanería que llegó a provocar una revuelta, aunque hay que
tener también en cuenta que provocar una revuelta en aquellos
tiempos era cosa fácil. Parece que entre el conde de Campania y
el prefecto de Roma, llamado Pedro, asaltaron el palacio de
Letrán, encerraron al Papa en Sant'Angelo, del que ya dijimos que
tanto servía para protegerse de los asaltantes como para encerrar a
los enemigos, y después lo enviaron a Capua, donde permaneció
desterrado durante once meses.

En 966 consiguió llegar junto al Emperador para pedirle
ayuda, y el 14 de noviembre del mismo año hizo su entrada triunfal en Roma, junto a su poderoso benefactor, que venía a castigar
a los levantiscos romanos.

Dicen los cronistas que el castigo fue ejemplar. Algunos
fueron condenados a la horca, otros perdieron los ojos, la nariz o
las orejas, otros sufrieron prisión y, otros, destierro. En cuanto al
promotor de la revuelta, Pedro, Otón le hizo colgar por el pelo de
la estatua ecuestre de Marco Aurelio, que tiene una altura considerable. Después le cortaron los labios y la nariz y le pasearon
montado al revés sobre un asno, con campanillas en la cabeza y
en las piernas, entre escupitajos, latigazos e insultos.

De esta bella venganza hay quien culpa directamente al Papa, señalando que Otón se limitó a entregarle al rebelde para que él mismo dispusiera el castigo, pero en estas cosas ya sabemos que todo depende de las simpatías del cronista. Cuentan también que el Papa mandó sacar del sepulcro los cadáveres de dos revoltosos a los que había hecho ahorcar y que los pisoteó en público, ordenando arrastrarlos por el fango y arrojarlos a un muladar. Y que el Emperador, espantado por el cariz que iban tomando los acontecimientos, intervino para terminar con las represalias y nombró duque al hermanastro del Papa, Crescencio I el Mayor, para que mantuviera el orden y, además, le permitiera a él gobernar desde Alemania.

En 967, el papa Juan XIII coronó al hijo del emperador, Otón II, que tenía alrededor de catorce años. Alemania ya tenía sucesor y había que buscarle esposa.

LOS CRESCENCIOS

La familia Crescencio se inició a finales del siglo XI y se extinguió en 1761. Su título pasó a los marqueses de Serlupi. El hijo de Teodora la Joven y Juan Crescencio, Crescencio el Mayor, fue patricio y rector de la Sabina. Parece ser que le llamaron "el de los caballos de mármol" porque la entrada de su palacio del Quirinal estaba adornada con dos soberbios caballos de mármol procedentes de las termas de Constantino.

Hoy se puede ver en Roma la Casa de Crescencio, junto al Foro Olitorium. Data del siglo X y a veces se hace referencia a ella con los nombres de Casa de Pilatos o de Cola di Rienzo, pero aún puede verse sobre la entrada el nombre de Nicolo, el constructor.

Algunos autores afirman que fue descendiente de los Crescencios, siendo hijo de Marozia, la hija menor de Teodora y Juan Crescencio, y de Teofilacto de Tusculum; pero las fechas hacen más probable que fuera hijo de Alberico II el Joven y de su segunda esposa, la senadora Estefanía.

EL PEQUEÑO OTÓN

Además de convertir Alemania en un país rico y organizado, el reinado de Otón I hizo florecer la cultura y la espiritualidad. Sabemos que durante aquellos años apareció la primera poetisa alemana, Rosvita, que era monja en una abadía muy particular, porque en ella no era necesario pronunciar votos. Una especie de convento libre situado en Gandersheim, donde escribió numerosas obras en latín, no solamente poesía, sino comedias, leyendas e historias.

Precisamente fue su interés en mantener un orden moral lo que movió al Emperador a intervenir constantemente en Roma y, sobre todo, en el papado. Y aun así, la lista de papas que siguió no tuvo nada que envidiar a los que hemos visto en el capítulo anterior. No hay más que leer los denuestos que les dedica el cardenal Baronio, porque para él algunos fueron peores que las denominadas rameras del siglo anterior.

El emperador de Bizancio era entonces Juan Zimisces, el cual tenía una sobrina casadera, la princesa Teofano Skleraina. Una joven hermosa, cultivada, inteligente, despierta y con iniciativa. Un dechado de virtudes para el futuro emperador y una bomba de relojería para su futura suegra, la emperatriz Adelaida.

Recordemos que aquel mismo Juan Zimisces fue quien, como dijimos en el capítulo I, reconoció a Otón I emperador de Occidente y obtuvo de él a su vez el reconocimiento de emperador de Oriente.

Otón II se casó a los 17 años con la princesa bizantina Teofano, mayor que él y mucho más inteligente y preparada. A su muerte, la princesa viuda ejerció el poder como emperador, no como emperatriz viuda, lo que aprovechó para intervenir en cuestiones religiosas.

El Papa casó a los novios en 972. Otón I quería unificar Italia, el sueño dorado de todos los reyes y emperadores, y pensó que los bizantinos abandonarían las provincias italianas en manos de la casa de Sajonia, es decir, de la suya. La boda se celebró el 14 de abril, con gran pompa, en la basílica de San Pedro *in Batecanum*. Dice Indro Montanelli que, al lado de la novia, Otón II parecía un paje más que un marido. Tenía diecisiete años.

En 973 murió Otón I, enfermo de gota desde tiempo atrás y bastante achacoso, según cuentan. Unos meses antes que él había muerto el papa Juan XIII y su hermano, Crescencio I, había logrado un poder considerable, restando, como era natural, poder al emperador. Pero a pesar de su mucho empeño no consiguió que eligieran papa a su candidato, el diácono Francone. El elegido por designación del partido imperial fue un monje que tomó el nombre de Benedicto VI.

El nuevo papa era honrado. Inició una política acorde con las ideas del emperador, es decir, luchar contra la simonía, prohibir a los obispos que cobraran dinero por ordenar o consagrar a otros, reformar los monasterios y, en general, cuanto debía hacer un papa para mantener la Iglesia y el papado en condiciones óptimas.

Pero tan pronto como murió Otón I, Crescencio I decidió actuar. El pequeño Otón II era muy joven, apenas tenía dieciocho años, y no sabía qué hacer. Es probable que no supiera qué partido tomar entre los consejos de su madre y los de su mujer, ya que ambas pretendían dirigirle y aconsejarle y entre ellas no había más que discordia.

Otón había decidido permanecer en Italia para continuar la política unificadora de su padre. Existen documentos de la época, entre 980 y 983, que señalan la intervención de la emperatriz Teofano en los negocios de su esposo. Había establecido su residencia en Rávena y, por temporadas, en Roma, dejando Pavía en segundo lugar. Más aún que su padre, Otón II soñaba con una Italia unida bajo su mando.

Pero Crescencio I no opinaba lo mismo. Precisamente tenía la idea de establecer una república independiente del Imperio. Y el primero que le estorbaba era el papa Benedicto.

Si observamos las fechas, podemos ver que Crescencio tuvo tiempo para actuar. El papa Benedicto VI fue coronado el 19 de enero de 973. El emperador Otón I falleció el 7 de mayo del mismo año. Otón II decidió vivir en Italia hacia 980, que es la fecha de los primeros documentos italianos en los que aparece su nombre junto al de Teofano. Hasta entonces, vivió en Alemania donde también había muchos problemas que resolver, entre ellos, dar en feudo al conde Leopoldo de Bamberg una parte del ducado de Baviera, que sería la futura Austria. Crescencio tuvo, por tanto, seis años largos para actuar.

Lo primero que hizo fue apoderarse del papa Benedicto VI, encerrarle en el castillo de Sant'Angelo y elegir con toda rapidez al diácono Francone, quien tomó la tiara con el nombre de Bonifacio VII.

Y lo primero que hizo Bonifacio VII fue acercarse a las mazmorras de Sant'Angelo y estrangular personalmente a Benedicto, por si lograba salir.

En 974 llegó a Roma el representante del emperador Otón II, el conde Sicco de Espoleto, para reconocer al papa Benedicto VI. Llegó tarde, pero tuvo tiempo de asaltar la fortaleza de Sant'Angelo donde el nuevo papa se había refugiado. Y no fue solo el delegado imperial quien se lanzó contra el papa Bonifacio, sino también el pueblo de Roma, horrorizado por el tremendo crimen cometido.

Logró huir, como en su día huyera Juan XII y, como él, se llevó consigo todos los tesoros que pudo. Se refugió en los terrenos bizantinos del sur de Italia donde cuentan que permaneció más de diez años. Hay quien dice que logró llegar a Constantinopla y que allí vendió, en mitad de la calle, los ornamentos sagrados que había robado en las iglesias de Roma.

En el mismo año 974 hubo que elegir papa de nuevo. Muerto Benedicto VI y huido Bonifacio VII, eligieron al obispo de Sutri, que era conde de Tusculum. Lo eligieron los partidarios del emperador, porque el nuevo papa concedió a Otón II los privilegios que este había solicitado para los obispados de Maguncia y Tréveris. Fue un hombre honrado y siguió luchando contra la simonía, a pesar de lo cual, pudo reinar durante casi diez años; si bien es cierto que tenía buenos padrinos, el emperador y su propia familia, los Tusculanos.

En aquella época volvió Otón II a Italia a continuar la política unificadora de su padre, que él tanto anhelaba. Pero recordó que su padre había tenido no pocos problemas con los romanos y que únicamente había podido someterlos por la fuerza. Por tanto, decidió dar un escarmiento por el asesinato del papa Benedicto VI y, al mismo tiempo, dejar constancia de que con el pequeño Otón no se jugaba. Más tarde, esta decisión le costaría cara.

El escarmiento consistió en presentarse en Roma el día de Pascua de 981 con su madre, su mujer, su hermana y sus parientes, y organizar una fiesta a la que invitó a Crescencio I y a todos los nobles romanos, a los magistrados y a los nobles de las ciudades vecinas. Cuando estaban en lo mejor del festín, aparecieron los soldados alemanes espada en mano y se situaron detrás de los comensales. Un personaje siniestro sacó una lista de nombres y comenzó a citar a los que habían participado en la revuelta que había terminado con el asesinato del papa Benedicto. Dicen que murieron sesenta, pero que Crescencio consiguió huir al sur disfrazado con hábito benedictino.

Esta acción costó cara al Emperador, porque los romanos tuvieron ocasión de vengar aquella matanza cuando Otón II se enfrentó, dos años más tarde, a los bizantinos y a los musulmanes. Los bizantinos eran dueños de Campania y Calabria, y los musulmanes ocupaban Sicilia. Se enfrentó a ellos para ir ganando provincias para la Italia otoniana, como era su sueño. Entonces llegó la hora de los romanos. Fue en Besentella, una población cercana al mar. Nada más darse la orden de luchar, los romanos y los beneventinos huyeron con sus tropas, abandonando al emperador y a sus soldados que iban en retaguardia. Las tropas bizantinas y sarracenas acabaron con los alemanes, y Otón II tuvo que huir por mar en una barca que le facilitó un pescador.

Dicen que murió de malaria, en Roma, el 7 de diciembre de 983. Había cumplido veintiocho años. Su heredero, Otón III, tenía tres años.

La cruz de Adelaida

Entonces comenzó la emperatriz Adelaida a soportar el peso de su cruz. Mientras vivió su hijo Otón II, las disensiones con su nuera Teofano le habían hecho abandonar en más de una ocasión el palacio imperial para irse a vivir con su hermano Conrado, rey de Borgoña, o se había quedado en Pavía mientras Otón y Teofano viajaban por Italia.

No es fácil saber quién empezó la contienda. San Odilón de Cluny, cronista de Adelaida, que además fue santa, dice que Teofano era autoritaria y celosa y que no le agradaba que su suegra dilapidase el dinero con tantas obras religiosas, porque fundó iglesias, monasterios y conventos y proporcionó a la Iglesia cuanto pudo, incluyendo la financiación de expediciones de misioneros para evangelizar a los paganos.

El abad de Cluny, San Mayolo, había tenido que intervenir en más de una ocasión para reconciliar a las dos mujeres, pero, al morir Otón II y quedar el heredero con solo tres años de edad, las cosas se complicaron.

Teofano era muy inteligente y tenía ideas políticas muy claras. Políticas y religiosas, porque también era aficionada a nombrar y a deponer obispos, pero, ante todo, era inteligente y culta. Y a los obispos no les parecía decoroso el que una mujer joven, viuda, que no quería volver a casarse y, para mayor escarnio, griega, fuese regente del Imperio. Con el fin de contrarrestar las acciones de la regente, llamaron a Adelaida para que formase parte del consejo de regencia. Y entonces, suegra y nuera reanudaron las hostilidades. Y fue la suegra quien perdió aquella contienda, porque la nuera la desterró para terminar con las disputas y poder reinar a su gusto.

También es posible que fuese Teofano la que no pudiera sufrir las interferencias de su suegra, porque sabemos que el mismo Otón III, cuando era adulto y ya había muerto su madre, envió a su abuela a vivir lejos de la corte. Adelaida sobrevivió a su nuera, quien murió a los treinta y cinco años, dejándola como única regente.

Lo cierto es que Teofano gobernó no solo como "emperatriz", sino también como "emperador", lo que siempre ha molestado a los cronistas, y esto no fue solamente nominal, sino que hay documentos firmados por *Theophanu imperatrix augusta* y por *Theophanius imperator augustus*.

Dice Gregorovius que los romanos se sometieron a ella, por lo cual suponemos que debió de hacer las cosas bien, ya que, de lo contrario, se hubieran levantado en armas. La admitieron como soberana y acudieron a sus asambleas, aceptaron a los obispos que nombró y los concilios que presidió. Como asesor religioso, tuvo junto a ella al obispo de Piacenza, Juan Filagatos.

Teofano murió de disentería en 991, y cuenta Gregerovius que debajo de la cama de la emperatriz muerta encontraron un Salterio, un cilicio y algunas reliquias que había robado al papa, que entonces era Juan XV.

A partir de esa fecha, Adelaida volvió a hacerse cargo de la regencia y de la asesoría del joven emperador.

LA INTERMINABLE LISTA DE PAPAS

Otón III fue coronado en Aquisgrán y alcanzó la mayoría de edad a los quince años, en septiembre de 994. Pero, mientras fue menor de edad, la lista de papas siguió avanzando.

El primero fue Bonifacio VII, quien, una vez muerto Otón II, aprovechó para volver a colocarse la tiara. Crescencio I el Mayor había dejado este mundo. Unos dicen que había muerto y otros, más ingenuos, que había renunciado a honores y tropelías y que había tomado los hábitos, recogiéndose en un convento que él mismo había fundado en el Aventino, bajo la advocación de San Alejo.

Le había sucedido su hijo, Crescencio Nomentano, quien había facilitado el retorno de Bonifacio VII, aunque para ello, ambos tuvieron que encerrar al papa Juan XIV, elegido por el difunto emperador Otón II. Ni siquiera se molestaron en matarle, sino que se limitaron a dejarle morir de hambre. Y dicen que el papa Bonifacio expuso el cadáver en el puente de la fortaleza para que nadie pusiera en duda que su predecesor había muerto.

Hay que tener en cuenta que la complicidad de Crescencio II y de su gente para con el Papa no era gratuita. Los papas procedentes del designio imperial eran, cuando menos, honrados, ya hemos dicho que se empeñaron en corregir los profundos desvaríos de la Iglesia atajando la simonía, desbaratando corruptelas y aplicando reforma tras reforma. El problema fue que no tuvieron tiempo para realizar sus tareas, porque, al poco tiempo de tomar la tiara, hubo siempre un usurpador dispuesto a eliminarlos y a devolver al papado su situación lamentable.

Pero Bonifacio VII solamente reinó dos veces. Cometió el enorme error de enemistarse con los Crescencios, quienes incitaron al pueblo contra él, que murió linchado en plena calle. Después arrastraron su cadáver desnudo y horriblemente mutilado por las calles de Roma y lo colgaron por los pies de la estatua de Marco Aurelio.

Juan Crescencio Nomentano había superado a su padre en poder y en osadía, porque cuentan que llegó a atribuirse el título de "Patricio de romanos", que correspondía al emperador. En 985, nombró papa a Juan XV, un sacerdote romano culto y, por extraño que parezca, partidario de la reforma de Cluny. Si tenía un ápice de honradez era seguro que terminaría enfrentándose a Crescencio, puesto que el motivo de nombrarle papa fue tener un aliado que le permitiese disponer de los bienes de la Iglesia, que, como ya hemos comentado, eran muchos y muy apetecibles.

Pero Juan XV llegó a negarse al saqueo sistemático a que Crescencio II sometía al tesoro de San Pedro, y su oposición terminó en guerra. El Papa tuvo que huir a Toscana, donde le dio asilo el conde Hugo y desde donde pudo pedir auxilio al Emperador, que tenía entonces catorce años.

En el año 996, Otón III cruzó los Alpes para solucionar los incidentes de Roma, como habían hecho su padre y su abuelo. Entró triunfante en Roma, que le esperaba adornada de banderines y gallardetes para darle la bienvenida. Montaba un caballo blanco, vestía una coraza de plata y se tocaba con una corona de oro cuajada de piedras preciosas. Una escena de cuento que en nada concordaba con la situación real.

Pero Otón no llegó solo, sino acompañado de su primo Brunon de Carintia, que era al mismo tiempo su confesor. Como el papa Juan XV murió ese mismo año de fiebres violentas, Brunon le sustituyó con el nombre de Gregorio V, el primer papa alemán. Y el primer papa extranjero desde 777. Un golpe para los romanos.

No obstante, le admitieron. Él mismo consagró a su primo Otón III tan pronto como cumplió los dieciséis años, el 21 de mayo de 996. Otón se proclamó augusto del Imperio Romano, seguramente siguiendo las ideas inculcadas por su madre Teofano, que le llevarían a pretender hacer de Roma la capital del Imperio, siempre en colaboración con el Papa. Todo parecía tan límpido y claro como la entrada del Emperador en Roma.

Aquella situación idílica duró hasta que Otón salió de Roma, porque, tan pronto se ausentó, Crescencio II se quitó la sonrisa hipócrita de la cara y enseñó los dientes. Empezó por fomentar disturbios encaminados a rebelar al pueblo contra el papa alemán. El Papa, por su parte, que era cultísimo, serio, de buen carácter y virtuoso, había llegado a interceder por Crescencio ante el Emperador, para mostrar su benevolencia y sus deseos de paz.

Pero Crescencio no creía que debiera al Papa favor alguno, porque la gratitud no era precisamente la mayor de sus virtudes y, además, porque no tenía cabida en su proyecto principal, que era reconquistar la libertad de Roma. Este era el objetivo de los disturbios y rebeliones que procuraba, cosa en absoluto difícil de conseguir en aquellos tiempos en que los romanos estaban siempre dispuestos a levantarse contra el extranjero opresor.

Crescencio consiguió su propósito. Llegó a coronarse cónsul de la nueva república de Roma, a desterrar al Papa a Toscana y a poner en la silla de San Pedro a aquel Filagatos calabrés que había asesorado a la emperatriz Teofano. En aquellos días se hallaba en Bizancio como embajador de Otón III, pero partió raudo hacia Italia cuando Crescencio II le propuso ser papa. La oferta no era de despreciar y, además, el *Basileus* le apoyó aunque solo fuera por llevar la contraria al emperador alemán. Tomó la tiara con el nombre de Juan XVI. Era el año 997.

Al papa Gregorio V no le quedó más remedio que pedir a su primo el Emperador que viniera a restablecer el orden y a restituirle el solio papal, que era legítimamente suyo. Merece la pena considerar que, en aquellos tiempos, aunque se jugaran la vida, los papas insistían en seguir siéndolo. En algunos casos resulta realmente admirable el tesón que ponían en cumplir con su obligación. En otros, como hemos visto, es lamentable, porque lo único que querían era dinero y poder, lo que a veces les costaba suplicios y humillaciones. Pero Juan XVI no se limitó a ser papa y a robar todo lo que pudo del tesoro de la Iglesia, sino que utilizó sus relaciones con los bizantinos para animarles a que se levantasen contra Otón III y a que recuperasen las ciudades de la Italia bizantina que había arrebatado Otón I.

Volvió Otón a Italia a sofocar la rebelión y Crescencio, como ya era habitual, se fortificó en el castillo de Sant'Angelo dispuesto a resistir hasta la muerte, mientras los romanos, que temían al emperador, abandonaban las armas nada más verle entrar.

No le resultó fácil a Otón conquistar el castillo. Cuando se dio cuenta de que resistía más de lo previsto, mandó construir un ariete impresionante que obligó a Crescencio a rendirse. Era el 29 de abril de 998.

El castigo fue digno de la época. Crescencio II fue decapitado y su cadáver fue arrojado desde lo alto de los muros de Sant'Angelo. Después, recogieron el cadáver destrozado y lo colgaron durante una semana en el monte Mario, para escarmiento de los revoltosos potenciales. También hubo castigo para su esposa Estefanía, que quedó en poder del emperador como concubina forzosa. Otros autores dicen que Otón la entregó a sus soldados.

En cuanto al antipapa Filagatos, su suerte fue terrible. Había huido antes de que Otón sitiara a Crescencio en Roma, pero los soldados alemanes lograron capturarle y le aplicaron uno de aquellos castigos aprendidos de los griegos. Le sacaron los ojos, le cortaron la nariz y las orejas y le llevaron ensangrentado ante el Emperador. Todavía le hicieron pasear en un borrico, sentado al revés, llevando la cola entre las manos, y vestido con los jirones de los ornamentos pontificios. Previamente, dicen que el Emperador había convocado un concilio para deponerle. Lo que quedó de Filagatos fue arrojado a un convento, junto al virtuoso San Nilo, quien se apiadó de él y le acogió en su retiro cerca de Gaeta.

Gregorio V recuperó la silla papal a pesar del rechazo de los romanos, que ya estaban envenenados contra él como representante de la opresión imperial. Pero contaba con el apoyo de Otón III, y además Crescencio II había desaparecido. De momento, porque la saga no había terminado con él.

EL NUEVO CARLOMAGNO

El pontificado del papa alemán duró hasta 999, año en que murió de malaria. Le sucedió un papa francés, Silvestre II, cuyo nombre de pila era Gerberto de Aurillac, un sabio a quien la emperatriz Teofano había nombrado en su día preceptor del pequeño Otón III.

Un alemán y un francés, eran demasiados extranjeros para los romanos, quienes le aceptaron de mal grado y como una imposición más que confirmaba el carácter opresor del emperador alemán.

Otón había trasladado su residencia a Roma, al palacio del Aventino, donde seguía soñando con el Imperio Romano, hasta el punto de que llegó a renunciar a parte de su poder para imitar en todo lo posible al emperador de Bizancio. Después de anular el poder de Crescencio era preciso erigir una nueva capital sobre las ruinas de la anterior, cosa que hubiera resultado impensable con un papa romano; pero el papa Silvestre, que no era ambicioso ni pretendía mantenerse independiente de Alemania, admitió y apoyó el interés del monarca por reconstruir el Imperio Romano con su capital en Roma.

PAPAS Y ANTIPAPAS DE LOS SIGLOS IX AL XI

Siglo IX
795-816 León V
816-817 Esteban IV
817-824 Pascual I
824-827 Eugenio II
827 Valentín
827-844 Gregorio IV
844 Juan (antipapa)
844-847 Sergio II
847-855 León IV
855-858 Benedicto III
858 Anastasio (antipapa)
858-867 Nicolás I
867-872 Adriano II
872-882 Juan VIII
882-884 Marino I
884-885 Adriano III
885-891 Esteban V

891-896 Formoso

896 Bonifacio VI

896-897 Esteban VI
897 Romano
897 Teodoro II
898-900 Juan IX

Siglo X
900-903 Benedicto IV
903 León V
903-904 Cristóbal (antipapa)
904-911 Sergio III
911-913 Anastasio III
913-914 Landón
914-928 Juan X
928 León VI
928-931 Esteban VII
931-935 Juan XI
936-939 León VII
939-942 Esteban VIII
942-946 Mario II
946-955 Agapito II
955-964 Juan XII
963-965 León VIII
964 Benedicto V

965-972 Juan XIII

973-974 Benedicto VI

974 Bonifacio VII (antipapa)
974-983 Benedicto VII
983-984 Juan XIV
984-985 Bonifacio VII
985-996 Juan XV
996-999 Gregorio V
999-1003 Silvestre II

Siglo XI
1003 Juan XVII
1003-1009 Juan XVIII
1009-1012 Sergio IV
1012-1014 Benedicto VIII
1012 Gregorio (antipapa)
1024-1032 Juan XIX
1032-1045 Benedicto IX
1045 Silvestre III
1045-1046 Gregorio VI
1046-1047 Clemente II
1048 Dámaso II
1049-1054 León IX
1055-1057 Víctor II
1057-1058 Esteban IX
1058-1059 Benedicto X
1059-1061 Nicolás II
1061-1072 Honorio II
   (antipapa)
1073-1085 Gregorio VII
   (antipapa)
1084-1100 Clemente III
   (antipapa)
1086-1087 Víctor III
1088-1099 Urbano II
1099-1118 Pascual II

No obstante, Otón no solamente quería seguir los pasos del *Basileus,* sino también los de Carlomagno. En uno de sus viajes a Alemania se detuvo en Aquisgrán para hacer abrir el sepulcro del emperador carolingio, recoger algunas de sus insignias y, a cambio, depositar una cruz de oro.

Es decir, quería ser grande, gobernar el mundo y, además, ser el representante de Dios en la tierra, porque también tuvo inclinación al misticismo, se rodeó de santos y ascetas como San Adalberto de Praga, con quien emprendió la cristianización de Polonia, Bohemia y Hungría; eligió a San Nilo de Rossano, aquel que se apiadó del desgraciado antipapa Filagatos, para fundar el monasterio de Grottaferrata; y a San Romualdo de Camaldoli, para fundar una rama benedictina.

En realidad, lo que Otón III quería instaurar era una nueva teocracia similar a la de Justiniano o Constantino. Y el papa Silvestre, no sabemos si porque le parecía correcta la idea, porque adulaba al Emperador para que le dejase estudiar en paz el perfeccionamiento de un ábaco mecánico que había inventado o porque le era indiferente, no se opuso en absoluto.

Otón llevaba una vida en la que se mezclaban sus tres objetos venerados. Vestía como los bizantinos y se rodeaba de eunucos y reliquias, probable herencia de su madre; utilizaba las insignias de Carlomagno y se sometía a largos encierros en Cuaresma en el convento de San Clemente, junto al obispo de Worms, sufriendo penitencias, ayunos y abstinencias que seguramente le restaban fuerza y lucidez para dedicarse a lo que se tenía que dedicar, que era prever y controlar las sublevaciones de los romanos y de los mismos alemanes. Los primeros, descontentos como siempre con el emperador alemán, quien además se entrometía en los asuntos de la Iglesia. Los segundos, celosos de que su emperador se hubiera ido a vivir a Roma y se dedicase por completo a los italianos. También debería haberse ocupado de tener descendencia o de asociar a su trono a un heredero, porque los tumultos que tuvieron lugar a su muerte fueron gravísimos.

En aquel tiempo se produjeron graves disturbios, la mayoría de los cuales se iniciaron con motivo de la llegada del temido año

1000. Las profecías de Daniel y los contenidos del Apocalipsis tenían aterrorizado al mundo cristiano y habían influido notablemente en el Emperador, porque según esos escritos se esperaba un nuevo imperio universal que había de preceder al fin del mundo, fijado al final del año 1000. Además, el *Apologeticus* de San Abonis, abad *Floriacensis,* aseguraba que, tan pronto terminase el año 1000, vendría el Anticristo, y tras él, el Juicio Final. Todos se preparaban para escuchar las trompetas y presentarse ante el Supremo Juez.

Por tanto, a Otón no le quedaba mucho tiempo para concluir su imperio universal, mezcla de Constantino, Carlomagno, Justiniano y otros héroes. Pero no tuvo tiempo. Una de aquellas revueltas le obligó a salir huyendo de Roma, en compañía del papa Silvestre. Era el año 1001 y la gente había comprendido que no habría Juicio Final ni Anticristo, por lo que no se justificaba el imperio universal que soñaba Otón, y los romanos seguían queriendo que Roma fuese una república independiente.

En primer lugar, asesinaron al gobernador de Tívoli, Azzolino, pero el Emperador se presentó en la ciudad con un pequeño ejército y redujo a los rebeldes. Parece que todo se debió a la frustración de los romanos, ya que en Tívoli se hallaba, y se halla, la villa construida por el emperador Adriano y Otón se la había prometido al pueblo, aunque más tarde se arrepintió y quiso conservar aquella joya para sí.

La turba furiosa por un motivo fútil pero que colmaba el vaso de sus frustraciones y servía como pretexto para levantarse de una vez asedió el palacio del Aventino, desde cuyas torres el Emperador les llamó ingratos, les recordó su amor a Roma y lo mucho que por ella hacía y señaló a los cabecillas de la revuelta. Y dicen que el pueblo de Roma, que cambiaba de parecer en cuestión de segundos, se arrojó sobre ellos y los linchó allí mismo.

Pero las cosas volvieron a estropearse a los pocos días, porque siempre había nuevos cabecillas que recordaban a los romanos la opresión a que les sometía el alemán. Y aquella vez no consiguió convencerlos, por lo que Otón III optó por abandonar su proyecto y huir a su tierra. Fue el 16 de febrero de 1001. Por la noche, el Emperador y el Papa se escaparon camino de Rávena, donde se refugiaron en el convento de Classe.

En 1002, Otón quiso volver a Roma, pero murió, dicen los cronistas que de malaria, el 24 de enero de ese año, en el castillo de Paterno, cerca del Monte Soracte. Tenía 21 años y fue enterrado en Aquisgrán, siguiendo sus deseos, en la misma iglesia de Santa María en la que está enterrado Carlomagno. También se cuenta que su muerte no se debió a la malaria, sino a la venganza de Estefanía, la viuda de Crescencio, quien le envolvió en una piel de ciervo envenenada.

En cuanto al papa Silvestre II, tuvo que enfrentarse a la nobleza romana, aunque le quedaba poco tiempo de vida, ya que murió el 12 de mayo de 1003 mientras oficiaba en la basílica de la Santa Cruz, una iglesia que construyó en Roma Constantino el Grande para guardar algunas de las reliquias que su madre trajo de Jerusalén. Con esto vino a cumplirse el augurio que el oráculo hebreo, el Golem, había profetizado mucho tiempo atrás cuando todavía era laico y se llamaba Gerberto de Aurillac. Según este oráculo, el papa Silvestre moriría en Jerusalén.

UN PAPA COMERCIANTE Y PERSISTENTE

Cuando Otón III subió al trono imperial, el poder romano estaba en manos de Gregorio I de Tusculum, un conde descendiente de la propia Marozia, de quien sabemos que era senador de Roma en 981 y *Prefectus Navalis* entre 982 y 983. Este último título le fue concedido por el emperador Otón III, dado que Gregorio había abandonado las ideas republicanas de sus parientes los Crescencios, y se había sometido a las órdenes del Empe-

El emperador Otón III quiso emular a Carlomagno como militar y a Justiniano como emperador teocrático, probablemente por la influencia educativa de su madre. Pero murió de malaria a los 21 años, sin dejar un heredero para el trono del Imperio.

rador, aunque solo durante un tiempo. Años más tarde, el mismo Gregorio I de Tusculum encabezó una revuelta contra Otón III y, tras expulsar a los Crescencios de Roma, llegó a ser prefecto de la república romana en 1001, aunque pronto tuvo que devolver el poder a los Crescencios.

A finales del pontificado de Silvestre II, en 1003, el poder romano había pasado de nuevo a manos de los Crescencios, en la persona de Juan Crescencio III.

El siguiente papa fue Juan XVII, obediente y sumiso a Crescencio, aunque solamente reinó de mayo a noviembre de 1003. Le siguió Juan XVIII, nuevo satélite de Crescencio III, quien reinó hasta junio de 1009. De él se dijo, cosa excepcional en aquellos tiempos, que fue "honesto y digno".

Crescencio III continuó eligiendo papas hasta que tropezó con los intereses de los Tusculanos, descendientes de Marozia, a quienes los descendientes del primer Crescencio habían tenido que someterse cuando el conde Gregorio I de Tusculum fue nombrado prefecto de Roma. En realidad, fue él quien se nombró prefecto a sí mismo, después de dar un golpe de mano, expulsar de Roma al partido alemán y usurpar el poder, aprovechando la muerte de Otón III y las revueltas que siguieron, ya que Otón murió sin descendencia.

Pero los nuevos emperadores que siguieron a los Otones tenían suficiente trabajo y preocupación con asegurarse el poder en Alemania y no intervinieron en las rebeliones romanas. La muerte de Otón III sin descendencia había generado una enorme inseguridad.

En 1012 subió al trono papal el primer Tusculano, Teofilacto de Tusculum, quien tomó la tiara con el nombre de Benedicto VIII. Consiguió mantenerse en la silla de San Pedro hasta 1024, a pesar de proclamar edictos contra la simonía, que no solamente era el mal endémico medieval de la Iglesia, sino el método habitual de obtener cargos religiosos. Probablemente se mantuvo en el solio papal porque contaba con el apoyo del nuevo emperador, Enrique II, primo de Otón III, a quien el mismo papa había consagrado en Roma.

A la muerte de Benedicto VIII en 1024, le sucedió su hermano Romano de Tusculum, que reinó con el nombre de Juan XIX. A pesar de la lucha que mantuvo su hermano Teofilacto contra la simonía, Romano actuó en el sentido totalmente opuesto. En primer lugar, recibió las órdenes sagradas y fue coronado papa en un mismo día, ya que era laico. Dicen los cronistas que su pontificado se inició con una simonía espectacular, porque el patriarca de Constantinopla le propuso que le vendiera el título de papa de la Iglesia de Oriente. Y cuentan que Juan XIX no se escandalizó y que ni siquiera se negó, sino que fue el propio pueblo de Roma quien llegó a enterarse de semejante negociación y se opuso con todas sus fuerzas, que ya hemos visto que eran muchas.

A la muerte del emperador Enrique II, el papa Juan XIX invitó a su hijo Conrado II a venir a Roma para coronarle junto con su esposa Gisela, con lo cual se ganó el favor imperial, lo que resultaba muy aconsejable en aquellos tiempos.

En 1032 murió Juan XIX y le sucedió otro de aquellos herederos de la familia Teofilacto, el hijo de Alberico III conde de Tusculum, que era a su vez hijo de Gregorio I de Tusculum, el prefecto de Roma, y de su esposa María. Tomó la tiara con el nombre de Benedicto IX.

Los cronistas e historiadores coinciden en que Benedicto IX fue uno de los hombres más depravados e inmorales de su tiempo. Algunos mencionan sus costumbres infames. Juan de Bergua dice que fue "superlativamente inmoral". San Pedro Damiano, cardenal arzobispo de Ostia, dijo de él: "Ese desventurado, desde el inicio de su pontificado hasta el final de su existencia, se regocijó en la inmoralidad". Otro comentario escrito a propósito dice: "Un demonio, salido del infierno, disfrazado de clérigo, ha ocupado la silla de San Pedro". Lo menos deshonroso que se puede leer de él es que fue papa tres veces. Su trayectoria recuerda a la de aquel papa Juan XII de quien dicen que convirtió el palacio papal en un lupanar y que también fue conde de Tusculum.

Como inicio de la lista de ignominias, el nuevo papa tenía once años y su padre le había comprado la tiara gastando oro y profiriendo amenazas. Era sobrino de Benedicto VIII y aportó al papado un bagaje de costumbres que, para su edad, resultaron incluso sorprendentes. Ciertamente debía de tener instinto comercial, porque Raúl Glaber, un monje errante cronista del año 1000, dice de él que una vez que le coronaron Papa, el tráfico y el regateo invadieron el clero en todos sus grados. El historiador Ferdinand Gregorovius afirma que con él, el papado tocó fondo en su decadencia. La misma *Enciclopedia Católica* declara que fue una vergüenza para el trono de San Pedro.

Su sentido comercial se puso nuevamente de manifiesto cuando los polacos pidieron una dispensa para el príncipe Casimiro, que había profesado como fraile, pero ellos deseaban coronarle rey, por lo que no tenía más solución que salir del monasterio con dispensa papal. Al principio, el Papa se negó a concederla, pero tan pronto empezó a afluir el oro polaco a Roma, accedió al menos a considerar la posibilidad de aceptar. Y aceptó cuando Casimiro se sometió a pagarle un tributo anual a cambio de la dispensa. Entonces, no solamente le permitió salir del convento, sino también casarse, porque un rey no podía permanecer soltero.

La disipación y los muchos abusos del Papa llevaron a los romanos a levantarse contra él y a hacerle abandonar la silla papal en dos ocasiones. La primera, en 1036, aunque consiguió regresar con ayuda de su poderosa familia. La segunda vez fue en 1044, cuando los romanos, asqueados de sus escándalos y groserías, le expulsaron de la silla de San Pedro y nombraron papa a Silvestre III, un 20 de enero de 1045. Pero Benedicto IX no tardó en volver para reclamar su cargo, empezando por excomulgar a Silvestre y declararle antipapa, y terminando por regresar al palacio de Letrán con una cuadrilla de mercenarios, con los que decidió imponer su presencia de grado o por fuerza. Contaba con el apoyo de su familia, los siempre poderosos Tusculanos, concretamente, el conde Gregorio II, quien amenazó al pueblo de Roma con quemar las cosechas si no permitían a Benedicto volver a ocupar el solio papal. Lo recuperó el 10 de abril de 1045. El papa Silvestre III había sido obispo de Sabina, y se dice que también había sido elegido con el método de repartir oro entre los electores, aunque parece ser que nadie le devolvió el dinero pagado para ser papa, a pesar de que el cargo solo le duró tres meses.

20 días más tarde de su regreso al solio, el papa Benedicto se encaprichó de una prima suya y quiso casarse con ella, pero el padre de la joven no estaba dispuesto a tener por yerno a un papa, por lo que le impuso la condición de renunciar a la tiara papal si realmente quería casarse con su hija.

Resulta comprensible que un joven de veinticuatro años desee casarse con una chica, aun siendo papa, máxime cuando no había sido en absoluto la vocación la que le había llevado al papado, sino el dinero de su padre y la decisión de su familia de tener entre ellos un vicario de Cristo. Pero el Emperador acababa de promulgar un edicto prohibiendo el matrimonio de los eclesiásticos, y el poder laico estaba todavía por encima del poder religioso.

En aquellos días, circulaba de mano en mano un libro escrito por el obispo Marbodo de Rennes, que había latinizado su nombre siguiendo la costumbre de la época por Marbodus Redonensis. El libro abogaba por el celibato del clero, pero no se basaba en los beneficios de la castidad ni en la entrega al servicio divino, sino en la maldad de la mujer, cuya diabólica influencia hacía zozobrar la virtud de cualquier hombre.

Entre la doctrina de Marbodo, el edicto imperial y las exigencias de su tío, al Papa no le quedó otra salida que declarar públicamente que había perdido el gusto por la tiara y que quería dejarla. Pero no vayamos a creer que había pensado en dejarla para el papa siguiente, sino que, haciendo gala de sus dotes comerciales, había decidido venderla. Y eso fue lo que hizo. Se la vendió a su padrino, el arcipreste Juan Graciano, de la familia Pierleoni, por quince mil libras de oro. El 1 de mayo de 1045, Graciano recibió la tiara con el nombre de Gregorio VI. Naturalmente, la compraventa se llevó a cabo en secreto, por escrito y por mediación del conde Gerardo de Galeria.

En los veinte días que duró su papado, Benedicto IX había tenido tiempo para excomulgar a sus enemigos, para coquetear con su prima y para buscar comprador para la tiara. Cuando Gregorio VI subió al solio papal, Benedicto se retiró a sus posesiones de Tusculum.

Los cronistas no dicen si llegó o no a casarse con su prima, pero es fácil deducir que no lo hizo, a juzgar por su siguiente extravagancia. En 1046, Benedicto decidió volver al papado, probablemente por encontrar el patrimonio de San Pedro más interesante que sus posesiones tusculanas, y reclamó su cargo, alegando que él seguía siendo el único papa legítimo.

Pero no fue el único en reclamar. Silvestre III también había pagado por la tiara, nadie le había devuelto su dinero y exigía su derecho a ocupar el trono papal. Cabe imaginar el problema que se presentó en aquel momento, con tres papas a la vez y, además, los tres en Roma.

No fue el último cisma tricéfalo que rompió la unidad de la Iglesia y desgarró a la cristiandad. En el siglo XIV hubo también tres papas a un mismo tiempo disputándose el poder a cañonazos por tierra y mar, durante el cisma de Occidente, con la diferencia de que cada uno de ellos vivía en una ciudad distinta. Uno vivía en Roma, otro, en Aviñón y el tercero, que fue el famoso papa Luna, en Peñíscola.

Sin embargo, en el cisma que ahora nos ocupa el asunto era bastante más complicado, porque los tres papas vivían, actuaban y se revolvían en la misma ciudad. Y los tres celebraban oficios religiosos al unísono, uno en Santa María la Mayor, otro en San Juan de Letrán y otro en San Pedro *in Batecanum,* mezclados con maldiciones, excomuniones mutuas y embajadas con amenazas, ataques y atentados.

Finalmente, el emperador alemán, que entonces era Enrique III el Negro, no tuvo más remedio que intervenir. Convocó un concilio en Sutri, al que acudieron dos de los papas, Silvestre y Gregorio. Ambos fueron depuestos. Pero Gregorio habló en aquel concilio y descubrió que el papa Benedicto le había vendido la tiara. Entonces el Emperador decidió poner en la silla de San Pedro a un papa que fuera digno y nombró a un alemán, el obispo de Bamberg, para terminar con los manejos de los romanos. Un segundo concilio celebrado en Roma en 1046 depuso al papa Benedicto.

El nuevo papa fue Clemente II, quien tomó la tiara el 25 de diciembre de 1046. Lo primero que tuvo que hacer fue celebrar otro concilio en Roma, en 1047, para excomulgar a todos los papas simoníacos, que ya formaban una larga lista.

Pero Clemente II no duró en el solio mucho más de lo que duró el concilio, porque en octubre de aquel mismo año murió, dicen que envenenado por Benedicto IX. Y es posible que sea cierto, porque Benedicto volvió a ocupar la silla papal en noviembre del mismo año, aunque solamente durante ocho meses, exactamente el tiempo que le duró el apoyo del marqués de Toscana, Bonifacio II, con quien se había conjurado contra el emperador Enrique III, porque el de Toscana, como todos los italianos, quería independizarse del yugo alemán.

El Emperador no fue demasiado duro. Se limitó a enviar una advertencia amenazadora a los romanos y a los toscanos, a deponer definitivamente a Benedicto y a nombrar un nuevo papa, el obispo de Brixen, que recibió la tiara con el nombre de Dámaso II.

Pero cuando el papa Dámaso llegó a Roma procedente de Alemania, se encontró al propio Benedicto IX sentado en la silla de San Pedro, ejerciendo su cargo con la mayor naturalidad. Y como entonces todo el mundo cambiaba de aliados como de camisa, el papa alemán se conjuró con el marqués de Toscana para ajustarle las cuentas al papa Tusculano y a su familia.

El nuevo papa no duró ni un mes. Fue consagrado el 17 de julio de 1048 y murió el 9 de agosto del mismo año. Se habla también de veneno y de un envenenador concreto, la familia Tusculum. Algunos autores arguyen que el envenenador no pudo ser el mismo Benedicto, porque en aquellos días se encontraba huido para evitar el enfrentamiento con el papa alemán y su aliado el de Toscana.

Aquella fue la última vez que reinó Benedicto IX, porque el emperador alemán tuvo el acierto de nombrar siguiente papa a un obispo alsaciano llamado Brunon de Toul, quien tomó la tiara con el nombre de León IX, el cual, como dice Juan Bergua, tenía bastante de león, porque se había distinguido ya en una expedición militar contra los milaneses, en la que demostró arrojo y energía.

El 12 de marzo de 1049 era consagrado el nuevo papa, León IX. En 1054 tendría que enfrentarse al cisma de Oriente, cuando el patriarca de Constantinopla, Miguel Cerulario, rompiera la bula papal de excomunión en la misma cara de los legados papales. Fue santo, entre otros motivos, por condenar la herejía del conde Berengario de Tours, quien pretendía que la hostia consagrada no era más que un símbolo del cuerpo de Cristo y no su cuerpo real.

En cuanto al papa Benedicto, a quien el abad de Fons-Avellane llama perjuro, adúltero, incestuoso y pederasta, hubo de abandonar el solio pontificio a la llegada de León IX, quien tuvo que presentarse con un ejército para hacer valer sus derechos frente a los Tusculanos. Además, el papa alsaciano era primo del Emperador y este había declarado que no toleraría burlas con su familia.

Antes de abandonar Roma, Benedicto organizó una comedia ante el santo abad Bartolomé de Grottaferrata, fingiendo arrepentirse y anunciando que iba a entrar en el monasterio para hacer penitencia por sus errores. El abad lo creyó, y también lo creyeron los cronistas que aseguran que el papa Tusculano se arrepintió y que terminó sus días en penitencia y oración en el monasterio de Grottaferrata.

Pero no engañó a todos, porque algunos cronistas transmitieron la verdadera actitud de Benedicto quien, desde su retiro en Grottaferrata, continuó extendiendo documentos firmados por "el Papa".

Capítulo IX
La Querella de las Imágenes

"En esto, vino una gran muchedumbre de hombres y mujeres de toda suerte y edad, con vestiduras de lino puro, muy blanco y deslumbrante. Las mujeres llevaban ungüentos olorosos en los cabellos, ligados en trenzas limpias y blandas. Los hombres llevaban las cabezas afeitadas y sus calvas relucían. Tañían flautas y producían dulces sonidos con panderos y sonajas de alambre de plata y de oro."

"Los dos sacerdotes principales iban también vestidos con túnicas de lino blanco hasta los pies, adornados con alhajas e insignias de la diosa. Uno de ellos llevaba una lámpara resplandeciente que era una especie de jarro de oro de boca ancha, por la que salía la llama de la lumbre. El segundo sacerdote iba vestido como el primero, pero sujetaba un altar con ambas manos."

"Después venían otros sacerdotes portando objetos litúrgicos utilizados en el culto y, más atrás, la estatua del mensajero del cielo y del abismo, Anubis, cuya faz cambiaba apareciendo ahora negra, ahora dorada, ahora alzando la cerviz, ahora con cara de chacal. Traía un caduceo en una mano y en la otra, una palma."

"Tras él venía un sacerdote que portaba sobre los hombros la figura de la vaca sagrada, Hator, caminando con pasos muy lentos y ceremoniosos, porque llevaba la figura de Isis, la diosa que es madre de todas las cosas."

Como toda nación politeísta, Roma era ecléctica y admitía el culto de todos los dioses de todos los países y culturas, siempre y cuando se sometieran a las normas del Estado, es decir, siempre y cuando no se opusieran a la paz de los dioses. Una paz lograda a base de tolerancia, de sometimiento a las tradiciones y de juramento de adhesión al emperador.

La descripción anterior es de Apuleyo, y narra la procesión de la cofradía de Isis. Isis era, como sabemos, una diosa egipcia. En Roma tenía no solamente la devoción y culto correspondientes, sino su cofradía, que la sacaba en procesión en las fechas señaladas.

La influencia egipcia sobre los dioses griegos y romanos puede apreciarse claramente en la famosa Diana de Éfeso, aquella para la que el rey lidio Creso erigió una de las Siete Maravillas del mundo, el templo de Artemisa, el que dicen que se incendió el mismo día en que nació Alejandro Magno. Diana de Éfeso tenía tal cantidad de devotos que Pablo de Tarso, según los Hechos de los Apóstoles, estuvo a punto a perder la vida cuando predicó en contra de ella, la llamó "ídolo" y conminó a los habitantes de Éfeso a abandonar su culto pagano. Los artistas imagineros, al ver peligrar su negocio, provocaron un motín que terminó haciendo huir a los predicadores cristianos de aquellas tierras.

Esta famosa Diana de Éfeso nada tiene que ver con la Diana cazadora que hemos visto en las efigies de Roma ni con las graciosas estatuas de Diana que aparecieron en Itálica. La Diana de Éfeso tiene la forma momificada de muchos dioses egipcios.

La misma Diana era Isis, era Cibeles, era la Luna, era Minerva, era Venus. Las procesiones que organizaban las cofradías de Cibeles, la Magna Mater representada en un carro tirado por dos leones, nada tenían que ver con las de la cofradía de Isis.

La liturgia de Cibeles imponía mutilaciones y sufrimiento físico a sus devotos. Las procesiones que seguían a la Magna Mater llevaban una estela de flagelantes que se abrían las carnes con cilicios y disciplinas llenas de nudos ensangrentados.

Delante de ellos, las castañuelas, los címbalos, las pipas y las flautas se encargaban de acallar las exclamaciones de dolor y el trallazo de los flagelos sobre la espalda de los penitentes. La flagelación era también ritual en las Lupercales y en otras ceremonias religiosas dedicadas a los numerosos dioses adorados en Roma.

En Roma se adoraba, pues, a multitud de dioses personificados en distintas formas, en imágenes pintadas o esculpidas que se veneraban en los templos y en las viviendas y que se paseaban en procesión en determinadas fechas. Las religiones politeístas son, por su propia naturaleza, tolerantes con los dioses de otras religiones y culturas. Sin embargo, las religiones monoteístas son intolerantes con las restantes creencias, ya que únicamente admiten un dios y ha de ser el que ellas adoran.

Por esa misma razón, la religión cristiana, heredera de la religión judía, era excluyente y consideraba falsas todas las demás creencias y cultos, al mismo tiempo que abominaba de las imágenes e ídolos que pretendían representar a la divinidad. Para los antiguos cristianos, todas aquellas procesiones que paseaban en andas la imagen de un dios, seguido de fieles y sacerdotes y adorado con cánticos y oraciones, idénticas a nuestras procesiones actuales, eran cosa del diablo, porque la religión cristiana convirtió en demonios a los dioses venerados por Roma y eso le cerró las puertas del Imperio y le impidió legitimarse hasta que Constantino y Galerio consideraron que podía serles de utilidad.

Por ello, el cristianismo planteó un conflicto a Roma a la hora de establecerlo como religión oficial del Estado. Este conflicto supuso discusiones acaloradas y luchas sangrientas, hasta que se llegó a una solución consistente en modificar el segundo mandamiento de la Ley de Dios contenido en Éxodo 20 y Deuteronomio 5, que señala: "No harás imagen ni semejanza de cosa alguna que

esté en el cielo ni en la tierra ni en las aguas, ni te inclinarás ante ella, ni la honrarás" y que el cristianismo cambió por "No jurarás su santo nombre en vano".

Del Buen Pastor al Cristo Doctor

Cuentan que, en el siglo IV, Eusebio de Cesarea rechazó airado la petición de la hermana de Constantino, Constanza, que deseaba contemplar una imagen de Cristo. Aquel deseo era propio de un pagano, no de un cristiano. No es posible plasmar la imagen de Dios.

La reacción de Eusebio era lógica. Aunque ya se había superado la etapa del judaísmo, no hay que olvidar que los primeros cristianos fueron judíos y que, para un judío, no había nada tan reprobable como una escultura que representase a un ser humano, y mucho más si la escultura pretendía representar a la deidad.

Aquel fue uno de los motivos que produjeron muchas revueltas e insurrecciones de los judíos contra Roma, y también fue una de las armas que esgrimió Roma para castigar a los judíos, a pesar de que la religión judía gozó siempre de la estima de los romanos, debido a sus antiquísimas tradiciones y a sus venerables profetas. Sin embargo, cuando un gobernante romano quería encender al pueblo judío, no tenía más que colocar una estatua en el templo. Tito destruyó el Templo de Salomón y arrasó Jerusalén porque los judíos se negaron a aceptar el culto al emperador, es decir, a su estatua.

Para los primeros cristianos, por tanto, el culto a las imágenes, las procesiones, las cofradías que "sacaban" las estatuas de los dioses de los templos y las paseaban con un cortejo de adoradores y suplicantes, eran cosa del demonio.

El Panteón era un templo romano erigido a todos los dioses.
Era tal el eclecticismo y la tolerancia de Roma que no solamente no
concebían que los dioses de otros pueblos pudieran ser falsos,
sino que se preocupaban de rendir homenaje a todos ellos.

Como otros muchos, Santa Justa y Santa Rufina, mártires sevillanas, lo fueron porque se empeñaron en destruir en varias ocasiones las imágenes de Baco que se vendían en el mismo mercado en el que ellas tenían su puesto de alfarería. Para ellas, la representación de una deidad, además pagana, era algo abominable.

Los romanos decidieron en más de una ocasión aunar en uno solo, aunque con distintas representaciones, a varios de los múltiples dioses que atiborraban el panteón de Roma. Así se asociaron numerosas diosas a una sola, que aparecía bajo diferentes advocaciones y atributos, según el lugar. Y lo mismo hicieron con los dioses masculinos, asociándolos a Júpiter. Por eso, dice Apuleyo que los troyanos llamaban Magna Mater a la misma diosa a la que los egipcios llamaban Isis, que en Atenas se llamaba Minerva; en Chipre, Venus y en Creta, Diana. En Sicilia era Proserpina; en Eleusis, Ceres y, en Roma, Juno. Y cuando Constantino y Galerio pensaron en que la religión cristiana podría ser un excelente referente religioso para todos los habitantes del Imperio, suponemos que pensarían alguna vez en el problema social y económico que se les avecinaba.

¿Qué iban a hacer los imagineros que vivían de construir imágenes para los templos, las cofradías y la devoción particular de cada uno? Pero en los tiempos de Constantino y Galerio, el cristianismo se había desprendido de los dos impedimentos importantes que arrastró durante los primeros tiempos y que le hubieran impedido ser religión oficial de Roma: la inminencia del fin del mundo y el judaísmo.

Una vez desprendido del judaísmo, al cristianismo solo le quedaba adecuar su forma externa, es decir, la liturgia, el culto, los ornamentos, y demás, a la de Mitra, lo que se produjo de común acuerdo entre el emperador Constantino I y el papa Silves-

Constantino I y el papa Silvestre acordaron impulsar el cristianismo como religión favorita del Imperio a cambio de adaptar la liturgia y las manifestaciones externas a las de la hasta entonces religión preponderante, la mitraica. Constantino fue sumo pontífice sin bautizarse ni creer, pues siguió adorando al Sol Invicto y sacrificando a Mitra y a Apolo.

SILVESTRO·I·PONT·MAX·
CONSTANTINVS·MAGNVS·IMP·
ROMANAM·ICCL·INGENTIBVS·DONIS·LOCVPLETAT
PONTIFICI·VARIA·ORNAMENTA·LARGITVR

tre I, con la asistencia técnica de dos obispos ilustrados, Osio de Córdoba y Eusebio de Cesarea.

El asunto de las imágenes aún tardaría algún tiempo en solucionarse, pero una vez admitido su culto, los imagineros encontraron una salida aparentemente fácil. Consistió en retocar las imágenes de las innumerables representaciones de Isis o Atenea y adecuarlas a otras tantas de la Virgen María y, las de Júpiter o Baco, a la imagen de Cristo. La solución no solo afectó a la industria imaginera, sino también a la conversión de los romanos habituados a adorar la imagen de Atenea Partenos o la de Júpiter Capitolino. No se podía pedir al pueblo de Roma, es decir, a los numerosos pueblos que habitaban el Imperio Romano, que abandonase de repente el culto de sus dioses, reflejado en un objeto físico, para adorar a un dios invisible.

Para salvar la distancia doctrinal, los teólogos examinaron el Antiguo Testamento, donde encontraron un pasaje en el que Dios mandó a Moisés construir una serpiente abrasadora y ponerla en un asta para librar a su pueblo de la mordedura de las serpientes del desierto (Números 4,8). También le mandó modelar dos querubines de oro para el Arca de la Alianza.

Así se pudieron arreglar las cosas sin pérdidas económicas ni cambios bruscos en las costumbres. Las imágenes de Cristo y de la Virgen aparecieron en los libros, evangeliarios, estatuas, frisos, coronas, adornos, telas y en todos los lugares en los que cabía una representación. Cada artista los pintó a su manera. En Europa, el Renacimiento Carolingio trajo de Britania representaciones de Jesús y de María rubios y con los ojos claros. Así eran los artistas britanos y así veían a Jesús y a su madre.

Pero lo que parecía tan sencillo de adaptar no lo fue en la realidad. Los primeros cristianos sentían, como dijimos, verdadera repugnancia ante la idea de representar a Cristo con trazos o dibujos. Los judíos llegaron a sustituir a Dios por la Mano de Poder, cuando no tuvieron más remedio que representarle en la sinagoga. Pero Cristo no era entonces imaginable y no se podía representar su divinidad ni tampoco su humanidad. Antes de que

Occidente llegase a tener un estereotipo de la imagen de Cristo, hubo muchas divergencias, entre otras cosas, porque no existe descripciòn alguna de su persona física.

Para imaginar a Jesús, se recurrió a alguno de los símbolos con los que le asocian los Evangelios, y el preferido fue el Buen Pastor. Así aparece en las catacumbas romanas y esa fue la primera imagen que Constantino empleó para erigir estatuas con las que adornar la Nueva Roma Constantinopolitana. Y le debió de parecer excelente, porque la figura del Buen Pastor con la oveja al hombro desciende directamente del crióforo griego, muy popular desde el siglo VI antes de nuestra Era, y se introdujo en el cristianismo sin grandes dificultades. Más adelante, el Buen Pastor fue sustituido por el Cristo Doctor, el que enseña en la cátedra o el que preside un Senado de apóstoles. Y fue sustituido porque el buen pastor apacienta y cuida el rebaño, que era lo que hacían los obispos al principio, pero después hizo falta un maestro que enseñara y presidiera los concilios. Había mucho que enseñar y mucho que aprender.

Hay autores que afirman que las primeras imágenes de Jesús, en las que aparece con barba, bigote y cabellos largos, proceden de un supuesto retrato suyo que, según se decía, poseía el rey Agbar de Emesa. Entre los evangelios apócrifos se hallan cartas espurias cruzadas entre este rey y el mismo Jesús de Nazaret. Según los historiadores, parece que dicha correspondencia, al igual que el retrato supuestamente tomado del modelo vivo del Redentor, se produjeron hacia el año 260.

Pero es más que probable que tales imágenes de Cristo sean estatuas reconvertidas del dios alejandrino Serapis, cuyo culto, proclamado en Egipto por Tolomeo en el siglo III antes de nuestra era, era tan similar al culto cristiano que el mismo emperador Adriano, cuando visitó Alejandría, escribió que los cristianos adoraban a Serapis y que los sacerdotes de ese dios eran obispos cristianos.

Los santos iconos

Por muy importantes que fueran en Occidente las imágenes de los santos, mucho más lo fueron los santos iconos en Oriente, que formaban parte integrante del culto como instrumentos de oración. Los iconos adquirieron en Oriente un papel litúrgico de suma trascendencia. Al principio, recibían el incienso en las ceremonias religiosas y los fieles los besaban y los abrazaban, agradeciéndoles los favores recibidos o solicitándoles gracias.

Más adelante, los iconos adquirieron una especie de vida propia, porque hubo casos en los que se bautizaron niños con dos iconos como padrinos. De aquella forma, un niño podía tener por padrino al mismo Cristo Pantocrátor y por madrina a la Virgen María en cualquiera de sus manifestaciones.

San Juan Damasceno señaló que los iconos y las imágenes eran la Biblia de los iletrados, y que la imagen era para los analfabetos lo mismo que palabra leída para los eruditos.

Después de todos los concilios, anticoncilios y contraconcilios que se celebraron durante la Querella de las Imágenes, el icono quedó definido como una visión fundada en el conocimiento divino, una visión de lo invisible. Cuando lo invisible se hace visible en la carne, el artista pinta la semejanza de lo invisible.

La dependencia litúrgica del arte llevó a pedir a los artistas que expresaran la santidad y la divinidad con palabras y con pinturas, en los libros y en las tablas. En Oriente, los iconógrafos se convirtieron en hagiógrafos, y su arte, en el arte de la Iglesia.

En Occidente, como no podía ser de otra manera, la función de las imágenes se limitó a la didáctica. Occidente entendía que el hombre se puede salvar sin ver una imagen, pero que no se puede salvar sin escuchar o ver la palabra de Dios escrita.

A este respecto, las diferencias entre ambas Iglesias se pueden resumir en que, en Oriente, los santos iconos fueron una

La adoración a los iconos en Oriente se desbocó hasta el punto de que muchos fieles bautizaban a sus hijos con dos iconos como padrinos, y otros veneraban imágenes a las que se imputaban milagros, curaciones y apariciones.

semejanza y un paradigma de lo divino, mientras que, en Occidente, las imágenes fueron producto de la fantasía de los artistas. En Oriente, los iconos fueron parte de la teología. En Occidente, la pintura no tuvo valor dogmático alguno.Estas fueron algunas de las decisiones que se tomaron en los concilios de Oriente y Occidente en los siglos VIII y IX. Otra cosa es lo que el fervor popular ha llegado a entender de las imágenes y de las pinturas de los santos, que han ocupado, con el tiempo, el lugar de aquellas estatuas de Isis, de Diana o de Baco, tan veneradas por el pueblo de Roma, y a las que se solicitaban dádivas y favores paseándolas en procesión o a las que se hacía responsables de milagros, curaciones, concesiones o apariciones.

El fervor popular fue el que más se dolió de la desaparición de todas aquellas imágenes milagrosas a las que tantos favores debían y a las que tanto veneraban. Cuenta Emmanuel Roydis que, durante la época iconoclasta en la que hubo que destruir las imágenes sagradas, las mujeres raspaban la pintura de los santos iconos para diluirla en agua y bebérsela. Y que, cuando por fin se restituyó el culto a los iconos, los patriarcas y los obispos tuvieron que recubrirlos con vidrio, porque la gente fervorosa los destrozaba a fuerza de besos y lágrimas de devoción.

UNA ABOMINACIÓN SATÁNICA

Pero llegó el siglo VIII y apareció el Islam, que condenó las imágenes de igual manera que las condena el Libro, como llama el Corán a la Biblia. Y su influencia no se hizo esperar.

El Islam vino a recordar que las representaciones de Dios están proscritas por la Biblia, precisamente en una época en que el fervor por las reliquias y las imágenes se había convertido en una especie de locura.

El patriarca Anastasio, luchador infatigable contra la herejía de Arrio, decía que la locura de adorar imágenes no solamente rebaja al creyente, sino que deshonra al mismo artista, porque hay veces en que llega a adorar el ídolo que acaba de crear.

Eusebio insistía en que el culto a las imágenes de Cristo o de los mismos apóstoles San Pedro y San Pablo era una costumbre pagana.

Pero ya hemos dicho que la conversión de tantos paganos al cristianismo trajo consigo la necesidad de disponer de objetos tangibles. Aquella decisión debió de chocar estrepitosamente con el rechazo que los judíos convertidos al cristianismo sentían hacia las representaciones de Cristo en pinturas o estatuas.

Y a medida que creció el fervor y la locura por las imágenes fueron creciendo el rechazo y la repugnancia a esa misma locura. Llegó un momento en el que la gente creía de buena fe que tal o cual icono o imagen había descendido de los cielos, otras habían sido pintadas por santos, y la mayoría de ellas obraban milagros, curaciones, ganaban batallas o terminaban con epidemias. Una monja peregrina y viajera, Egeria de Aquitania, que recorría Oriente en 383, nos ha legado hermosas descripciones de aquellas devociones y cuenta que vio estatuas milagrosas que emitían luz.

Por eso, cuando empezó la locura contraria, la iconoclasta, ya hacía mucho tiempo que los otros cristianos, los que rechazaban el culto a las imágenes, las venían destruyendo o borrando. Al menos, en Oriente.

Ya en el siglo VI, el obispo de Marsella, Sereno, había hecho quemar y destruir las imágenes existentes en las iglesias, siguiendo los dictados del concilio de Elvira, en Hispania, que había proscrito por primera vez el culto a la imágenes. El papa Gregorio Magno encontró excesivo el celo destructor de Sereno y le llamó la atención con un escrito en el que alababa la prohibición de adorar las imágenes, pero reprobaba su destrucción. A continuación, el papa exponía el concepto occidental de la función de las imágenes: "Adorar una imagen es distinto de aprender lo que se debe adorar por medio de ella". Y esta fue la postura de los partidarios del culto a las imágenes, los llamados iconólatras o, mejor aún, iconódulos, porque la palabra *iconólatra* implica adoración, y ellos no propugnaban la adoración, sino la veneración de las imágenes.

Con esto, el asunto quedó solventado en Occidente. Pero en Oriente las cosas fueron muy distintas, seguramente porque Oriente está más próximo que Occidente al Islam y al judaísmo, y también por todo lo que ya hemos dicho de la tendencia oriental a la controversia y a la cavilación.

En el mismo siglo VI, mientras el concilio de Elvira proscribía el culto a las imágenes, se desataban en Oriente motines populares en Antioquia y en Edesa, donde parece que los soldados lapidaron aquellas estatuas milagrosas que, según Egeria, emitían luz. Entre los más enconados estaban los monofisitas, que creían que Cristo tenía una única naturaleza divina y, para ellos, el hecho de representarla era tan aberrante como representar al Padre Eterno.

Así pues, cuando llegaron los musulmanes proclamando que las imágenes son una abominación satánica, como señala el versículo 92 del Corán, los cristianos de Siria y de Mesopotamia vieron confirmadas sus sospechas. Nada bueno podía venir de aquellos ídolos y de aquellas pinturas que pretendían dibujar lo indibujable.

CABEZA DE SARRACENO

En 717, León III el Isáurico entraba triunfante en Constantinopla dispuesto a vencer a los sarracenos. De simple campesino se convirtió en emperador de Bizancio al librar al Imperio de la temible amenaza del Islam, aunque tuvo que dejar miles de cadáveres flotando en el mar de Mármara.

Sin embargo, los bizantinos le dieron el apodo de Cabeza de Sarraceno, unos dicen que porque su tierra natal, Siria, había sufrido una enorme influencia islámica, y otros, porque su subsiguiente política de prohibir y destruir las imágenes santas tenía mucho que ver con las ideas de los sarracenos.

En 725 escuchó las numerosas quejas que se alzaban contra aquella inclinación desmesurada hacia las imágenes, que ya dijimos que había llevado incluso a utilizar iconos como padrinos de bautismo. Debía de estar convencido de antemano de la necesidad de cortar aquello de raíz, porque no se molestó siquiera en convocar un concilio, como hicieron los siguientes gobernantes opuestos o partidarios del culto a las imágenes. León III se limitó a celebrar un consejo en el triclinio de los Diecinueve Lechos del Palacio Sagrado de Constantinopla, y allí decidió prohibir el culto a los iconos e imágenes de Jesús, de la Virgen o de los santos. Es decir, el Emperador decidió por su cuenta dilucidar un asunto religioso de tanto alcance mediante un acto puramente civil, como si destruir los iconos bizantinos tuviera la misma repercusión que modificar el sistema fiscal.

La primera medida ya desencadenó una guerra civil que duró más de un siglo y a la que la Historia ha denominado Querella de las Imágenes. Tal medida consistió en la destrucción de una imagen muy venerada de Jesús, un mosaico situado a la entrada del Palacio Sagrado, sobre la puerta Calce.

Según algunos autores, León III el Isáurico aprovechó una "señal" de la cólera de Dios, enojado por la adoración a las imágenes, que era una práctica prohibida por la Biblia. La señal en cuestión fue la erupción de un volcán en el Egeo, que hizo surgir una nueva isla entre Sartorini y Terasia, una zona, por cierto, muy sometida a movimientos sísmicos. Sucedió en 726, y los asesores teológicos del emperador le aconsejaron utilizarlo para sus propósitos.

No sabemos si el Emperador había medido previamente el alcance que podía tener aquella primera acción de destruir el mosaico de Jesús o si no le importaron las consecuencias, pero lo cierto es que el encargado de llevarla a cabo murió linchado cuando apenas había empezado a cumplir su cometido, porque las mujeres, que profesaban especial veneración por aquella imagen, derribaron la escalera a la que se había subido el ejecutor y le mataron a golpes entre alaridos, ataques de histeria y voces del desgraciado, que solamente cumplía órdenes y a quien de nada le valieron sus demandas de auxilio y piedad.

El conflicto no había hecho más que empezar, porque el Emperador publicó en 730 el edicto definitivo que ordenaba destruir todos los iconos e imágenes del Imperio. Además, quienes se opusieran o se negaran a cumplir lo ordenado, recibirían un castigo.

Se ha dicho que el motivo que llevó al emperador León III a decretar la destrucción masiva de los santos iconos, venerados universalmente, fue la decisión de acabar con el poder creciente de los monjes imagineros. Ellos fueron los mayores perdedores, después, naturalmente, de las numerosas víctimas que murieron por una u otra causa, empezando por el funcionario que fue el primer mártir. El Emperador no solo quiso privarles de su industria, sino que realizó una verdadera "desamortización", como la que posteriormente se llevó a cabo en países como Rusia en el siglo XVIII y España en el XIX. Los monasterios no solamente poseían aquella industria, sino extensos territorios muy productivos que generaban un poder económico mucho más importante que el que pudiera producir la imaginería.

El decreto no solamente afectó a los monasterios, que perdieron su base económica, sino también a numerosas iglesias que recibían donaciones de peregrinos y de señores locales por la protección espiritual que ofrecían y por las reliquias que guardaban, entre las que se contaban imágenes santas que realizaban milagros o que protegían de cualquier mal.

Aquella debió de ser la razón principal que movió a los emperadores bizantinos a atacar no solamente a las imágenes, sino al monacato y a la Iglesia misma. Después de destituir al patriarca Germán, partidario de las imágenes, de reemplazarle por el monje Anastasio, de eliminar los iconos de las iglesias y monasterios y de expropiar sus territorios, parece que el dinero empezó a fluir hacia las arcas imperiales, lo que permitió al *Basileus* rehacer su flota, armar a su ejército y lograr, ya en 740, es decir, 10 años después del decreto, una victoria definitiva sobre los sarracenos en Acroinon.

Lógicamente, la resistencia que opusieron los monjes y los prelados fue grande y ruidosa, lo que dio motivo al emperador León para tomar medidas drásticas y severas contra ellos. Y esas medidas le valieron la excomunión de Occidente, puesto que ya no se trataba de destruir las imágenes, sino de debilitar el poder y la autoridad de la Iglesia de Oriente y de asestar un golpe muy fuerte a su poder económico, ideológico y político.

Inmediatamente después de la publicación del controvertido edicto, se formaron los dos bandos. Uno, el de los iconoclastas, presidido por León III y por los funcionarios, así como por los patriarcas y eclesiásticos que habían abogado por terminar con el abuso que se hacía de las imágenes, aunque es probable que no tuvieran una idea tan drástica como la del *Basileus*. Y otro, el de los iconódulos o iconólatras, encabezado, como era de esperar, por el Papa, por los monjes imagineros, por los párrocos que tuvieran imágenes veneradas en sus iglesias y por toda la plebe adoradora de iconos. Y a ellos se unieron numerosos descontentos con la política del Emperador, aunque nada tuvieran que ver con las imágenes.

En la primera disputa con el Papa, León III arguyó que él era no solamente emperador, sino también sacerdote.

Empezó la diáspora de monjes que huían hacia Occidente cargados con imágenes y reliquias ocultas entre sus ropas. Otros muchos se refugiaron en las cuevas de la Capadocia, donde la blandura de la piedra permitió excavar y construir numerosos monasterios escondidos en las rocas y ciudades enteras subterráneas, con largos pasadizos por los que solamente se puede caminar a gatas o con el cuerpo muy inclinado. Tan solo recorriendo algunos de esos pasillos se puede apreciar el miedo que debieron de sentir los que allí se ocultaron huyendo de las iras del Emperador, negándose a destruir los preciosos iconos que hasta entonces habían venerado.

Cuenta Pablo Diácono en su *Historia de los Longobardos* que León III el Isáurico mandó matar o mutilar a quienes se opusieran a cumplir la orden de retirar todas las imágenes del Salvador, de su madre y de los santos, reunirlas en la plaza y quemarlas.

Los frailes imagineros y muchos de los que insistieron en el culto a las imágenes se refugiaron en las cuevas de Capadocia, una región de la actual Turquía cuyas rocas son tan blandas que pueden horadarse fácilmente. Así pudieron construir iglesias y monasterios rupestres de gran belleza que todavía hoy conservan parte de sus pinturas.

El Papa, que entonces era Gregorio II, escribió al Emperador para reprobarle sus actos y para conminarle a que dejara en manos religiosas las decisiones de asuntos como aquel, pero la respuesta de León Cabeza de Sarraceno fue que el Papa debía hacer lo mismo que él si quería mantener el favor imperial. Como Gregorio II se negó y protestó con gran indignación, la reacción del *Basileus* fue terrible. Encargó al exarca de Rávena (representante del Imperio en Occidente) que se ocupase de encarcelarle y de hacerle entrar en razón, y este, para no perder tiempo ni energías, envió al patricio Paulo con algunos matones a asesinarle. Pero los espoletinos y los toscanos se hicieron fuertes en el puente Salario para abortar el ataque. El emperador envió entonces un ejército, por mar, para encargarse del Papa. Afortunadamente para este, la flota bizantina se hundió al llegar al mar Adriático.

El papa Gregorio II, que tenía bastante sentido práctico, anuló inmediatamente todos los pagos que pudieran deberse a las arcas bizantinas, aunque no debía de haber muchos. A esta política económica se unió la del rey longobardo Liutprando, que ya dijimos que era católico y que decidió que un emperador hereje no merecía ser poseedor de una provincia tan simbólica como Rávena. Además, no olvidemos que Rávena estaba repleta de iglesias, y estas de iconos ricamente adornados, procedentes de las numerosas donaciones de Gala Placidia y de su hermano Honorio y, sobre todo, de los emperadores Justiniano y Teodora. Un buen bocado para Liutprando, que este no tardó en engullir.

Grecia y las islas Cícladas aprovecharon la coyuntura para sublevarse contra el emperador iconoclasta y llegaron a elegir rey a un tal Cosma, cuyo reinado no duró mucho tiempo, porque intentó llegar a Constantinopla con una flota que la armada imperial destruyó totalmente. Cosma fue apresado y ejecutado en pocas horas.

El siguiente papa, Gregorio III, no se limitó a reconvenir al *Basileus,* sino que lanzó un terrible anatema contra él y contra quienes se permitieran poner sus manos impías sobre las sagradas imágenes. La respuesta de León fue muy diferente a la anterior, porque no hubo flota ni ejército ni mar, sino una medida política y económica. Mandó poner bajo la autoridad directa del patriarca de Constantinopla todos los territorios de las diócesis de Sicilia, los Balcanes y lo que hoy es Calabria, así como Macedonia, Dacia y Epiro. Todas ellas pertenecían al papado, por lo que aquella acción dio un giro político y militar a lo que podía haber quedado en una polémica religiosa, de las muchas que sacudían a Oriente y a Occidente.

Además de dividir el Imperio en una guerra civil, ahondó aún más la brecha que separaba las dos Iglesias.

CONSTANTINO COPRÓNIMO-MAMMON-CABALLINUS-FECAL

Los bizantinos no carecían de imaginación cuando querían poner un apodo como el que sus enemigos aplicaron al emperador Constantino V, hijo de León el Isáurico y también su sucesor en el trono del Imperio.

Su padre se había ocupado de educarle en el odio exacerbado no solo a las imágenes, sino a quienes pretendiesen darles la menor oportunidad de existir.

Pero antes de acceder al trono, Constantino tuvo que enfrentarse a un usurpador, su propio cuñado, Artabasdo, que había aprovechado la muerte de León el Isáurico en 741 para coronarse emperador y reponer el culto a las imágenes.

Artabasdo presentó una lucha de dos años, al final de los cuales Constantino consiguió vencerle y coronarse, como le correspondía. Después de vencer a su cuñado, Constantino hizo que fuese cegado junto con sus hermanos, porque el castigo de la ceguera se empleaba igualmente en Oriente que en Occidente. Ciegos y con las cuencas de los ojos ensangrentadas, hizo que desfilaran cargados de cadenas. Después humilló públicamente en el hipódromo al patriarca Anastasio, que se había atrevido a coronar al usurpador. Su castigo consistió en dar vueltas al hipódromo montado al revés sobre un borrico, entre la cuchufleta de los asistentes. Aquello no sirvió para deponer al patriarca, pero sí para hacer decaer enormemente su aureola de poder frente al *Basileus*. Después, Anastasio retornó a su sede y se deshizo en adulaciones iconoclastas para hacerse perdonar.

Una vez cumplidos los preliminares, Constantino V Coprónimo, que recibió ese apodo por haber ensuciado la pila bautismal (algo en realidad no tan extraordinario pues entonces se bautizaba a los bebés por inmersión), emprendió con entusiasmo la tarea encomendada por su padre.

En tiempos del emperador León III, el patriarca Germán había señalado, de acuerdo con el Papa, que solamente el concilio podría decidir acerca del culto a las imágenes. Constantino recordó aquel episodio y, para atajar las posibles discusiones que pudieran plantearse, convocó un concilio que se celebró en el palacio de Hiereia, en 754, donde se tomó la resolución de separar, desechar y arrojar de la Iglesia con imprecaciones toda imagen del maldito arte de la pintura. Además, todo aquel que fabricase, venerase o simplemente mostrase un icono, sería excomulgado y castigado por la justicia civil como enemigo de Dios. El concilio declaró que los iconos eran "odiosos y abominables", y las reliquias, "adoración de huesos". Todos sus argumentos se basaron en la Biblia. Por último, se señaló que la única imagen legítima de Cristo es la Eucaristía.

La presidencia del concilio había recaído sobre Teodoro, obispo de Éfeso, pero los partidarios de mantener el culto a las imágenes acordaron que la decisión era inválida, puesto que no había habido representación del Papa ni de las sedes patriarcales de Constantinopla, Jerusalén, Antioquía y Alejandría.

Sin embargo, la prohibición se cumplió a medias. Unos, porque consideraron la invalidez del concilio, y otros, porque no estaban dispuestos a destruir los iconos, por lo que muchas imágenes se escondieron y muchos funcionarios se desentendieron, hasta el punto de llegar a adorarse iconos a escondidas dentro del mismo Palacio Sagrado.

La represión no fue, pues, tan severa, puesto que diez años después del concilio de Hiereia los esbirros del Emperador entraron en casa del patriarca, que era oficialmente iconoclasta, y encontraron dos salas secretas repletas de iconos. La sala del "gran secreto" contenía iconos e imágenes de madera, y la sala del "pequeño secreto" estaba atestada de iconos de marfil, oro y miniaturas de mosaico.

Aquel caso debió de recrudecer la represión, y además inició la persecución de los artistas que seguían creando iconos pese a las prohibiciones. José Pijoán dice que, en todo caso, no fue tan terrible ni tan cruenta como cuentan los enemigos de Constantino V, pero tampoco produjo en absoluto los resultados espirituales que perseguía. Eso es lógico. Los actos pueden ser inhibidos con una prohibición, pero los deseos no pueden ser aplacados, ni las tendencias refrenadas. La destrucción de las imágenes no fue, desde luego, tan exhaustiva como las que llevaron a cabo los musulmanes o los protestantes siglos después. En Bizancio siguieron permitiéndose las cruces, sin imagen, solamente como símbolo, aunque probablemente aquella excepción tuvo el objetivo de proteger la Vera Cruz, aquella reliquia que trajo Santa Elena de Jerusalén y que tantas veces se había repartido que no quedaba de ella más que una pequeña cruz que se llevaba en la procesión y con la que el patriarca de Constantinopla bendecía al pueblo. La reliquia estaba guardada en el travesaño de la cruz situado justamente encima del trono imperial, el Trono Venerable en el que se sentaba el emperador iconoclasta.

Los epítetos que los iconódulos dedican a Constantino Coprónimo son dignos de la cultura bizantina. Veamos lo que dijeron de él dos eclesiásticos de la época. El diácono Esteban escribió que, cuando murió León, el diablo colocó en su lugar un ser aún más perverso, como Acaz sucedió a Acab y como a Arquelao le siguió Herodes, peor el segundo que el primero. El patriarca Teofanes dijo de él que era un monstruo ávido de sangre, una bestia feroz, un mago obsceno y sanguinario que se complacía en convocar a los demonios. Teofanes le acusó también de querer ser el decimotercer apóstol, como dicen que pretendió Constantino I. Otros le han llamado dragón alado de la semilla de la serpiente, anticristo, más vicioso que Nerón y Heliogábalo, carnicero y otros apelativos de índole similar, como el largo apodo Coprónimo-Mammon-Caballinus-Fecal. Y los más exacerbados cuentan que el Emperador disfrutaba con los tormentos que sus esbirros aplicaban a los que temían a Dios.

Pero ya hemos dicho que, según algunos autores, las medidas restrictivas no debieron de ser tan estrictas. Hay que tener en cuenta que León el Isáurico era un soldado inculto que se ganó el trono imperial por su valor militar, estratégico y político, lo que ya es mucho, pero no por su refinamiento y cultura, mientras que Constantino V había recibido la educación exquisita que corresponde a un *Basileus*. Y su prohibición fue acompañada de información, es decir, no se limitó a prohibir y a destruir, sino que organizó una campaña de educación religiosa que hiciera a los bizantinos tomar conciencia de lo equivocado que es adorar iconos, con todos los argumentos imaginables.

Por desgracia no nos han llegado dos enormes volúmenes que parece que redactó y que contenían los fundamentos de su ideología. Cuando se restituyó la iconodulia, los iconos volvieron a las iglesias, y los escritos del emperador iconoclasta desaparecieron, seguramente en alguna pira purificadora.

Pero sí sabemos que Constantino V fue alegre, amigo de fiestas, amante del teatro y de las celebraciones del hipódromo, excelente militar a quien los soldados adoraban, gran estratega y, además, enemigo del misticismo religioso. No veía con buenos ojos el que los monjes se apartasen de sus familias y que vistieran el ropón negro al que él llamaba "hábito de las tinieblas".

En represalia, los monjes decidieron ignorar los logros del *Basileus* y no aplaudir sus estruendosas victorias contra los búlgaros, que él celebraba con desfiles de militares coronados de guirnaldas y laureles, como hacían los romanos, entre los clamores populares. A su vez, Constantino llegó a molestarse por la ausencia de los monjes en sus celebraciones y decidió atacar directamente, no ya las imágenes a las que, además, hizo reemplazar por flores y pájaros, sino a la institución monástica en sí. Debió de hacerles bastante daño, porque a partir de aquel año, 765, aparecieron numerosos mártires y monjes muertos en olor de santidad. Parece que mantuvo la política iniciada por su padre de recortar el poder de los monasterios.

A pesar de todos los "títulos" con que sus enemigos le adornaron, Constantino V obtuvo victoria tras victoria, al menos en el orden político y militar, aunque el orden social se le fuera de las manos, porque el pueblo aplaudió al principio las nuevas decoraciones. En lugar de los conocidos frescos con motivos religiosos, los monumentos mostraban cortejos, carros, juegos de circo y escenas de teatro. Después, cuando pasara la fiebre iconoclasta, todos aquellos ornamentos se borrarían con el mismo fervor con el que se borraron los ornamentos religiosos.

Y más tarde vendría el Islam a terminar con unos y con otros, porque los turcos eliminaron exhaustivamente cualquier vestigio que pudiera recordar que allí hubo una vez un rostro humano.

Entre otros, los mosaicos de la mezquita de los Omeyas, en Damasco, y la decoración del Palacio Sagrado de Constantinopla fueron recubiertos por una capa de cal.

Constantino V murió en 775, dicen que de tuberculosis. Se casó tres veces y tuvo varios hijos, a pesar de que tuvo fama también de homosexual, lo que algunos autores consideran probado. Sería, en todo caso, bisexual, aunque de lo que muchos de sus enemigos le acusaron no fue de eso, sino de trigamia. A su muerte, su hijo León IV ascendió al trono y siguió los pasos iconoclastas de su padre durante los escasos cinco años que duró su reinado. Su madre fue una princesa tártara de Kazaria, Cizec, que se convirtió al cristianismo antes de casarse con el *Basileus* y, debido a eso, León IV llevó su mote correspondiente, el Kazario[7].

UN JURAMENTO CON RESERVAS

En más de una ocasión, los emperadores de Oriente y Occidente han querido tender lazos entre ambos Imperios. Uno de los que lo intentaron fue Constantino Coprónimo, quien pidió a Pipino el Breve la mano de su hija Gisela para su hijo León el Kazario, heredero del Imperio. Pero no pudo ser, porque Gisela fue monja, no sabemos si por vocación o por frustración. Lo que sí sabemos es que Pipino había pactado ya por entonces el acuerdo con el papado y que probablemente no estaba dispuesto a exponerse a perder lo mucho que pensaba ganar por concertar el matrimonio de su hija con un hereje. La iconoclastia fue declarada herejía en Occidente y todos sus partidarios fueron excomulgados en el concilio de Roma de 769.

Algunos autores opinan que Gisela entró en religión porque tenía vocación religiosa, que había fomentado Venancio, su director espiritual. Después de León el Kazario la pretendió el rey longobardo, y después, el rey de Escocia. Y cuentan que, como

---

[7] Los kazarios eran turcos procedentes de Asia Central, convertidos al judaísmo. En el siglo VII habían fundado un khanato a orillas del Mar Caspio.

La patrona de los anorexicos

La leyenda de una joven que se afea para rehuir un casamiento no deseado fue bastante popular en el siglo IX. Se cuenta también que Santa Wilgefortis, joven cristiana hija de un rey portugués pagano, fue prometida en matrimonio por su padre al rey sarraceno de Sicilia. Espantada ante la idea de casarse con un mahometano, ayunó y rezó a Dios, rogándole que la desfigurara y le arrebatara su belleza para así ahuyentar a los hombres. Al cabo de un tiempo de llevar un régimen de plegarias, ascetismo y dieta de inanición, su rostro comenzó a cubrirse de vello hasta lograr una barba poblada. Cuentan también que, horrorizado por lo que creyó posesión demoníaca, su padre la mandó crucificar. En algunos países de Europa fue adoptada como santa patrona por aquellas mujeres que deseaban librarse de la atención masculina, y actualmente se la menciona en muchos escritos sobre la anorexia nerviosa.

este último era un asesino, Gisela se afeó el rostro para espantarle y lograr que desistiera de su propósito. Pero esto no debe de ser más que una leyenda, porque los matrimonios eran una alianza y una conveniencia, y si a Pipino le hubiera interesado, Gisela se hubiera casado o hubiera sido entregada en *friedelehe,* como ya comentamos que hizo Carlomagno con sus hijas.

Tras el rechazo de la princesa occidental, Constantino eligió para su hijo a una joven ateniense de familia noble, Irene. El patriarca Nicéforo y Teofanes el Confesor describen la llegada de la novia a Hiereia, en la costa asiática de Constantinopla, procedente de Atenas. Entró en la capital escoltada por un cortejo de dignatarios palatinos y sus esposas, que se adelantaron para recibirla en embarcaciones con velas de seda. Dice Judith Herrin que lo más probable es que la transportaran en litera desde el puerto de Bucoleón hasta el palacio, porque la cuesta es muy empinada, y que la litera debía de ir sin velos, para que la gente arremolinada al paso del cortejo pudiera ver a la novia del césar y comprobar si era tan bella como se decía. Las ceremonias oficiales de Bizancio, descritas en aquel sofisticado protocolo del que hablamos en el capítulo I, obligaban a que los altos personajes aparecieran sin velar ante el público.

Los herederos del trono bizantino se casaban generalmente con mujeres de familias importantes como aliadas políticas. Puede que Constantino buscara en Pipino un aliado contra el Papa. No olvidemos que intentó que Pipino le devolviese los territorios arrancados al rey longobardo Astolfo, sin saber que estaban destinados a formar el *Patrimonium Petri*.

Una de las tres esposas de Constantino V, Cizec, había sido la prenda de paz para la política amistosa del emperador León III y el monarca de Kazaria. La princesa tártara había muerto al nacer su primogénito, el futuro León IV. Después de ella, Constantino V se había casado con María y a continuación con Eudocia. De ellas tuvo también numerosos hijos e hijas, a pesar de que ya dijimos que hay autores que afirman que era homosexual.

En cuanto a Irene, procedía de Grecia, y Grecia era una de las provincias que León III había anexionado a la órbita del patriarca de Constantinopla, arrebatándolas a la de Roma. El hecho de casar a su hijo con una aristócrata griega puede que fuese la solución para poner fin a las posibles discrepancias entre la Iglesia griega y la bizantina.

Irene y León el Kazario celebraron su compromiso matrimonial en la iglesia del Faro en el año 6260 de la Creación, que es como se contaba entonces en Bizancio. El 17 de diciembre del mismo año, 768 para nosotros, recibieron la corona en el Triclinio de los Siete Lechos y se casaron a continuación en la iglesia de San Esteban de Dafne, a la entrada del palacio imperial.

Hay que señalar que, antes de casarse, Irene tuvo que jurar sobre los Evangelios que renunciaba de corazón al culto de las imágenes. León también lo juró, y sin reservas, pero la futura emperatriz tuvo muy presente que juraba obligada y que aquel juramento no tenía valor. Lo tuvo presente ante sí misma y ante

Dios. Por nada del mundo hubiera mencionado tal cosa en voz alta. Ella sabía que tenía una misión importante que cumplir.

A principios de 770, a los 13 meses de su matrimonio, nació el primer hijo de León e Irene, Constantino VI, destinado, para su desgracia, a ser el chivo expiatorio de las tendencias imperiales de su madre.

El reinado de León IV el Kazario fue muy corto, y este apenas tuvo tiempo para continuar la política de su padre. Ni destruyó imágenes ni permitió su culto. No se mostró entusiasta de ninguna de las dos posturas, pero permitió el regreso de los monjes exiliados por las persecuciones de su padre y parece que toleró o al menos pasó por alto la veneración de las imágenes de la Virgen. Aunque tampoco debió de dejarse engañar, porque algunos autores cuentan que reaccionó con gran violencia cuando supo que un grupo de iconódulos, de los que habían regresado del exilio, había organizado un sistema para hacer llegar santos iconos a algunos eunucos del Palacio Sagrado. Aquello debió de parecerle muy descarado y mandó detener a los insurgentes y humillarlos haciéndoles caminar por las calles y el hipódromo con la correspondiente carga de cadenas.

También dicen que tuvo una escena violenta con su esposa cuando supo que ella era la que mandaba a los eunucos que trajesen iconos a palacio. Pero esta historia no resulta verosímil, porque Irene demostró más tarde que era inteligente y, además, prudente, y que tenía el claro objetivo de restablecer la iconodulia. Y no es lógico que actuase tan a la ligera, porque sabemos que lo hizo en su momento y con gran cautela. El mismo Teofanes ignoró las tendencias de la Emperatriz hasta que quedó viuda.

León el Kazario murió en 780, probablemente también de tuberculosis, aunque algunos cronistas aseguran que fue debido a unos forúnculos que le salieron en la frente, algunos dicen que como consecuencia de una corona muy prieta que quizá le produjo heridas que se infectaron. Cuentan que había tomado una corona de las ofrendas del altar de Santa Sofía y que su esposa la restituyó a su muerte.

La viuda de Constantino V, Eudocia, había dejado libre el camino a la nueva emperatriz Irene al morir el Coprónimo, trasladándose a otro palacio para no molestar y para que no la molestaran. A la muerte de León IV, su hijo Constantino VI tenía 10 años, era demasiado joven para que lo proclamasen emperador, por lo que Irene quedó como dueña y señora del Palacio Sagrado.

En un principio pareció no haber peligro de que los restantes hijos varones de Constantino V, los cinco que tuvo con Eudocia, vinieran a reclamar derechos al trono, porque León IV había convocado en su momento al Senado, quien le había confirmado su adhesión incondicional. No había más emperador que León ni más heredero que Constantino VI. El juramento se llevó a cabo por escrito y, para darle toda la solemnidad que el asunto requería, se procedió a la aclamación de los generales y los eclesiásticos ante la reliquia más importante de Bizancio y la única que había sobrevivido a la quema iconoclasta, la Vera Cruz. Después fue el pueblo quien proclamó que Dios les había dado como rey a León y que ahora les daba a Constantino. A continuación vino la ceremonia de designación del hijo de Irene y León como heredero de Bizancio delante de todos, nobles y plebeyos, en un altar situado ante el palco imperial que presidía el hipódromo, el mismo al que un día se asomó Justiniano agitando los Evangelios ante la turba enardecida para tratar de calmarla, durante la rebelión de la Nika que narramos en el capítulo II.

Aquella turba enardecida podía ser peligrosa si alguien se atrevía a contravenir sus aclamaciones, por lo que Irene estaba segura de que el futuro emperador sería su hijo.

A pesar de todas estas medidas y confirmaciones, a la muerte de León el Kazario, los hijos de Constantino V y Eudocia tuvieron pretensiones de llegar al trono y empezaron a conspirar para sentar en él a Nicéforo, el mayor. Pero Irene lo supo y, con mano de hierro, mandó detener y después tonsurar, azotar y exiliar a los altos funcionarios y generales implicados en la conjura.

En cuanto a sus cuñados, les preparó un castigo refinado, digno de los sofisticados ceremoniales de Bizancio. Los obligó a entrar en religión y les hizo oficiar en la fiesta de Navidad en Santa Sofía. Precisamente ella pensaba participar aquel día en la ceremonia, devolviendo al altar la corona que su esposo había robado y que probablemente le causó la muerte.

Irene no solamente no era tonta, sino sumamente inteligente. Aquella estrategia tenía un doble valor político y religioso, y en Bizancio no había otros valores más elevados. El hecho de devolver la corona en una fiesta solemne en la que sus cuñados administraban la comunión daría al acto una publicidad y un carácter oficial que quedaría fijado en las mentes de los bizantinos y en los anales de la Historia.

El mismo Teofanes la comparó con los apóstoles, a pesar de ser mujer, a juzgar por las alabanzas que de ella escribió al verla manejar con tanta maestría una situación tan delicada.

Y, para asegurar a su hijo en el trono, inició negociaciones con Carlomagno, rey de los francos, solicitando para Constantino VI la mano de la princesa Rotrude. Aquella vez no hubo negativas y, como los novios eran muy jóvenes, el notario Elissaios, que era uno de los eunucos principales de la corte bizantina, se desplazó al reino franco para instruir a la princesa, enseñarle griego y explicarle los complicadísimos asuntos de Oriente. Allí nadie querría a una princesa tosca e inculta, como probablemente fueran las hijas de Carlomagno. Y si no lo eran, sin duda lo parecerían en comparación con las jóvenes bizantinas.

Además de la alianza con los francos, que eran aliados del Papa, Irene debió de pensar en la posibilidad de recuperar algún día los territorios que los longobardos habían ido arrancando a la Italia bizantina. Pero, al final, el proyecto matrimonial no prosperó porque Irene cambió de parecer siete años más tarde y rompió el compromiso, en vista de las múltiples desavenencias que mantuvieron ambos monarcas, principalmente a causa de los territorios bizantinos de Occidente, que dieron como resultado una aplastante derrota militar del ejército bizantino en Benevento.

Constantino VI se casó en 788 con María, nieta de Filareto, un hacendado de Amnia, en Paflagonia, Armenia. Previamente, Irene había organizado una selección de esposas para su hijo, similar a las que hemos leído en los cuentos infantiles, que algo tienen siempre de realidad.

La selección consistía en hacer saber a todas las jóvenes del Imperio que el *basilisco* buscaba novia. Entonces empezaba la procesión de aspirantes a presentar su candidatura y a ofrecer sus prendas. Se trataba de hacer participar en el Imperio a los súbditos de la nobleza. Naturalmente, el príncipe heredero era el último que elegía, porque la decisión recaía sobre el emperador y si, como en el caso que nos ocupa, estaba muerto, sobre la emperatriz.

Con este procedimiento, Irene eligió a María de Amnia para su hijo Constantino VI.

EL LENTO REGRESO DE LA ICONODULIA

Irene fue proclamada regente durante la minoría de edad de su hijo Constantino. Su principal objetivo era restablecer el culto a las imágenes, lo que no iba a resultarle fácil, porque el ejército era iconoclasta. Lo era o había jurado serlo a su amado general Constantino V.

Además, como el culto a los iconos había quedado proscrito por un concilio, era imprescindible convocar otro para restablecerlo. Pero en esto tenía Irene un gran aliado, el Papa, que entonces era Adriano I, quien seguramente estaría deseando participar en la rehabilitación de las imágenes sagradas.

También contaba con el patriarca Tarasio, quien se había preocupado de enviar al Papa una confesión de sus ideas iconódulas. Y Tarasio era patriarca porque la Emperatriz así lo había dispuesto. Hasta entonces, el patriarca había sido Pablo, que era iconoclasta, mientras que Tarasio era un seglar, el jefe de la oficina de la cancillería imperial. Pero ya hemos visto que en aquellos tiempos las órdenes religiosas se recibían de la noche a la mañana si se contaba con avales suficientes. También en esto hay discrepancias, porque otros autores afirman que Pablo abdicó por propia voluntad, avergonzado de haber dirigido una Iglesia excomulgada por Roma y por las Iglesias occidentales, y que Irene eligió a Tarasio en su lugar, por ser iconódulo y de su total confianza.

Pero esos eran aliados religiosos, y la Emperatriz necesitaba también aliados laicos. Por tanto, empezó por rodearse de servidores fieles, ascendiendo a los eunucos de palacio a puestos de responsabilidad y nombrando generales en el ejército que permaneciesen a su lado sucediera lo que sucediera, porque ella sabía con seguridad que algo iba a suceder.

Otra de las acciones que pusieron de manifiesto el talante de la Emperatriz fue el periplo que realizó en compañía de su hijo, Constantino, recorriendo las provincias del Imperio para recibir las aclamaciones y adhesiones de todos sus súbditos y, sobre todo, para confirmar la autoridad imperial de ambos, por encima de posibles pretensiones de familiares y usurpadores.

El tesorero, Juan, se convirtió en jefe supremo del ejército, una especie de ministro de la guerra, y envió a las tropas a pelear contra los árabes, que oportunamente volvían a la carga, pasado el susto de las aparatosas victorias de Constantino V. Aquella vez era un personaje de alcurnia, el hijo de Madi, Harun Al Raschid, el sultán de *Las Mil y Una Noches*, quien trataba de invadir las provincias bizantinas.

Teodoro, otro de los altos funcionarios, partió para Sicilia, donde también se había organizado una oportuna rebelión que obligó a desplazar tropas y generales a algún lugar alejado, lo que apartaba al ejército de posibles insurrecciones contra su emperatriz.

Y el eunuco que mayor adhesión y fidelidad le había demostrado, Estauracio, recibió el cargo más elevado, similar al de primer ministro, pues de él pasaron a depender la policía, el correo político y los asuntos exteriores.

Una vez alejados el grueso del ejército y los funcionarios fieles a Constantino V y a León el Kazario, Irene se dispuso a convocar el contraconcilio que desdijese lo que se había dicho en el concilio anterior acerca de los iconos.

Pero, aunque el Papa era ciertamente propicio a la restauración del culto a las imágenes, no aceptó que un seglar, Tarasio, se sentara en la silla patriarcal y se dirigiera a él como si fuera un eclesiástico legítimo. Finalmente transigió y envió sus legados al concilio que se reuniría en Nicea el 24 de septiembre de 787, también imponiendo sus condiciones. El concilio debía proclamar que la iconoclastia era una herejía y que todos aquellos que habían sido sus practicantes o partidarios debían dar fe de su convencimiento y de su arrepentimiento, para poder ser readmitidos en el seno de la Iglesia.

El 1 de agosto de 786 se celebró una primera reunión en la iglesia de los Santos Apóstoles, en Constantinopla. Todo parecía desarrollarse sin tropiezos, pero incluso la previsora Irene se había olvidado, como pasa siempre, de algunos personajes de poca monta, pero fieles a los ideales de León el Kazario y de Constantino Coprónimo. Eran obispos y militares. Los unos arengaron a los otros y el resultado final fue la entrada de un tropel de soldados en el santuario donde se habían reunido los conciliares y la disolución de la asamblea a los sones de la *Declaración de la Fe Iconoclasta,* el himno religioso y militar de los anteriores dirigentes.

Aunque la finalidad del concilio se había mantenido en secreto, todo el mundo había comprendido cuál era el objetivo perseguido, sobre todo al ver a los legados papales deambulando por el palacio. Aquel día aprendió la Emperatriz a no subestimar a los iconoclastas.

Pero ella tenía que cumplir su objetivo contra viento y marea, por lo que decidió eliminar al ejército iconoclasta y reclutar otro nuevo.

En primer lugar, ordenó a Estauracio que consiguiera el apoyo de las tropas asiáticas instaladas en Tracia, y después envió a los generales de las tropas profesionales a embarcar para Malagina, que era el punto donde solían reunirse contra los árabes. Para que no sospechasen, envió también toda la impedimenta militar. Y cuando los soldados estuvieron en Asia Menor esperando órdenes para atacar a los sarracenos, lo que recibieron fue la licencia para retirarse con sus familias a sus lugares de origen.

Aquello equivalió a un despido en toda regla y, tras él, la astuta Emperatriz pudo reclutar un nuevo ejército que no se amotinase cuando ella decidiera restaurar el culto a las imágenes, que era, como vemos, su razón de vivir.

En mayo de 787 volvió a convocar el concilio, pero aquella vez en Nicea. Los legados papales regresaron desde Sicilia, pues ya estaban a mitad de camino de regreso, pensando que aquella idea de restablecer la veneración oficial a los iconos era una fantasía de la Emperatriz.

Los obispos y monjes partidarios de la iconodulia acudieron encantados, mientras que los patriarcas habían quedado en espera de la celebración del concilio que tuvo lugar, finalmente, en Nicea, en septiembre de 787. Se reunieron más de 300 conciliares y hubo unanimidad en cuanto a la decisión. Todos los que llamasen "ídolos" a los santos iconos serían en adelante excomulgados, las reliquias y las imágenes volverían a los templos, de donde nunca deberían haber salido, toda vez que los cristianos sabían positivamente que los iconos no eran dioses a los que adorar. Por tanto, se condenaba a tres categorías de herejes: los que consideraban ídolos a los iconos, los que los tenían por simples adornos y los que les tributaban el culto de *latría,* que estaba reservado a Dios.

Se condenó el concilio de Hiereia de 754, rebajado ahora a la categoría de conciliábulo, y se excomulgó a los patriarcas iconoclastas. Además, se prohibió el tráfico de cargos eclesiásticos y el comercio de reliquias y otros objetos santos. También se ordenaron los monasterios mixtos.

Las actas del concilio II de Nicea se redactaron en griego y se enviaron al papa Adriano I, quien tuvo que hacerlas traducir al latín, pero parece que el traductor no debía de conocer la lengua griega con todas sus connotaciones y tradujo "adoración" donde tenía que haber traducido "veneración", por lo que el resultado fue un levantamiento de ampollas. Carlomagno llegó a leer las actas mal traducidas y se disparó una nueva controversia que duró algunos años. Hay que tener en cuenta que en aquellos tiempos las comunicaciones eran muy lentas.

Sin duda, Occidente iba aprendiendo de Oriente y se avecinaba el Renacimiento Carolingio, porque la mala interpretación de aquella sola palabra dio lugar a la redacción de los *Libros Carolingios* para atacar al concilio II de Nicea, VII de los ecuménicos, al que el concilio de Frankfurt de 794 denominó "un sínodo impertinente tenido en Grecia para adorar pinturas".

Para anular las malentendidas disposiciones del concilio, los prelados francos se basaron en que ellos no habían tomado parte, en que una de las resoluciones obligaba a "adorar" a las imágenes y en que tal concilio no tenía carácter de ecuménico, es decir, de universal, porque no se había convocado a toda la Iglesia.

Los *Libros Carolingios* fueron seguramente dictados por Alcuino de York, aunque parece que los redactó Teodulfo de Orleáns, y en ellos puede apreciarse el desdén que sintió Carlomagno por la emperatriz de Bizancio. Hay que entender el gesto despectivo de Carlos, que tenía a sus esposas y concubinas a buen recaudo en el gineceo de su villa real, ante un concilio convocado por una mujer. También puede que pesara la negativa de Irene al matrimonio de su hijo con la princesa carolingia y, sobre todo, las pugnas que ambos Imperios mantenían por las posesiones bizantinas en Italia.

Afortunadamente, el malentendido se deshizo, porque los prelados francos recibieron en su momento una traducción correcta y todo el mundo se puso de acuerdo en que lo que se había restablecido en Oriente era la iconodulia, es decir, la veneración a las imágenes, y no la iconolatría, la adoración a los iconos, como habían entendido en Occidente. Esta es, al menos, la versión oficial de la disputa que surgió en Occidente con motivo del concilio II de Nicea.

Después del concilio, los bizantinos no restituyeron a los monjes los territorios embargados por los iconoclastas. La Iglesia oriental quedó más que nunca sometida al poder imperial. Los iconos, las imágenes y las reliquias volvieron a sus lugares de culto, y también volvió la actividad de los artistas para crear nuevas imágenes y para copiar las que habían desaparecido en la fiebre iconoclasta.

Irene y su hijo Constantino habían sido aclamados con vítores y gran algazara, dándoles los nombres de "nuevo Constantino y nueva Elena" en recuerdo del fundador de Constantinopla y de su madre.

Constantino VI

Hasta los tiempos del concilio, cuando Constantino VI tenía alrededor de diecisiete años, Irene le había mantenido bajo control. Incluso, cuando rompió su compromiso con Rotrude, de la que ya le debía de haber hablado mucho y muy bien Elissaios, el joven no solamente se plegó a los dictámenes de su madre, que cada vez iba volviéndose más dictatorial y autócrata, sino que ocultó su frustración y se casó con María de Amnia, la armenia, en 788.

Parece ser que el motivo de la ruptura se debió a la política expansionista que caracterizó a Carlomagno y a sus planes de invadir el sur de Italia, lo que supuso una amenaza para las posesiones bizantinas en Calabria. Carlos tenía que recuperar el Imperio Romano y no había tiempo que perder.

Irene intentó frenarle con una ofensiva, azuzándole al príncipe longobardo Adelgis para que recuperase las tierras de sus antepasados que el rey franco le había arrebatado. Pero su plan fracasó porque, como si todos se hubieran puesto de acuerdo para atacar a Bizancio a la vez, los sarracenos volvieron a amenazar y, además, los búlgaros, que aún no habían abandonado su intención de llegar a gobernar algún día Bizancio, lograron una victoria, no muy importante, pero tres frentes a la vez eran demasiados para el Imperio. Mal aconsejada, Irene había desperdiciado tropas en Italia, cuando tenía el peligro más grave en casa, en Asia Menor.

Y probablemente debido a que las plagas nunca llegan solas y a que las cuestiones soterradas explotan en momentos de crisis, a todos los anteriores desastres militares se vino a sumar un problema interno mucho más grave. Constantino VI iba a cumplir la mayoría de edad y reclamaba su derecho a reinar. Al fin y al cabo, el emperador era él y su madre no era más que la regente. Era el año 790.

Tampoco sabemos si Constantino VI reclamó su trono por decisión propia, si lo hizo instigado por su esposa, que seguramente tendría deseos de ser emperatriz, o si siguió los consejos de palaciegos o militares seguramente iconoclastas, que vieron la posibilidad de recuperar su poder con el nuevo *Basileus*. Teofanes dice de él que era un joven ambicioso y capaz, que se sentía frustrado en sus deseos de gobernar.

El primer paso que pensaba dar Constantino era arrestar a Estauracio, el eunuco que dirigía los destinos del gobierno, pero entonces sucedió algo imprevisto, uno de esos imponderables con los que nunca se cuenta y que dicen la última palabra en muchas cuestiones.

Un terremoto llegó muy oportuno a obligar a los augustos y a todo su séquito a trasladarse al palacio de San Mamés, en la costa europea. Aprovechando el movimiento, el traslado y la agitación de aquellos momentos, los acompañantes, amigos, consejeros y aliados de Constantino VI fueron puestos a buen recaudo, azotados, tonsurados y, los más peligrosos, exiliados; los menos, arrestados. Y la misma suerte corrió el joven *Basileus,* solo que sin tonsura. Sufrió azotes y encarcelamiento, además de los airados reproches de su madre, que posiblemente le parecieran el peor castigo. Tales escarmientos le fueron aplicados solamente por haber amenazado a Estauracio, ya que ni siquiera había llegado a arrestarle.

Constantino VI fue hijo de la emperatriz Irene, contra la que se rebeló por haberle arrebatado el trono. Perdió la batalla y su madre le hizo cegar para que no se revolviera de nuevo contra ella.

¶ Comiença la vida del Emperador
Constantino sexto deste nombre.

Uiedo ya fallecido Leon quarto, que dando su hijo Constantino de poco mas de doze años, fue recebido por Emperador, no obstante su poca edad, ayudando a esto la pruden cia y valor dela emperatriz su madre, llama da Yrene, y auerlo jurado los vassallos del Imperio en vida del padre. Aunque no pu do ser esto sin contradiction e dificultad: por que algunos principales hombres menos preciando se de ser mandados de niño y mu ger, tratauan secreto de hazer emperador a Nicephoro, que era su tio del niño, herma no de Leon su padre, aunque por oluido no se hizo arriba mencion del. Pero no pudo hazer se esto tan secreto, que no fuesse auisa da Yrene, y se dio ella tan buen cobro, que prendio y desterro a los que esto intentaua, cortandoles los cabellos, que entonces era grande afrenta, como quiera que a Nice phoro no hizo mas de le hazer tomar habi to clerical: e assi le quedo al hijo el imperio pacifico. Pero aunque el moço era el empe rador, la madre lo administraua y gouerna ua todo, y segun todos escriuen, justa y pru dentemente: porque era sabia y excellente muger, y sobre todo amiga dela religion, y zelosa delas cosas dela fe. Delo qual es prue ua bastante, que viendo la discordia que en tre Griegos y Latinos auia, sobre la vene

Nicepho
ro se qui
so alçar co
Costanti
no su so
brino.

racion delas ymagines, y otros puntos en q variauan, trabajo con grande instancia, q se conuocasse concilio general, y pudo tanto su sancta diligencia, aunque se dilato algun tie po, que con autoridad que para ello dio el papa Adriano que toda via biuia, se ayuto el concilio enla ciudad de Nicea, enla puin cia de Bithinia, donde ya otros concilios a uia auido, enel qual se hallaron trezientos y cincuenta obispos, y enel se trataron y orde naron muchas cosas, tocante al comu y bue estado dela yglesia catholica: y fue por final determinacion confirmada la condemnaciõ delos ereges que negauan el vso delas yma gines, y fueron quitados otros abusos que enla yglesia auia, por culpa delos emperado res, y de algunos prelados. De manera q enel tiempo que duro la gouernacion de Y rene, fueron las yglesias todas de oriente sa cro jubente concilio, tornadas a adornar y poblar de ymagines y pinturas de nuestro redemptor y señor Jesuchristo e de su ben dita madre, con grande alegria y consenti miento delas mas delas gentes, y señalada mente del patriarcha de Constantinopla, llamado Therasio varon catholico succes sor de Paulo que lo mismo auia procurado y desseado muy mucho, y por no lo poder cõ seguir ni acabar conel Emperador Leon, viendose ya viejo y enfermo, antes que mu riesse, auia ya dexado la dignidad y metido se en religion, haziendo se Monje: al qual yendo a visitar la Emperatriz Yrene, y a preguntar la causa de tan notable mudan ça, le hizo vna muy larga oracion, dizien dole, que el se apartaua por no poder resi stir a su marido el Emperador, y por no mo rir fuera d ela vnion y sancta obediencia de la yglesia Catholica Romana, y que el le supplicaua, que por todas vias trabajasse la vnidad dela yglesia catholica, y que esto no se podia alcançar sino con Concilio ge neral, que ella lo encaminasse y trabajasse, que el pues ya no podia, no queria morir cismatico, ni apartado dela vnion dela ygle sia, sino hazer alli penitencia de no lo auer hecho antes: aunque nunca en la ver

Concilio
general E
Nicea.

Una vez estuvo Constantino encarcelado en el mismo palacio de San Mamés, vino la decisión más difícil. Irene había hecho todo lo posible por obtener la adhesión, la fidelidad y el fervor de todo el mundo para su hijo, como único césar frente a los otros cinco hijos varones de Constantino V. Y ahora que podía ser emperador, ¿cómo iba a conseguir ella el favor, sobre todo de los militares, sin poner a su hijo en el trono?

No solamente no fue fácil, sino que ni siquiera fue posible. Los ejércitos empezaron por dividirse en opiniones, pero casi todos estuvieron de acuerdo en que ellos ya habían jurado fidelidad, y había sido a Constantino VI y a su madre; es decir, a Constantino mientras fuera menor de edad y a su madre como regente. En Armenia se produjo el primer levantamiento que proclamó a Constantino VI único emperador de Bizancio. Y a ese siguieron otro y otro.

En octubre de 790, Irene tuvo que replegarse y reconocer que había perdido la batalla, porque las tropas ya habían declarado emperador a su hijo y no querían ni oír hablar de otra cosa. Todos entendieron que Irene se consideraba emperatriz madre y que se retiraba de la política. Pero se equivocaron.

Constantino tomó las medidas necesarias para afianzar su poder, publicándolo en el Foro de Constantino, donde se daban a conocer todas las noticias oficiales. Nombró generales que jurasen no aceptar nunca a Irene como gobernante, y después hizo lo que correspondía. Volvió a su casa como dueño y señor, mandó azotar, tonsurar y encarcelar a Estauracio y a todos los eunucos que tan fielmente habían servido a la emperatriz, los exilió repartiéndolos por el territorio y recluyó a su madre en el palacio Eleuterio.

Reinó sólo durante un año, demostrando que no era un niño blando y pasivo, sino un joven aguerrido y bien dispuesto, como había observado Teofanes. Repelió a los búlgaros y detuvo una nueva conspiración de sus cinco tíos quienes, clérigos o seglares, seguían siendo iconoclastas y no desperdiciaban la ocasión para asaltar el trono.

Constantino VI dejó las cosas como estaban y no insistió en el asunto de las imágenes, dejando que cada uno hiciera lo que le viniera en gana. Tenía suficientes problemas con los búlgaros como para tenere que ocuparse de asuntos religiosos. En eso demostró tener mucho más juicio que el resto de los emperadores.

Además, demostró también ser un buen hijo, porque llegó a comprender que su madre se había comportado como lo hizo porque estaba acostumbrada a gobernar y que por ello había desarrollado aquel carácter autoritario que tanto bien había hecho al Imperio en su momento. Llegó a esta conclusión, naturalmente, tras sufrir numerosas presiones por parte de su madre y de los amigos de esta, para que la restituyera al lugar que le correspondía.

Así pues, la perdonó, la puso a su lado como corregente y, para celebrar la reconciliación, levantó en el hipódromo una estatua a la emperatriz madre. Aquel fue su primer error, porque decepcionó al ejército y se ganó no solamente su enemistad, sino su desprecio.

El segundo error fue enamorarse de una dama llamada Teodote. Puesto que estaba casado con María de Amnia, el único camino para dar rienda suelta a su amor era divorciarse. Pero esa decisión le atrajo las iras del clero, que no aceptaba los divorcios por capricho, sino por razones de Estado, y María no era en absoluto estéril. Había tenido ya dos hijas y bien podía tener un varón. Había tiempo.

El tercer error fue acometer una campaña contra los búlgaros para dar a las tropas un quehacer que no fuera criticarle y rebelarse contra él, pero con tan mala fortuna que sufrió una derrota sonada y deshonrosa.

La derrota trajo tras de sí el rechazo del ejército hacia su emperador, hasta el punto de que apoyaron una nueva sublevación de Nicéforo, el mayor de sus tíos, que todavía seguía intentando conseguir el trono. Constantino consiguió sofocar la revuelta e hizo cegar a Nicéforo y cortar la lengua a sus cuatro hermanos, para que nunca más volvieran a pretender el trono.

A continuación, insistió en su segundo error y despidió a su mujer, haciéndola rapar y encerrar en un convento, que era el destino de las esposas repudiadas. Y no la recluyó en un convento próximo, sino en la isla Prinkipo, en el mar de Mármara. Para que no se sintiera sola, hizo que la acompañaran dos de sus hijas, Irene y Eufrosine, dos niñas que le parecieron inútiles en palacio, sin saber que una de ellas, Eufrosine, tenía un destino que cumplir en la querella de los iconoclastas y los iconódulos.

Entonces pudo casarse con su amada Teodote. Fue en 795, en el palacio de San Mamés. Para la Iglesia, fue un adulterio. Para la emperatriz madre, la nueva esposa estaba emparentada con dos monjes muy importantes iconódulos, es decir, defensores y partidarios de la política de Irene. Pero los mismos parientes de la nueva esposa se situaron del lado de la oposición, mientras que el patriarca Tarasio fue más comprensivo y admitió el nuevo matrimonio.

El segundo matrimonio de Constantino VI resultó el mayor de sus errores, porque no solamente le enemistó con la Iglesia, sino que dio lugar a un cisma entre sus partidarios y sus oponentes, que tuvo al clero dividido durante diez años. Además, aunque parece que el Emperador arguyó que su esposa María había tratado de envenenarle, es más que probable que no le creyeran. Era demasiada coincidencia que la esposa fuese potencialmente asesina cuando el esposo se inclinaba por otra mujer.

Tampoco es de extrañar que pasasen estas cosas en Oriente cuando hemos visto los problemas que ocasionaban los divorcios en Occidente, donde eran mucho menos estrictos en materia de moral y de religión.

Y fue su mayor error porque le hizo perder el apoyo que podía quedarle. Puesto que, excepto el patriarca Tarasio y algunos eclesiásticos más, la Iglesia se pronunció en contra de este matrimonio, los posibles hijos nunca hubieran sido considerados legítimos, y eso suponía un futuro problema sucesorio, porque ya no existía la posibilidad de tener un heredero varón con María.

Teofanes insiste en que Irene deseaba el poder y en que veía satisfecha cómo su hijo iba perdiendo apoyos y cerrándose puertas con aquella conducta. Parece que ella se desligó de su amistad con Tarasio, porque era casi el único que admitía el nuevo matrimonio del *Basileus*. Además, ella iba haciendo todo lo posible por aislarle política, militar y socialmente, hasta que lo consiguió, como hemos visto, con la ayuda del propio Constantino VI.

En 797, el Emperador pudo ver con claridad que se avecinaba un enfrentamiento con su madre en el que él iba a salir perdiendo, por lo que se asustó y trató de huir con su esposa hacia la costa oriental del mar de Mármara. Pero los esbirros de la reina le detuvieron antes de que pudiera llegar muy lejos.

Irene le había dado a luz hacía veintiséis años en el triclinio de la Pórfida. En la misma cámara púrpura le hizo cegar. Era, como hemos visto en varias ocasiones, el castigo reservado a los rebeldes, a los enemigos potenciales y a los que no convenía matar. Era brutal, pero se consideraba un acto de piedad, porque perdonaba la vida. Al menos, a los que sobrevivían.

Así terminaron las ambiciones legítimas del emperador de Bizancio, quien quedó sometido a su esposa Teodote hasta su muerte, hacia 805. Y así se inició un nuevo período de autocracia de Irene, que ya no fue regente ni emperatriz, sino emperador. Recorrió las calles de la ciudad en un carro de oro tirado por cuatro caballos blancos, desde el cual arrojaba monedas de oro a puñados a la multitud, que la aclamaba enardecida.

A partir de 798, los documentos bizantinos no aparecen firmados por la *basilisa* Irene, sino por el *basileus* Irene.

Algunos autores afirman que esta conducta no había tenido precedentes, pero lo cierto es que sí los tuvo. En el antiguo Egipto, la reina Hatshepsut se coronó faraón en el lugar de su esposo Tutmosis III, y como faraón gobernó con los atributos de rey, no de reina. Las imágenes la representan con la barba postiza y las ropas de faraón. Casi un siglo más tarde, otra emperatriz griega, Teofano, firmaría como emperador, no como emperatriz, como indicamos en el capítulo VIII.

En todo caso, la dictadura de Irene no debió de ser tan severa, porque sabemos que durante los años que aún reinó a solas, entre

798 y 802, hubo una reducción de impuestos probablemente encaminada a evitar levantamientos populares.

En 801, según cuenta el cronista Teofanes el Confesor, Irene se preocupó por un falso rumor que surgió en Oriente, según el cual los francos pretendían invadir Sicilia, y la Emperatriz envió a Carlomagno una embajada para averiguar si era cierto y, en todo caso, cuáles eran sus intenciones.

Sigue contando Teofanes que la respuesta de Carlomagno, pese a ser un bárbaro coronado emperador en Occidente, fue correcta y amable, y que incluso solicitó la mano de la emperatriz viuda. Precisamente, él acababa de enviudar por tercera vez y aquel matrimonio supondría la paz definitiva entre Oriente y Occidente.

Es posible que Carlomagno acariciase el sueño de restaurar el Imperio de ambas partes del mundo. También es posible que quisiera ser emperador "de verdad", porque en su fuero interno no estuviera muy convencido de la legitimidad de su coronación. No olvidemos que en aquel mismo año se extendieron documentos en Rávena firmados por el gobernador del Imperio, no por el Emperador, como señalamos en el capítulo I.

Hay también autores que aseguran que, dado que una mujer no podía gobernar en nombre propio, fue Irene quien trató de casarse con Carlomagno, para también legitimar así su posición.

No lo sabemos con seguridad, porque también hay una crónica que cuenta, según Jacques Delperrie, que Carlomagno había rehusado colaborar en 798 con un grupo de conjurados bizantinos que pretendían derrocar a Irene y que incluso habían llegado a ofrecerle la corona de Bizancio. Y no sabemos si no aceptó por lealtad, por sentimientos caballerosos hacia aquella emperatriz tan valiente o, simplemente, porque la corona del Imperio Bizantino le venía grande. Al fin y al cabo, él era un bárbaro iletrado y Bizancio seguía siendo la luz del mundo.

En todo caso, lo que sí sabemos es que no hubo tiempo para aquel proyecto matrimonial, porque en 802, el tesorero Nicéforo, que estaba emparentado con familias musulmanas y a quien debía

TEXTO DE LA CARTA DE IRENE

"Es Dios, ciertamente, quien me ha elevado al trono, y atribuyo mi caída solamente a mis pecados. Que el nombre del Señor sea bendito, cualquiera que sea. Atribuyo a Dios tu elevación al Imperio, porque nada puede alzarse sin su voluntad. Es por Dios por quien reinan los emperadores. Te considero, pues, como el elegido de Dios, y me inclino delante tuyo como delante de un emperador".

(Teophanes, Cronographia, Bonn, 74, en: Folz, R., *Le Couronnement Impérial de Charlemagne*, Gallimard, 1964, Paris, p. 30. Trad. del francés por José Marín R.)

de horrorizar el culto a los iconos, sobornó a los eunucos guardianes del palacio, apresó a Irene y la encerró en un monasterio.

Nicéforo fue coronado emperador con el nombre de Nicéforo I, aprovechando que Irene había desdeñado establecer un orden sucesorio, a pesar de habérselo reclamado el mismo papa tiempo atrás. ¿Cómo podía haber un gobernante sin sucesor? Se exponía a un golpe de estado, y así fue como acabó su reinado. Ella terminó sus días en un monasterio por traición, porque Nicéforo le había prometido que podría seguir viviendo en el palacio, pero, tan pronto averiguó dónde se guardaban los tesoros, la envió a la isla de Prinkipo, seguramente al mismo monasterio que a su nuera.

De aquella fecha, 802, se conserva una carta de Irene dirigida a Nicéforo I en la que le manifiesta que fue Dios quien la elevó al trono y que fueron sus pecados la causa de su caída. También le dice que le considera elegido de Dios, pues es por Dios por quien reinan los emperadores. No sabemos si en estas frases hay una alusión velada a los pecados del nuevo emperador, que también serían causa de su caída, ya que murió a manos del khan Krum de Bulgaria.

La Iglesia oriental canonizó a Irene por su empeño en restaurar la liturgia imaginera. No tuvo en cuenta sus pecados.

Capítulo X
Teodora o el triunfo de los santos iconos

La Querella de las Imágenes no terminó, ni mucho menos, con Irene. El asunto era demasiado complejo para acabar con un concilio, aunque fuera ecuménico. Ya hemos visto que ni siquiera las herejías desaparecían después de los concilios, las excomuniones y los exilios. Además, la cuestión de los iconos era muy profunda, debido al sentimiento visceral del pueblo bizantino por sus reliquias y sus imágenes. Y no hace falta tener mucha imaginación para comprenderlo, basta echar una mirada a las manifestaciones de devoción que suscitan actualmente numerosas imágenes y reliquias, en plena Era del Conocimiento y en países que disfrutan de la tecnología más avanzada. El pensamiento mágico convive en el ser humano con el pensamiento lógico y no es fácil erradicarlo. Muchas veces, ni siquiera es necesario.

También hemos mencionado que la causa de la iconoclastia fue más bien la reducción del poder económico y social de la Iglesia y su sometimiento al Estado. Si tal fue el motivo que llevó a los *basileis* a vedar y a destruir las imágenes, es más fácil enten-

Emperadores de Bizancio

Emperadores	Años	Familia
Arcadio	395-408	Teodosiana
Teodosio II	408-450	Teodosiana
Marciano	450-457	Teodosiana
León I el Grande	457-474	Tracia
León II	474	Tracia
Zenón Isáurico	474-476	Tracia
Basilisco	476-477	Tracia
Zenón Isáurico (restaurado)	477-491	Tracia
Anastasio I	491-518	Tracia
Justino I	518-527	Justiniana o 2ª Tracia
Justiniano I	527-565	Justiniana o 2ª Tracia
Justino II	565-578	Justiniana o 2ª Tracia
Tiberio II	578-582	Justiniana o 2ª Tracia
Mauricio	582-602	Justiniana o 2ª Tracia
Focas, el usurpador	602-610	Justiniana o 2ª Tracia
Heraclio	610-641	Heracliana
Constantino II y Heraclión, hijo de Heraclio	641	Heracliana
Constantino III (o Constante II)	642-668	Heracliana
Constantino IV (Pogonato)	668-685	Heracliana
Justiniano II (Rinotmeto)	685-695	Heracliana
Leoncio, usurpador	695-698	Heracliana
Tiberio III Absimaro, usurpador	698-705	Heracliana
Justiniano II, restaurado	705-711	Heracliana
Filépico Bardanes, usurpador	711-713	Heracliana
Anastasio II	713-716	Heracliana
Teodosio III, usurpador	716-717	Heracliana
León III (Isáurico)	717-741	Isáurica
Constantino V (Coprónimo)	741-775	Isáurica
León IV (Kazario)	775-780	Isáurica
Constantino VI (y su madre Irene)	780-797	Isáurica
Irene (sola)	797-802	Isáurica
Nicéforo I, usurpador	802-811	Isáurica
Estauracio	811	Isáurica
Miguel I (Curopalata)	811-813	Isáurica

Emperadores	Años	Familia
León V (el Armenio)	813-820	Isáurica
Miguel I (el Tartamudo)	820-829	Frigia
Teófilo	829-842	Frigia
Miguel III (el Beodo)	842-867	Frigia
Basilio I (el Macedonio)	867-886	Macedonia
León VI (el Filósofo)	886-911	Macedonia
Alejandro, regente	911-912	Macedonia
Constantino VII	911-959	Macedonia
Constantino VII, con Romano I Lecapeno y sus hijos Cristóbal, Esteban y Constantino VIII	919-945	Macedonia
Romano II, asociado con Constantino VII	949-959	Macedonia
Romano II, solo	959-963	Macedonia
Nicéforo Focas	963-969	Macedonia
Juan I Zimisces, usurpador	969-976	Macedonia
Basilio II	976-1025	Macedonia
Constantino VIII, asociado con Basilio II	976-1025	Macedonia
Constantino VIII, solo	1025-1028	Macedonia
Zoe, emperatriz	1028-1050	Macedonia
Zoe, asociada a Romano III Argiro (marido)	1028 - 1034	Macedonia
Zoe, asociada a Miguel IV el Paflagón (marido II)	1034-1041	Macedonia
Zoe, asociada a Miguel V Calafate (hijo adoptivo)	1041-1042	Macedonia
Zoe, asociada a Constantino IX Monómaco (marido III)	1042-1050	Macedonia
Constantino IX Monómaco, (solo)	1050-1054	Macedonia
Teodora, hermana de Zoe	1054-1056	Macedonia
Miguel VI Estratiota, designado por Teodora	1056-1057	Macedonia
Isaac (Comneno)	1057-1059	Comnenos y Ducas
Constantino X (Ducas)	1059-1067	Comnenos y Ducas
Eudoxia con sus hijos Miguel VII Parapinacio, Andrónico, Constantino Ducas	1067-1068	Comnenos y Ducas
Romano IV (Diógenes)	1068-1071	Comnenos y Ducas
Miguel VII, restaurado	1071-1078	Comnenos y Ducas
Nicéforo III (Botoniates)	1078-1081	Comnenos y Ducas

Emperadores	Años	Familia
Alejo I (Comneno)	1081-1118	Comnenos y Ducas
Juan II	1118-1143	Comnenos y Ducas
Manuel I	1143-1180	Comnenos y Ducas
Alejo II	1180-1183	Comnenos y Ducas
Andrónico I	1183-1185	Comnenos y Ducas
Isaac II (el Ángel)	1185-1195	Ángeles
Alejo III	1195-1203	Ángeles
Isaac II, restaurado, asociado a Alejo IV	1203-1204	Ángeles
Alejo V (Murzufle)	1204	Ángeles
Balduino I, conde de Flandes	1204-1205	Emperadores latinos de Constantinopla
Enrique de Flandes	1205-1216	Emperadores latinos de Constantinopla
Pedro de Courtenay y Yolanda de Flandes	1216-1219	Emperadores latinos Constantinopla
Roberto de Courtenay	1219-1228	Emperadores latinos de Constantinopla
Balduino II	1228-1261	Emperadores latinos de Constantinopla
Balduino II asociado a Juan de Brienne, rey de Jerusalén	1229-1237	Emperadores latinos de Constantinopla
Teodoro I (Láscaris)	1206-1222	Emperadores de Nicea
Juan III (Vatacio)	1222-1255	Emperadores de Nicea
Teodoro II (Láscaris)	1255- 1259	Emperadores de Nicea
Juan IV (Láscaris)	1259- 1260	Emperadores de Nicea
Miguel VIII (Paleólogo), regente	1259- 1260	Emperadores de Nicea

Emperadores	Años	Familia
Miguel VIII (Paleólogo), emperador de Nicea	1260-1261	Emperadores de Nicea Reconquistó Constantinopla
Miguel VIII (Paleólogo)	1261-1282	Paleólogos
Andrónico II (el Viejo)	1282-1328	Paleólogos
Miguel IX, asociado a Andrónico II	1295-1320	Paleólogos
Andrónico III (el Joven)	1328-1341	Paleólogos
Juan V	1341-1376	Paleólogos
Juan VI Cantacuceno, usurpador	1347-1355	Paleólogos
Andrónico IV	1376-1379	Paleólogos
Juan V, por segunda vez	1379-1390	Paleólogos
Manuel II	1391-1425	Paleólogos
Juan VII (Paleólogo), asociado con Manuel II	1399-1402	Paleólogos
Juan VIII	1425-1448	Paleólogos
Constantino XI	1448-1453	Paleólogos

Fuente: *La gloria de Roma*, edición en línea.

der que los monarcas que siguieron a la emperatriz Irene volvieran a la prohibición.

Pero Irene había hecho algo más que restablecer la veneración a los iconos y devolver los privilegios a la Iglesia, al menos a la facción de la Iglesia iconódula. Irene había demostrado al mundo, a la Historia y, sobre todo, a la posteridad, que una mujer podía gobernar el Imperio en solitario y, además, proclamar dogmas de fe. Ella y las que siguieron demostraron que tres mujeres iconódulas podían más que nueve hombres iconoclastas.

REGRESAN LOS ICONOCLASTAS

Nicéforo I no fue muy afortunado porque, como dijimos, pronto perdió la vida luchando contra los búlgaros. El interés de los búlgaros por conquistar Bizancio databa de tiempo atrás, desde que uno de sus líderes decidiera crear un Imperio búlgaro-bizantino.

Aquel objetivo se transmitió de gobernante en gobernante, por lo que todos o casi todos los khanes de Bulgaria insistieron en conquistar Bizancio. Incluso hubo batallas contra los sarracenos que los bizantinos consideraron perdidas y en las que obtuvieron victorias casi milagrosas. Ellos las imputaron seguramente a la reliquia de algún santo, pero la realidad es que muchas veces recibieron la ayuda secreta de los búlgaros, quienes estaban convencidos de que eran ellos quienes tenían que conquistar el Imperio y no los sarracenos.

Una de esas contiendas le costó la vida a Nicéforo. El khan Krum le cortó la cabeza, la clavó en una pica y luego la hizo fundir en plata para utilizarla como vaso en el que beber vino a la salud de Bizancio. En cuanto al sucesor de Nicéforo, su hijo Estauracio, aún tuvo peor suerte, porque se rompió la columna vertebral en la última batalla y sufrió dolores peores que la muerte. Murió en un monasterio después de abdicar en su hermano adoptivo, Miguel, que fue coronado en 811 con el nombre de Miguel I.

Le siguió León V el Armenio, aclamado emperador por el pueblo después de que Miguel abdicara y se retirase a un monasterio tras sufrir una importante derrota contra los búlgaros. Y para evitar que sus hijos pretendiesen el trono, León los hizo castrar.

León V inició su reinado en 813. Se libró de los búlgaros pero no por su valor o por sus estrategias guerreras, sino porque Krum murió de un ataque casi repentino y su hijo y sucesor era demasiado joven e inexperto para continuar persiguiendo el objetivo bizantino.

Quiso la casualidad que los ejércitos aniquilados por los búlgaros fueran precisamente los iconódulos, y los ejércitos que quedaron en pie, los iconoclastas. Esto fue razón suficiente para que el nuevo emperador proclamase otra vez la prohibición de las imágenes y la vuelta a destruir lo construido y lo reconstruido.

Para ello, hizo falta otro concilio, que se celebró en 815 en Santa Sofía. León V había confiado a Juan el Gramático la tarea de recorrer todas las bibliotecas de Constantinopla y examinar los textos de los Padres de la Iglesia, al igual que las Escrituras, para encontrar en ellos algo que justificase la veneración de las imágenes. Naturalmente, no lo encontró. Ya dijimos que las imágenes horrorizaban a los primeros cristianos y que estaban prohibidas por la Biblia. Además, todavía no se había tomado la decisión de modificar oficialmente el segundo mandamiento de la Ley, "no harás imagen ni semejanza…", por el actual "no jurar su santo nombre en vano.

La única excepción que encontró fue la que ya mencionamos anteriormente, la construcción de dos querubines de oro que debían situarse en los dos extremos del propiciatorio del Templo de Salomón. Siguiendo la orden de Jehová, Moisés hizo tallar dos ángeles de madera de olivo recubierta de panes de oro para el centro de la cámara interior. Cada ángel debía cubrir con sus alas el propiciatorio, y ambos se mirarían frente a frente. Después, Jehová le mandó poner el propiciatorio sobre el arca, donde se le revelaría.

Y no encontró ninguna otra salvedad ya que, por mucho que los profetas y los jueces insistieran en pedir a Dios que les mostrara su rostro, lo más que pudieron alcanzar a ver fue su gloria en forma de columna de fuego o humo, o bien en forma de nube. Ezequiel y Daniel tuvieron visiones de figura humana que la versión cristiana de la Biblia interpreta como imágenes del Hijo. Y el Nuevo Testamento manifiesta que Jesús no vino a abolir la Ley, sino a darle cumplimiento.

¿Qué más quería el Emperador para conceder al ejército iconoclasta lo que este le estaba reclamando en nombre de Constantino V?

Con el respaldo de los textos sagrados, León el Armenio ordenó retirar los iconos e imágenes, aunque no brutalmente sino poco a poco. Pero no tuvo tiempo de destruir demasiados, porque en 820 cayó bajo una conjura que acabó con él, que hizo castrar a sus hijos para terminar también con la dinastía y que puso en el trono a Miguel II, quien se apresuró a coronar a su hijo Teófilo como emperador asociado para evitar las consecuencias que la falta de sucesión solía llevar tras de sí.

Después de la caída de Irene hubo cuatro reyes en veinte años. En aquel tiempo, las cosas habían cambiado hasta el punto de que era Oriente quien empezaba a imitar las costumbres de Occidente. Un signo claro de decadencia.

EUFROSINE, LA OLVIDADA

El emperador Miguel II murió en 828 en su cama, cosa digna de mencionar, y su hijo Teófilo ascendió al trono del Imperio. Pero hay datos de su reinado que los cronistas de la época han silenciado y que nos interesa desvelar, porque ya hace tiempo que citamos a la hija olvidada de Constantino VI, aquella a la que el destino había reservado un lugar destacado en la Querella de las Imágenes.

Eufrosine había quedado arrinconada en aquel convento de la isla Prinkipo, en el mar de Mármara, donde su padre la exilió junto con su hermana Irene y su madre María de Amnia, la armenia, cuando decidió casarse con Teodote.

La pobre María ni siquiera había sido emperatriz. Muchas esposas de emperadores no llegaron siquiera a recibir la corona imperial porque no tuvieron hijos varones, o solamente la recibieron al nacer el esperado heredero. Y María no tuvo tiempo.

Eufrosine, que significa "alegría", había nacido princesa, hija legítima de un emperador. Aquello no fue óbice para que sufriese el exilio con su madre, pero sí le valió después para librarse de él y conseguir en su vida algo más provechoso que el monacato.

Miguel II se casó con Tecla Turcina y de ella tuvo un hijo, Teófilo I. Pero la esposa murió y el viudo buscó una segunda esposa, que fuera al mismo tiempo otra madre para el heredero.

Recordemos que, en tiempos de Constantino VI, la Iglesia se había dividido en dos facciones, una de las cuales abogaba por la validez de su segundo matrimonio con Teodote y, la otra, por la invalidez, lo que convertía a María en la única esposa y a sus hijas, Irene y Eufrosine, en las únicas princesas imperiales.

En 815 volvió la prohibición de las imágenes, y con ella el desalojo de los monasterios iconódulos, entre los cuales se encontraba el de Prinkipo, del que fueron desalojadas dos de las tres mujeres imperiales, María y Eufrosine, puesto que Irene había fallecido en 803.

Aquel año, mientras cantaba la liturgia de Navidad, León el Armenio murió a manos de un grupo de conjurados que se mezclaron disfrazados con el coro y que sentaron en el trono a Miguel II. El nuevo emperador no solo fue el probable asesino de su antecesor, sino, además, un hombre inculto y con dificultad para hablar, lo que le valió el sobrenombre de Tartamudo. Además, solamente contaba con el apoyo de los militares profesionales dado que, aunque sus esbirros castraron y exiliaron a los hijos de León V el Armenio, aún quedaba un competidor para el nuevo monarca, uno de sus compañeros de armas llamado Tomás el Eslavo, quien contaba con un historial limpio de sospechas de magnicidio, así como con el respaldo de una gran parte de la tropa.

Como era de esperar, Tomás el Eslavo encabezó una rebelión que el ejército imperial pudo sofocar, pero justamente entonces murió Tecla, la emperatriz, y aunque Miguel el Tartamudo la lloró y juró no volver a casarse, pronto le convencieron de que era imprescindible contar con más de un heredero, previendo que pudiera suceder algo a Teófilo.

Eufrosine era la única descendiente que quedaba del gran iconoclasta León III el Isáurico, el que había empezado aquel largo proceso de prohibir y permitir, quitar y reponer las imágenes sagradas. Ella podría ser el nexo que Miguel II necesitaba para que las tropas iconoclastas, que recordaban con nostalgia los tiempos felices de Constantino Coprónimo, le concediesen su reconocimiento y su favor.

El único defecto de Eufrosine, bastante grave por cierto, era que habitaba en un convento iconódulo y que se había educado en la veneración a los santos iconos. Además, era monja profesa con votos perpetuos.

La proposición debió de caer en el convento como una bomba. Por un lado, sería un gran honor que el emperador requiriese por esposa a una de las monjas. Pero, por otro, el emperador era un hereje. No sabemos si Eufrosine había hecho votos por vocación propia o por obligación pero, fuera como fuera, lo cierto es que aceptó la solicitud imperial. También es posible que alguien la aceptara en su nombre, incluyendo a su propia madre, María, quien tal vez viera en ello una forma en la que el destino resarcía a su hija; o bien pudo ser la madre abadesa quien recibiera la petición directamente del patriarca.

Al poco tiempo, se casaron. Eufrosine recibió la corona de emperatriz y se convirtió en la madrastra de Teófilo, el heredero y co-emperador, que debía de tener por entonces unos diez años.

Aunque su padre era un usurpador iletrado, Teófilo I recibió una educación esmerada y, además, basada en la teología de la iconoclastia, porque uno de sus principales maestros fue Juan el Gramático.

Dice Juan Luis Posadas que Teófilo I era un gran admirador del Islam, sobre todo de Harum Al Raschid, el sultán que hemos citado anteriormente y que fue protagonista de *Las Mil y Una Noches*. Incluso, en alguna ocasión, el *Basileus* se dirigió al emir de Córdoba, Abderramán II, para pedirle ayuda contra los Abasíes, que habían conquistado la ciudad de Amorion, en Asia Menor. A cambio, le ofreció ayuda para recuperar el trono de los Omeyas usurpado por los Abasíes, sus enemigos comunes. Abderramán no aceptó, probablemente por no comprometerse con los cristianos en contra de los musulmanes, aunque fueran enemigos de los Abasíes.

Cuenta también este autor que Teófilo I tenía la costumbre de salir de noche disfrazado por las calles para averiguar de primera mano lo que opinaba el pueblo y para conocer las corrientes y los chismes en boga. También reabrió la Universidad de Constantinopla, donde se enseñaban ciencias y letras, y puso al frente a Juan el Filósofo, el mayor exponente de la cultura bizantina del siglo IX, que fue maestro de pensadores tan brillantes como el obispo Cirilo y el patriarca Focio, quien, aunque se ganó el rechazo de la Iglesia Católica y estuvo a punto de protagonizar el cisma de Oriente, fue una figura muy destacada en el Siglo de Oro bizantino, entre otras cosas porque dejó un importante legado de reseñas y notas eruditas sobre textos clásicos y de su época.

Todo esto sucedió cuando Teófilo I fue adulto. En el momento de nuestra historia, todavía era un adolescente que compartía con su padre, el Tartamudo, el trono del Imperio, mientras su madrastra se ocupaba de las tareas delicadas que correspondían a una emperatriz, como elegir el regalo para la boda de Luis I el Piadoso con su segunda esposa Judith, organizar el enterramiento de su madre, fallecida en aquellos días, para que reposara junto a su hermana Irene y su padre Constantino VI, o asesorar a su esposo analfabeto en las embajadas amistosas que iban y venían entre la corte bizantina y la corte carolingia. Aquellas embajadas eran algo más que amistosas, porque ambos emperadores, lejos de considerarse enemigos y competidores, se trataban de hermanos.

En cuanto a su educación en la iconodulia, Eufrosine supo ser totalmente discreta y no dejar traslucir su inclinación, aunque ya se había manifestado la división entre la iconoclastia declarada de Juan el Gramático y la iconodulia sin disimulos del patriarca Antonio.

Miguel el Tartamudo nunca supo si su mujer estaba o no de acuerdo con él y con sus ideas iconoclastas. Tampoco eran tiempos para que una mujer se pronunciara, a menos que tuviese el valor que tuvo en su momento la emperatriz Irene. Miguel murió en 829 en su cama, de una dolencia renal.

Al quedar viuda, Eufrosine se portó tan bien con su hijastro que incluso León el Gramático la citó en algunos de sus escritos como su madre.

Teófilo I, además de culto e inteligente, resultó expedito en cuanto a hacer constar que ni él ni su trono estaban a merced de conspiradores. Para ello, hizo ejecutar a los asesinos de León V, en primer lugar, porque era su padrino, y en segundo, para que todos supieran que los magnicidios no quedaban sin castigo.

En 829, Teófilo tenía dieciséis años y era necesario casarle cuanto antes. Eufrosine era entonces emperatriz viuda, pero no regente, porque el joven era lo suficientemente crecido como para reinar. Además, le sobraba experiencia, ya que había compartido el trono con su padre al menos durante ocho años.

Como ya hemos dicho que era discreta, Eufrosine no seleccionó por sí misma a la novia de su hijastro, sino que organizó el concurso de belleza tradicional y animó a Teófilo I a que eligiera entre un grupo de candidatas. Incluso hay cronistas que señalan que quiso emular el juicio de Paris y dio al joven una manzana de oro para que la entregase a la elegida.

Pero fue Eufrosine quien se encargó de la preselección. Junto con las cualidades externas de belleza y salud y las cualidades morales necesarias para ser una buena emperatriz, se ocupó de que las bellas candidatas tuviesen un carácter firme y fuesen partidarias decididas de la iconodulia. Tenía sus planes para restablecer en el futuro el culto a las imágenes, pero carecía del poder suficiente para hacerlo por sí sola. Necesitaba tener cerca a alguien poderoso, alguien que no fuese un patriarca, sino mucho más próximo y capaz de influir en el corazón del Emperador. La mejor opción era su nuera.

Así fue como Eufrosine le sirvió en bandeja a su hijastro a la futura emperatriz Teodora, la destinada a terminar definitivamente con la Querella de las Imágenes y a restablecer para siempre el culto a los santos iconos. Tan importante fue su misión que también fue canonizada como Santa Teodora.

Eufrosine sabía sobradamente lo que hacía, porque Teodora no tuvo que esperar a demostrar a nadie que podía dar un heredero varón al *Basileus*. El 5 de junio de 830 hubo boda y coronación. La discreta Eufrosine siguió comportándose como una suegra prudente y se retiró de palacio para no interferir en los sueños ambiciosos de su nuera. Ella seguiría su labor discreta y silenciosa hasta conseguir su objetivo.

Eufrosine no solamente descendía de León el Isáurico, como había apreciado en ella su difunto esposo Miguel el Tartamudo, sino de Irene, la iconódula que echó por tierra toda la labor del Isáurico, del Coprónimo y del Kazario. Y hubiera echado abajo las de Carlomagno y el Papa juntos, si hubieran sido iconoclastas.

UNA RETIRADA ESTRATÉGICA

Teodora empezó su reinado cumpliendo su parte en el compromiso. Dio a su marido cinco hijas y un hijo. El único varón murió pronto, cosa muy normal en los niños de aquellos tiempos, pero Teodora siguió comportándose como emperatriz madre y tuvo otro. Aquel fue el príncipe heredero, Miguel III, quien un día reinaría con el lamentable mote de Miguel el Borracho. Un mote deplorable y, además, merecido, porque el joven césar resultó muy amigo de las juergas.

Teófilo también se portó como correspondía con su esposa. Acogió favorablemente en la corte a su familia, que constaba de madre, tres hermanas y dos hermanos. Todos ellos encontraron prosperidad y felicidad en Bizancio gracias a la influencia del Emperador. Incluso dice Judith Herrin que la madre, Florina, recibió un título que su yerno debió de inventar para ella, patricia de la Banda, puesto que no era habitual que una suegra alcanzase un puesto tan importante en la jerarquía palaciega.

Antes de todo esto, Eufrosine se había retirado del Palacio Sagrado dejando a la joven pareja en entera libertad de actuación y movimiento en lo que se refiere al empleo de los aposentos palaciegos, para que se organizasen a su gusto y concediesen las estancias que les parecieran convenientes a la familia de la Emperatriz.

Teodora quedó en manos de los eunucos, que sabrían sobradamente instruirla en el refinado ceremonial de la corte y que velarían por ella tan bien como su propia suegra. Parece ser que Eufrosine eligió un monasterio donde vivir, lo que señala que no le fue mal durante sus primeros años de vida, puesto que en Constantinopla abundaban los palacios a los que retirarse discretamente sin necesidad de elegir un convento. Eufrosine eligió un monasterio desde el que pudiera comunicarse con su nuera cuando fuera necesario, porque había que vigilar para que se cumpliera el destino de ambas, que era, como sabemos, continuar la labor de Irene.

Y no solamente debía comunicarse con su nuera para poner en marcha su plan secreto de restablecer las imágenes, sino también para ayudar al Imperio cuando fuera necesario un criterio sensato y prudente, cosa que pudo poner en práctica en el año 838.

Aquel año, ocho después de su matrimonio con Teodora y de la partida de su madrastra al monasterio, Teófilo I se ausentó de Constantinopla por un asunto grave. El califa Mutasim había atacado al Imperio y había tomado la ciudad de la que era oriundo el padre del *Basileus*, Amorion. No era solamente cuestión de honor ni se trataba de una ciudad emblemática, sino que Amorion se hallaba en la ruta estratégica de acceso a Constantinopla y además era la residencia del estratega bizantino. Aunque estaba muy bien defendida, había caído en manos musulmanas.

Durante la refriega, corrió el rumor de que Teófilo había muerto peleando, y muchos soldados, aterrados ante la pérdida de su jefe, huyeron hacia la capital, dejando Amorion casi desguarnecida.

El problema más grave se presentó cuando el rumor llegó a Constantinopla, porque allí, como ya dijimos que no eran tiempos para perder ni un segundo, los enemigos de Teófilo se dispusieron inmediatamente a elegir un nuevo emperador y coronarle, sin pararse a verificar si el rumor era cierto.

Y aquí fue donde Eufrosine pudo prestar su ayuda. Cuando conoció la conjura, envió un mensajero a Amorion con la misión de localizar a su hijastro, estuviese donde estuviese, y comunicarle el problema que se avecinaba, por lo que debía regresar inmediatamente a Constantinopla. Y cuenta Judith Herrin que no debió de ser cosa fácil, porque el mensajero tenía que ser de la total confianza del Emperador, valiente y arriesgado para llegar a un lugar conflictivo de lucha, rápido y seguro y, además, llevar consigo una prenda que Teófilo I identificase como perteneciente a su madrastra, que probablemente sería un anillo. El mensaje rezaba estas palabras: "Los romanos que han venido han informado de que te han matado y desean nombrar otro rey ¡ven de inmediato!"

La expresión demuestra que Bizancio seguía sintiéndose heredera de Roma. "Los romanos" eran los soldados bizantinos. Bizancio era Roma, y el Imperio Romano que había reconquistado Carlomagno era "Occidente" o "el reino de los francos".

Teófilo I siguió la recomendación de su madrastra, volvió a Constantinopla y castigó a los rebeldes que tanta prisa tenían por destronarle. El mensaje de Eufrosine le sirvió para desarticular el complot, para demostrar a todos que a él no se le eliminaba fácilmente y, por desgracia, para que los musulmanes tomasen Amorion, matando a sus habitantes, que recibieron el título póstumo de "mártires".

Eufrosine recibía con frecuencia la visita de su nuera Teodora y de las cinco princesas. Solo se habla de visitas de las princesas porque el príncipe heredero, Miguel, no había nacido todavía en aquella época. La madre de Teodora, Florina, también había decidido retirarse a un monasterio, por lo que la Augusta solía visitar a ambas. Así pudo tener ocasión Eufrosine de conocer desde su retiro lo que sucedía en palacio, y así tuvo también la posibilidad de ejercer su influencia para oponerse a la política iconoclasta de su hijastro e iniciar su lucha iconódula, porque tanto en los aposentos de su madre como en los de su suegra, aprovechaba Teodora el tiempo, no solo para aprender asuntos domésticos o secretos del protocolo, sino también para educar a sus hijas en la veneración de las imágenes, mientras el Emperador, que se enteraba de todo menos de lo que pasaba en su casa, emprendía persecuciones contra los iconódulos.

Pero algo tan ostensible como la actividad prohibida de venerar las imágenes no podía pasar para siempre desapercibido por parte del monarca iconoclasta. Un día, una de las niñas; según cuenta Judith Herrin, Pulqueria, la pequeña, le dijo a su padre que habían visitado a la abuela Florina y que habían jugado con sus muñecas. Aquello alertó al *Basileus* y le llevó a averiguar que la culpable de todo era Eufrosine, por lo que la mandó desalojar el convento en el que se alojaba. Desde allí, se trasladó a un monasterio que ella misma había fundado anteriormente, donde siguieron visitándola Teodora y las princesas, suponemos que tras instruirlas convenientemente acerca del secreto de sus actividades. Otros autores cuentan que la abuela Florina ya había fallecido por entonces y que las "muñecas" tuvieron que ser las de Eufrosine. Y otros mencionan un decorado del siglo XII que muestra a las niñas orando ante las imágenes con su abuela Florina, quien, antes de bautizarse, se llamó en griego Teoctiste. Y otros señalan que esta fue la causa por la que Eufrosine abandonó el palacio imperial y se retiró a un monasterio.

Fuera como fuere, lo cierto es que las cinco princesas imperiales aprendieron a venerar los santos iconos a espaldas de su padre y con el beneplácito de los patriarcas, quienes, según dice Teofanes, debieron de encontrar el asunto incluso divertido, dado el furor iconoclasta del *Basileus*, que perseguía enconadamente a "los iconódulos" y se había olvidado de "las iconódulas".

TEÓFILO, EL ICONOCLASTA

En el juego de la elección de novia imperial, Teófilo I desempeñó un papel activo, a diferencia de otros emperadores que se limitaron a aceptar la novia elegida por sus padres. Habíamos dicho que Eufrosine dio a su hijastro una manzana de otro para que la entregase, como Paris, a la elegida de su corazón. Pero también hay quien dice que Teófilo entregó manzanas a todas las candidatas y que los frutos no eran precisamente de oro, porque al día siguiente el príncipe llamó a las muchachas y les pidió que le devolviesen la manzana. Y eligió a Teodora porque era la única que no se la había comido.

Otros dicen que la historia de la manzana fue idea de un santo eremita, Isaías, quien aconsejó a Teodora que entregase dos manzanas al Emperador, una en señal de su doncellez y la otra en señal de su fertilidad, porque ser virgen y ser fértil eran las dos condiciones *sine qua non* para ser emperatriz. Y ser hermosa, porque la convocatoria de la emperatriz madre a las jóvenes casaderas del Imperio iba dirigida a las bellas.

Cuenta también Judith Herrin que Teófilo I habló con otra de las candidatas, Cassia, y que le tendió una trampa dialéctica recordándole el papel de la mujer en el mundo como origen del mal. Pero ella no se acobardó. Aceptó el simbolismo que identificaba a Eva como culpable de la entrada de la muerte y del pecado en el mundo, al dejarse vencer por la tentación, lo que había situado a la mujer en una posición de inferioridad respecto al varón; pero después contrapuso el símbolo de la Virgen María, cuya superioridad sobre el resto de los humanos había concedido a las mujeres una segunda oportunidad, por lo que la mujer es también el origen del bien.

Parece ser que al Emperador no le gustó que Cassia mencionara aquella segunda oportunidad de la mujer. También es posible que le desagradara una novia tan respondona. En todo caso, decidió pasar a la siguiente en la lista, que fue Teodora, a la que finalmente eligió. Si lo anterior es cierto, cabe la posibilidad de que la eligiera porque ella no abriera la boca, recordando que quien mucho habla, mucho yerra. Lo cierto es que fue siempre una reina muy discreta, y si el *Basileus* nunca llegó a enterarse de su objetivo de restablecer el culto a las imágenes, es probable que tampoco advirtiese la firmeza de su carácter en el proceso de selección.

Después de su boda y coronación en 830, tuvieron una primera hija que se llamó Tecla, como la madre de Teófilo. Y parece que Teófilo quiso, como tantos otros, enlazar Oriente y Occidente ofreciendo a esta princesa en matrimonio para el hijo mayor de Luis I el Piadoso, el que reinó con el nombre de Luis II el Germánico.

La idea no prosperó, como no prosperaron otras muchas, pero también sabemos que Teófilo no desdeñó a sus hijas como había hecho Constantino VI, sino que hizo poner sus efigies en distintas emisiones de moneda.

Después vinieron dos princesas más, Ana y Anastasia, y por fin, el varón, Constantino, que murió por un desgraciado descuido de su niñera al caerse a una cisterna del Palacio Sagrado y ahogarse. Una asunto lamentable para todo el mundo, y especialmente para la niñera.

Teófilo I y Teodora insistieron para tener otro hijo varón, y aunque primero nacieron otras dos niñas, María y Pulqueria, la secuencia se repitió en 840 con el nacimiento de Miguel, el que se llamaría en su día Miguel III el Borracho.

En los primeros tiempos del reinado de Teófilo I, había numerosos monjes y eclesiásticos iconódulos encerrados en castillos y monasterios cuyo mando estaba encomendado a un iconoclasta probado. Otros formaban lo que se podría llamar una verdadera resistencia, algunos en el exilio y otros allí mismo, aunque, si practicaban la iconodulia, lo hacían a escondidas. El monasterio de Fobero, situado junto al Bósforo, era entonces un lugar de exilio y reclusión para monjes iconódulos.

Los papas siempre hicieron lo posible por influir en los emperadores iconoclastas. En tiempos de Teófilo I, el papa era Pascual I, quien dicen que envió a su embajador Metodio para pedirle que restableciese en la silla patriarcal a Nicéforo, el patriarca iconódulo, así como a Eutimio, el obispo iconódulo de Sardes, y para rogarle que aceptase la vuelta de la iconodulia.

Pero Eutimio parece que había confesado en su momento que la madre de la emperatriz, aquella Florina iconódula, le había visitado en su celda, y eso le valió una paliza tan fuerte que le causó la muerte. Metodio tampoco se libró de las iras iconoclastas, porque fue deportado a la isla de Afousia. Está claro que los intentos del Papa resultaron contraproducentes, porque es probable que incluso despertaran el celo adormecido del emperador iconoclasta, ya que, precisamente, a partir de aquel intento de influencia empezó lo peor. Arrestos, exilios, destrucción de imágenes, prohibición a los artistas de crearlas, un concilio que ratificase la Definición de la Ortodoxia Iconoclasta y el ascenso a la silla patriarcal de Juan el Gramático, a quien ya hemos visto anteriormente actuar como iconoclasta declarado. Parece que fue él quien ordenó la persecución desde el inicio de su patriarcado, en el año 838.

Los que se opusieron fueron castigados. Sabemos de dos hermanos monjes, Teofanes y Teodoro, y de un pintor, Lázaro, que presentaron resistencia a la orden imperial de dejar de crear iconos y continuaron pintando, por lo que fueron exiliados después de quemar las manos a Lázaro para que no volviera a pintar y de tatuar en la frente de ambos hermanos unos versos yámbicos que les debieron de resultar bastante ofensivos. Otro castigo refinado propio de los bizantinos, ya que el yambo era un verso consagrado originalmente a los himnos báquicos.

Pero Metodio no tuvo tan mal destino porque, al fin y al cabo, Teófilo I era culto y tenía una enorme curiosidad por saber, y Metodio, que era siciliano, hablaba latín perfectamente y entendía bastante de Astrología, por lo que el Emperador acabó por liberarle de su exilio y llamarle a su lado para que le ayudara en sus estudios de predicciones astrológicas. Le hizo instalar en el palacio de Sigma para poder conversar con él cuando fuera necesario. Y puede que también la Augusta le hiciera alguna que otra visita, puesto que cuando ella recibió el poder y comenzó a reinstaurar la iconodulia, fue Metodio quien ocupó la silla patriarcal.

Teófilo I y Teodora tenían creencias opuestas y excluyentes en lo que a las imágenes se refiere, pero ella ya hemos dicho que debió de ser lo suficientemente discreta como para disimular su tendencia, porque, aunque muchos autores afirman que aquella discrepancia separó al matrimonio y retratan al esposo como a un hereje encarnizado y a la esposa como a una santa martirizada, lo cierto es que, hacia 840, dos años antes de la muerte del Emperador y con motivo de la coronación del césar Miguel, Teófilo

mandó incluir una inscripción en Santa Sofía similar a la que inscribió Justiniano unos siglos antes, en la que pedía la ayuda de Dios para sí mismo, la de la Santa Virgen para la Emperatriz y la del Hijo para el monarca recién coronado, Miguel III.

En aquellos tiempos era demasiado fácil para un *Basileus* desprenderse de su esposa y enviarla a un convento como para que Teófilo conservase a Teodora a su lado y, además, inscribiera los nombres de ambos en el vestíbulo de Santa Sofía, de haber habido divergencias graves entre ellos. Teófilo I había tenido ocasiones sobradas para separarse de ella, puesto que tardó diez años en darle un heredero, al menos, vivo.

Además, tenemos los testimonios de un enviado del califato de Córdoba a la corte bizantina, Yahya, quien describió la belleza de los ojos negros de la emperatriz Teodora y habló de cómo ella permanecía junto a su esposo en las sesiones de recepción de embajadores y en otros actos oficiales realizados en el palacio de Magnaura. Y, en muchas ocasiones, la Augusta lució un soberbio vestido de tela de oro adornada con piedras preciosas que su esposo había diseñado especialmente para ella.

Esos testimonios dan idea del amor que Teófilo debía de sentir por Teodora. Incluso el hecho de que alejase a Eufrosine del palacio al saber que las princesas aprendían a orar ante las imágenes, puede que fuera una forma de culpar a su madrastra o a su suegra, para no culpar a su esposa.

Eso dice mucho del amor de él y de la discreción de ella.

La labilidad de las rocas de la región de Capadocia permitió a los huidos de las persecuciones iconoclastas horadarlas y crear verdaderas ciudades subterráneas con largos pasadizos que es preciso recorrer con la espalda doblada. Todavía hoy pueden visitarse y comprobar el miedo que debieron de sentir quienes en ellas se ocultaron.

Teodora, la iconódula

En 842 murió el emperador Teófilo. Murió de disentería, muy joven, aún no tenía ni treinta años. Su hijo, Miguel III, no tenía más que dos años. Antes de morir, Teófilo I nombró dos regentes para que ayudaran a Teodora en su labor; el eunuco Teoctisto, una especie de escriba cuya misión era guardar el tintero, y Bardas, el hermano de Teodora, aquel que después daría lugar al problema de Focio con varios papas, a causa de su concubinato, como vimos en capítulos anteriores.

La mayoría de edad del *Basileus* estaba señalada a los dieciséis años, por lo que Teodora tenía por delante catorce, al menos, para poner en práctica su plan de restituir el culto a las imágenes y rehabilitar en sus puestos a los iconódulos exiliados o recluidos.

Para que ella pudiera llevar a cabo su idea, era imprescindible salvaguardar los derechos del pequeño Miguel, y de ello se había de ocupar también el patriarca Juan el Gramático. El problema fue que, como era lógico, le instruyó en la iconoclastia. Pero, para entonces, ya había dejado Teodora a un lado su prudencia y discreción de esposa imperial y había empezado a sacar a relucir su verdadero carácter. Era la regente y no pensaba dejar que nadie le arrebatase el puesto, porque tenía una misión que cumplir.

Entonces tropezó con varios inconvenientes que tuvo que ir salvando. El primero era el clero que, designado por el patriarca y empezando por él mismo, era decantadamente iconoclasta. Pero para eso contaba ella con la resistencia en el exilio, que es con lo que han contado los participantes de casi todas las revoluciones de todos los tiempos. Y había muchos refugiados en las montañas de Bitinia y en las cuevas de Capadocia esperando el momento de sacar los iconos de sus escondrijos.

El segundo inconveniente era el ejército, pero después del desastre de Amorion la mayor parte de las tropas iconoclastas habían muerto en el combate o habían quedado en manos de los musulmanes. Ya no existía aquella asociación tan importante que hubo en tiempos de Constantino V entre las tropas iconoclastas y la victoria. Ahora eran las tropas iconoclastas las que habían fenecido en manos del enemigo, aún más iconoclasta que ellos, por cierto.

Teodora empezó por liberar a todos los iconódulos encarcelados y por permitir el regreso de los exiliados. Y, para garantizar la rectitud de sus creencias decidió, como otros habían hecho antes, legitimarlas con un concilio. Un nuevo concilio que declarase que la iconodulia era grata a Dios y que, como era lógico, la iconoclastia era una herejía. Así podría desembarazarse de los iconoclastas y educar a su hijo Miguel III en la iconodulia. Pero entonces Teodora no sabía que su hijo iba a resultar ser un príncipe insustancial e irresponsable.

El problema de determinar que los iconoclastas eran herejes era que tal consideración habría incluido a su esposo. Por tanto, había que pensar algo que librase a Teófilo de la mancha de la herejía, aunque, en aquellos tiempos, las decisiones conciliares solían aplicarse a los eclesiásticos y no a los emperadores, y si alguien tenía que ser tachado de hereje sería Juan el Gramático, y no Teófilo. El Emperador tenía que quedar libre de culpa para no ensuciar o deslegitimar su dinastía.

Recordemos que Constantino el Grande se hizo bautizar en su lecho de muerte por Eusebio de Nicomedia. Al menos, eso se cuenta, y eso ha permitido a la Iglesia de Oriente venerarle junto a su madre Santa Elena.

Algo similar debió de pensar Teodora para salvaguardar la memoria de su difunto esposo de la herejía y, además, para apoyar con más firmeza su resolución de restaurar la iconodulia. Al poco tiempo de enterrar a Teófilo, hizo correr el rumor de que se había arrepentido en su lecho de muerte de haber atacado y prohibido las santas imágenes.

La historia del arrepentimiento de Teófilo I merece haber sido compuesta por un novelista, porque está repleta de angustias y malestares sufridos por el enfermo en su lecho de muerte, así como de pesadillas relacionadas con sus grandes sentimientos de culpa y con la espera de un castigo eterno por su grave herejía. También hay una escena muy teatral en la que Teoctisto entró a reconfortar al *Basileus* llevando un pequeño icono colgado de un collar y que, tan pronto fue visto por el moribundo, este empezó a hacer ademanes y a jadear con gran ansiedad sin que la Augusta pudiera averiguar qué le sucedía. Pero el eunuco supo interpretar las ansias del soberano, porque le acercó el icono y el enfermo lo tomó y lo besó con inmenso fervor. Es evidente que Teoctisto era, además de regente con Teodora, iconódulo. El Emperador no sabía en manos de quiénes había dejado el Imperio.

A este rumor, que se difundió por todas partes, Teodora agregó sus propias visiones y sueños, que fueron sabiamente interpretados por Metodio y otros eclesiásticos iconódulos, quienes se ocuparon de hacer saber a todo el mundo las preocupaciones de la Augusta por su propia salvación y por la de su hijo, toda vez que su mismo esposo había abjurado en su lecho de muerte de lo que ya había considerado una grave herejía. Y todos coincidieron en que la buena viuda hizo todo lo posible por conseguir el perdón para su esposo muerto.

Así, entre unos y otros prepararon el terreno para lanzar en el momento adecuado la bomba que guardaban desde doce años atrás. Y no debieron de invertir demasiado tiempo en preparativos, porque Teófilo I murió en 842 y la iconodulia regresó a Oriente en 843.

Empezaron por un concilio privado, probablemente en los aposentos de Teoctisto, en el que se consiguió hacer renunciar a Juan el Gramático o bien se le depuso, lo cierto es que, a partir de entonces, el nuevo patriarca fue Metodio. Se confirmaron los decretos del concilio II de Nicea, aquel que convocó Irene en su momento para restaurar la iconodulia, y aunque se condenó la iconoclastia, Teodora no era Irene y no tomó represalia alguna contra los iconólatras. Sin embargo, con eso se atrajo las iras de los exiliados y reprimidos en tiempos de Teófilo, por lo que finalmente Metodio tuvo que excomulgarlos a todos en masa. Y según el cronista que narra la vida del patriarca Metodio, fueron más de 20.000 los obispos que se mantuvieron fieles a la doctrina iconoclasta.

Pero la condena de la iconoclastia no fue religiosa, porque ya había habido antes un concilio ecuménico para condenarla. Aquella segunda y última vez, la condena fue un decreto imperial. Fue Teodora en persona y no el papa ni el patriarca quien firmó el documento de rechazo oficial a la iconoclastia como doctrina herética y proscrita por Dios.

Teodora había tenido siempre mucha devoción a la *Virgen Blanquernitissa,* un relieve de la virgen orante que se veneraba en la iglesia de Santa María de Blanquernas y había frecuentado la iglesia, con o sin icono, durante la vida de su esposo. Allí mismo celebró el nuevo patriarca Metodio, el 10 de marzo de 843, una vigilia nocturna para dirigirse a la mañana siguiente a la basílica de Santa Sofía en procesión presidida por Teodora y su hijo Miguel III, seguidos por toda la corte, llevando iconos, cruces y velas. El pequeño emperador empezó así a acostumbrarse a las imágenes sagradas.

Después de una plática sobre el derrocamiento de la impiedad tras casi treinta años de persecuciones, se declaró que rechazar la construcción de imágenes o llamar ídolos a las imágenes sagradas y a los santos iconos sería igual que negar la encarnación del Verbo.

Restablecer la iconodulia supuso restablecer a Irene y condenar a Constantino V. Su castigo consistió en sacar sus huesos del mausoleo de Justiniano, junto a los Santos Apóstoles, quemarlos y esparcir las cenizas para que nadie pudiera venerar su tumba.

Quizá este acto no resultara acorde con la decisión de preservar la memoria de los emperadores, pero era necesario llevar a Irene a los altares por encima de todo. La misma Teodora ascendería a ellos algún día.

DE LA ICONODULIA A LA ICONOLATRÍA

El trabajo siguiente de Teodora consistió en devolver los iconos y las imágenes a los monasterios, a los templos y a las casas particulares, empezando por el Palacio Sagrado. Así se inició una nueva era de creación en la que los artistas volvieron a protagonizar una etapa de la Historia del Arte, al comenzar una segunda Edad de Oro en el arte bizantino.

Al principio de la restauración, los artistas quisieron dar a sus creaciones un matiz espiritual y dibujaron imágenes faltas de proporción, convirtiéndolas en símbolos para que no pareciesen retratos de personajes humanizados que habían vivido en el mundo, sino que se hallaban en una dimensión que no se sometía al retrato ni a la representación. Antes de la Querella de las Imágenes, los artistas bizantinos habían representado la naturaleza como es, pero cuatro o cinco siglos después de la etapa icono-clasta no se libraron de los efectos de la ley del péndulo y empe-zaron a crear fantasmas incorpóreos.

Pero esto sucedió ya en el siglo XIV. Después del restableci-miento de los iconos y las imágenes, tanto en los tiempos de Irene como en los de Teodora, las creaciones fueron espirituales pero no simbólicas ni absurdas, sino bellísimas y, según explica José Pijoán, las más nobles que ha producido el arte medieval.

Como las imágenes entraron de lleno no solo en la liturgia sino en la vida cotidiana de los bizantinos, fue preciso controlar su exceso, porque llegó un momento en el que incluso los objeto profanos de uso diario aparecían decorados con asuntos religio-sos. Los muebles, las joyas, las telas, todo iba adornado con esce-nas religiosas e imágenes sagradas. Por ejemplo, los tratados médicos que describían la tipología bizantina, en lugar de mencio-nar tipos sanguíneos, impulsivos o flemáticos, mostraban a San Juan Bautista como tipo sanguíneo, a San Juan Crisóstomo como tipo impulsivo y a la Virgen como una matrona flemática. Los partidos Verdes y Azules terminaron por cantar al unísono las antífonas en la procesión de la Ascensión, con la alegría renovada del fin de la opresión y de la vuelta de las imágenes.

Santos, ángeles, mártires, escenas de las doce fiestas del año decoraban la vida diaria como si fuesen amigos íntimos de los príncipes, hasta que en Occidente empezó a producirse el mismo fenómeno. Ya sabemos que los occidentales imitaban a los orien-tales tan pronto como podían.

Aquella *Virgen Blanquernitissa* a la que la Emperatriz tenía tanta devoción se convirtió en una imagen tan milagrosa y digna de adoración que, aunque la palabra "adorar" se hubiera transformado en "venerar", fue cubierta por una cortina a través de la cual le llegaban las preces. Esto generó una sensación de misterio tal que, si alguna vez se desvelaba porque la cortina se abría accidentalmente, los fieles corrían hacia ella con tal ardor que formaban un tropel ante la Virgen. Y dicen que la cortina se cerraba de nuevo sola de forma milagrosa, permitiendo a sus devotos entrever únicamente la majestad de María.

Ese misterio y fervor tenían mucho que ver con aquellos cultos a los que los romanos habían sido tan aficionados cuando Constantino decidió favorecer al cristianismo. Las imágenes milagrosas y misteriosas tan veneradas en Oriente llegaron a repetirse una y otra vez para exportarlas a Occidente, donde recibieron el mismo culto que en su día rindieran los devotos de Roma a Minerva o a Juno.

De esta manera, llegó el momento en el que las imágenes y representaciones de escenas sagradas invadieron la vida profana y entonces, como dijimos, hubo que tomar medidas. Anteriormente, las medidas habían sido la prohibición, pero aquella vez la emperatriz Teodora había sabido hacer bien las cosas y ya nunca más habría otra destrucción de imágenes que las que realizaran los musulmanes cuando tomaran el Imperio. Y para eso aún faltaban muchos siglos.

Para justificar la familiaridad con las imágenes, los bizantinos recurrieron a una de aquellas falsificaciones tan corrientes en la Edad Media con las que conseguían documentar lo indocumentable.

Ya dijimos anteriormente que, en tiempos de Miguel III, el papa Nicolás I se había quejado de la cantidad de documentos falsificados que circulaban por Oriente, pero aquello ya vimos que fue como ver la paja en ojo ajeno y no ver la viga en el propio, porque en Occidente circularon las *Falsas Decretales,* que eran mucho más importantes que los documentos espurios que se produjeron en Oriente, al menos según lo entendemos hoy a la luz de la Historia.

El documento espurio más importante de tiempos de la emperatriz Irene y que después reapareció en tiempos de Teodora fue una carta de San Basilio en la que el santo fundador del monacato bizantino recomendaba "honrar y besar las imágenes de la Virgen, de los apóstoles, de los profetas y de los mártires, como nos han recomendado los santos apóstoles, y que no están prohibidas".

MIGUEL EL BORRACHO

Teodora fue, sin duda, una emperatriz discreta y prudente, como hemos dicho, pero cometió algunos errores. El primero fue permitir que su hijo Miguel se convirtiera en lo que se convirtió, porque no resultó digno en absoluto de su dinastía, la Frigia, y tan mal se comportó que dio lugar al inicio de una dinastía nueva, la Macedonia.

El segundo error fue confiar el gobierno a su eunuco predilecto, Teoctisto, y no a alguno de sus propios familiares que ya habían demostrado ser competentes en vida de Teófilo; por ejemplo, su hermano Petronas se había comportado como un gran militar, mientras que Teoctisto no obtuvo más que fracasos. Además, Teoctisto exilió a Bardas, otro de los hermanos de Teodora, sin que ella pareciera poner reparos, lo que le valió el rencor del exiliado. Bardas fue, recordémoslo, el regente al que el joven Miguel III confió el gobierno del Imperio mientras él se daba a las francachelas, y el que originó el controvertido asunto de Focio.

Ignacio, el patriarca que llegó a santo y con el que Focio tuvo las diferencias mencionadas, había sido designado directamente por Teodora a la muerte de Metodio. Era uno de aquellos hijos de Miguel I a los que León V hizo castrar para que no pretendieran el trono. Este fue otro de los errores de la Emperatriz, porque Ignacio había llevado desde niño una vida retirada en un monasterio y no conocía las trampas que le reservaban Focio, Miguel y Bardas.

No tenía los suficientes recursos para dirigir con mano firme los destinos de la Iglesia, y ya vimos cómo fue depuesto y repuesto repetidas veces por papas y emperadores.

Pero no todo fue negativo en el gobierno de Teoctisto quien, por otra parte, fue brillante en lo que a cultura y educación se refiere, porque promovió la educación superior en el Imperio. Sin embargo, en cuanto a acciones militares, los autores tampoco se ponen de acuerdo. Para unos, consiguió recuperar Creta expulsando a los musulmanes y después destruyó sus barcos en Damieta, en Egipto. Para otros fracasó, porque en mitad de la refriega se propagó el rumor de que Teodora iba a nombrar a un rival y le iba a apartar a él del gobierno, por lo que regresó a Constantinopla sin un solo logro. El resultado fue que Creta quedó bajo el dominio de los musulmanes durante mucho tiempo. Era otro período de fuerte expansión musulmana, en el que también entraron en Italia y se presentaron a las puertas de Roma.

Pero parece que los asuntos empezaron a mejorar una vez que Teodora comprendió y permitió a sus hermanos dirigir las campañas contra los musulmanes. Los nuevos generales llevaron consigo a su sobrino Miguel para que aprendiera a luchar en persona, como un soldado y no como un estratega, desde la retaguardia.

Cuentan que, para eliminar posibles candidatos al trono, Teodora emuló a muchos príncipes occidentales y orientales e impidió que sus hijas se casaran, haciéndolas entrar en religión. No parece probable que todas las princesas imperiales tuvieran vocación, pero eran mayores que su hermano y alguna podía haberse casado con algún ambicioso que le disputara el trono. Puede que Teodora ya vislumbrara que su hijo no iba a ser precisamente un gran emperador, aunque la decisión de enclaustrar a las princesas no parece que fuera de la emperatriz, sino que más bien fue el propio Miguel quien obligó a sus hermanas a entrar en un convento para evitar intrusiones en su vida y obra, como veremos más adelante.

Cabe la posibilidad de que toda la historia que llamó Borracho a Miguel y que contó su vida de fiestas y jolgorio y su abandono del poder en manos de su tío Bardas sea obra de cronistas enemigos, como hemos citado en otros casos, pero lo que sí sabemos es que el Senado tuvo que oponerse a él cuando se le ocurrió designar como asociado al trono de Bizancio a un compañero de juergas indigno de él. Además, cuentan que Miguel lo llevó consigo al Senado para que le calzara los zapatos de púrpura delante de los senadores y que la Asamblea de los Padres se negó a aceptarle y le exigió elegir a otro. Este otro elegido fue Basilio, un campesino armenio a quien había adoptado de niño una viuda rica llamada Danielis de Patras. Lo que Miguel nunca pudo sospechar fue que el mismo Basilio le asesinaría para sucederle en el trono e iniciaría la dinastía Macedonia, nombre derivado de su apodo, el Macedonio, debido a ser su madre adoptiva oriunda de Patras, en Macedonia.

A los dieciséis años, como era de esperar, Miguel reclamó el gobierno del Imperio, pero su madre le obligó primero a abandonar a su amante Eudoxia Ingerina para casarse con otra Eudoxia, Eudoxia Decapolitana.

Eudoxia Ingerina no tuvo nada que perder, porque Miguel renunció a ella y la hizo casar con su asociado al trono, Basilio el Macedonio, y dado que Basilio fue después emperador, ella fue emperatriz. La historia de ambos está relatada en términos amables y positivos, porque su cronista fue León VI, el emperador sabio, que no solo codificó el Derecho, como Justiniano, sino que lo hizo publicar en griego además de traducido al latín, lo que ni siquiera se le había ocurrido a Justiniano.

Si atendemos a los cotilleos de la época, Miguel III casó a su ex amante Eudoxia Ingerina con su co-emperador Basilio, pero continuó manteniendo con ella relaciones que escandalizaron a su

---

Eudoxia Ingerina fue amante de Miguel III, quien renunció a ella y la casó con su amigo Basilio. Años después, Basilio haría asesinar a Miguel y usurparía el trono de Bizancio, con lo que la ex amante se convertiría en emperatriz.

madre y a Teoctisto. Por su parte, Basilio tuvo que divorciarse de su esposa María para casarse con la amante de Miguel, a la que todo el mundo reconoció como concubina imperial. Pero, seguramente para desagraviarle o para resarcirle, Miguel entregó a su amigo Basilio otra amante imperial, su propia hermana mayor, Tecla, a la que hubo que sacar del convento de Cariano. No sabemos si Tecla se alegraría de la nueva situación, pero lo más probable es que resultara humillante para ella. No hay que olvidar que había recibido educación religiosa de su madre, de su abuela Florina y de su abuela postiza Eufrosine, en aquellas visitas ocultas en las que todas oraban ante las imágenes a espaldas del emperador Teófilo.

En 855, poco antes de que Teodora abandonara la vida política, Teoctisto había caído en desgracia, lo que era previsible, pues se había ganado muchos enemigos que ahora empezaban a ser poderosos. No olvidemos que fue él quien exilió a Bardas y quien ostentó casi todo el poder mientras Teodora fue regente. Pero cuando Miguel subió al trono, llamó junto a sí a su tío Bardas, que lo primero que hizo tan pronto recibió poderes de su sobrino fue acabar con el eunuco.

Bardas debió de ser bastante comprensivo con los desmanes de Miguel, porque este le mantuvo a su lado como regente durante mucho tiempo.

Dicen que Bardas supo la triste suerte de Constantino VI, que había caído en las manos ávidas de poder de su madre Irene, y que debió de influir en Miguel para prevenirle de la posibilidad de que su madre se casara de nuevo con alguien fuerte que viniera a disputarle el trono. El primero en pagar por haber ejercido el poder fue Teoctisto, a quien los esbirros de Bardas asesinaron en el mismo palacio, aunque intentó protegerse ocultándose detrás de un sillón.

Miguel debió de temer que, siguiendo los consejos del eunuco para mantenerse en el poder, su madre le hiciera cegar como había hecho Irene con Constantino VI, y no debió de sentir remordimientos ante el asesinato de Teoctisto. Además, el eunuco había mostrado abiertamente su desaprobación ante el asunto de las dos Eudoxias, de Tecla y de la amante de Bardas.

Teodora quedó apartada doblemente de la vida política, en primer lugar por el asesinato de Teoctisto y, en segundo lugar, cuando Miguel, ya mayor de edad y coronado emperador, entregó el poder a Bardas en lugar de a ella. Ya hemos dicho que el joven únicamente quería divertirse sin cortapisas, a lo que su madre hubiera estorbado, mientras que su tío, con tal de poder actuar a su antojo, no le debió de poner reparo alguno.

Y como probablemente Teodora se enfrentó a Miguel reprochándole haber permitido el asesinato de Teoctisto, que había sido para él como un verdadero padre, es posible que tuvieran más de una discusión. Sabemos que también reprobaba el tren de vida amoroso de Miguel, y suponemos que debió de parecerle una inmoralidad el arreglo que hizo con Basilio. Como resultado de estas diferencias, la madre terminó por salir de palacio y las princesas fueron confinadas en el monasterio de Gastria.

Pero Teodora debió de volver al Palacio Sagrado como emperatriz madre después de la victoria de su hermano Petronas sobre los musulmanes en 863, porque su nombre aparece en un acta de la época y, además, el papa Nicolás I le escribió en 866 acerca de los problemas del patriarca Ignacio quien, por cierto, se había negado a cortar el pelo a la emperatriz y a las princesas contra su voluntad.

Es cierto, pues, que fueron confinadas en un convento. Pero el pelo crece y los conventos tampoco tienen puertas infranqueables, por lo que es lógico que Teodora recuperase su lugar en la corte después de los primeros enfados y de que Miguel se asegurase de que no era tan peligrosa para él como había sido Irene para Constantino VI.

En todo caso, Teodora tuvo algún que otro enfrentamiento con su hermano Bardas. Miguel terminó por asociarle al trono y ella, furiosa, le envió para la ceremonia una prenda que le quedaba demasiado corta, de manera que apareciera ridículo. Esta fue otra de las refinadas venganzas bizantinas. También dicen que le envió una perdiz de oro como regalo, cuando la perdiz se tenía como símbolo de la falsedad.

El ascenso de Bardas fue, desde luego, anterior al de Basilio el Macedonio. Cuando Bardas quedó asociado al trono imperial, Basilio no era más que chambelán, lo que era un cargo importante, pero no tanto como el de asociado del emperador. Basilio obtuvo ese puesto cuando a Bardas le llegó su hora, es decir, cuando el propio Basilio le hizo asesinar en 866, durante una expedición contra los musulmanes en la que Bardas se situó en el buque insignia junto al Emperador, en el sitial; a una señal de Basilio, los conspiradores le clavaron una espada, y cuando cayó al suelo, le remataron. Otros dicen que quien dio la orden del ataque asesino fue el propio yerno de Bardas, Simbatio. Quienquiera que fuese, hizo creer al Emperador que le había salvado del ataque de Bardas, que quería matarle para usurpar el trono, ya que era el heredero oficial. Después de muerto, despedazaron su cuerpo y ensartaron sus genitales en lo alto de una lanza, para pasearlos entre bromas macabras.

Seguramente, Basilio se había hecho ilusiones de llegar al trono, al menos en compensación de tener que soportar a una esposa compartida y a una amante impuesta. Además, aquellos enredos matrimoniales causaron nuevos problemas, porque Miguel III no tuvo hijos con la emperatriz Eudoxia Decapolitana, pero sí tuvo dos varones con Eudoxia Ingerina, ambos bautizados con nombres reales, Constantino y León. El conflicto se presentó a la hora de dilucidar quién era el padre. Oficialmente, León era hijo de Basilio, porque fue emperador en su momento con el nombre de León VI el Sabio y narró la vida de su madre Eudoxia y de su padre Basilio.

Basilio salió ganando en aquel asunto, porque Miguel le asoció al trono inmediatamente después de la muerte de Bardas, sin hacer caso de las predicciones de su madre, quien ya estaba viendo el final de su dinastía en manos de aquel antiguo campesino armenio, que se había convertido en un joven muy ambicioso.

Tan ambicioso que frustró la reconciliación de madre e hijo. Para mejorar la relación de ambos, Teodora había invitado al Emperador a comer en su residencia el 25 de septiembre, y el Emperador había aceptado, lo que indica que estaba dispuesto a hacer las paces con su madre.

Pero no llegó con vida a esa fecha, lo que impidió a Teodora insistir en sus consejos prudentes sobre las malas compañías. Seguramente le hubiera dicho que aquel no era el co-emperador adecuado y le hubiera recriminado aquella extraña forma de tener hijos, que hacía imposible saber de quién eran, lo que le privaba de una sucesión legítima.

Justamente el día antes, el 24 de septiembre de 867, iban a comer juntos los actores del trío amoroso, Miguel, Eudoxia y Basilio. La fiesta sería en el palacio de San Mamés.

Cuentan que Miguel bebió más de la cuenta, como puede que fuera su costumbre. Y dicen que Eudoxia terminó por marcharse, seguramente cansada de aguantarlos a los dos juntos, y que Basilio siguió haciéndole beber hasta que perdió el sentido y cayó en la cama. Y que el Macedonio aprovechó aquel momento para dejar entrar a los mismos conspiradores con los que había conseguido eliminar a Bardas.

Matar a Miguel fue mucho más fácil y más discreto. Después de su muerte, Basilio solo tuvo que estar presente en la aclamación del Senado, porque ya era emperador asociado y, por tanto, heredero del trono de forma automática.

Una de las historias o leyendas más agradables de este triste y turbulento período es la de la visita que Danielis de Patras hizo a su hijo adoptivo, el emperador Basilio, cuando supo que había sido coronado. Basilio, aunque asesino y usurpador, no dejó de entregar su aportación a la religión y mandó construir una iglesia en Constantinopla, quizá en expiación por su maldad y desagradecimiento. Cuando la viuda Danielis lo supo, mandó tejer un tapiz inmenso y lo llevó como presente al nuevo emperador con un cortejo de esclavos al que ella misma seguía con su litera. Y cuentan que Basilio I, agradecido por todo lo que aquella dama había hecho por él cuando no era más que un pobre campesino armenio, la recibió con toda la pompa y boato de la corte, tratándola como madre y soberana (JOSÉ PIJOÁN. *Summa Artis*. Tomo VIII). Fue desagradecido, pues, con quien le estorbó en su objetivo de ocupar el trono de Bizancio, pero agradecido con quien nunca supuso una amenaza ni un obstáculo para él.

También cuentan que Teodora, al ver que su hijo no llegaba al día siguiente, salió a enterarse de lo que sucedía o quizá envió a alguien, y conoció así la aclamación de Basilio. Corrió al palacio de San Mamés y encontró allí el cadáver de Miguel envuelto en una alfombra. Ella y sus hijas lo enterraron frente al palacio en el que murió. La ceremonia de sus exequias debió de ser tan gris como su vida.

Teodora no sufrió represalias, porque sabemos que murió en la cama. Debió de sufrir mucho en sus últimos tiempos al ver en el trono del Imperio a aquella Eudoxia Ingerina a la que quiso apartar un día de su hijo Miguel.

Hizo algunas cosas bien y otras mal. A ella debemos la reposición de las procesiones en las que los penitentes se arrastran detrás de una imagen, cargados de cadenas o azotándose. Y también le debemos la restauración de las peregrinaciones que fluyen hacia la imagen de una Virgen o hacia la reliquia de un santo en busca de un milagro. Occidente, que había iniciado aquella forma de culto, la rechazó durante algún tiempo, pero volvió a aceptarla, imitando una vez más a Oriente, desde donde iban llegando las imágenes milagrosas que habían estado prohibidas durante siglos.

Bibliografía

ALMODÓVAR, MIGUEL ÁNGEL, *Armas de varón,* Editorial Oberón, Madrid, 2004.

APELES, *El Papa ha muerto. ¡Viva el Papa!,* Plaza y Janés, Barcelona, 1997.

APELES, *Historias de los papas,* Plaza y Janés, Barcelona, 1999.

ARIÈS, P., *Histoire de la vie privée,* Editions du Seuil, París, 1999.

ASCHERSON, NEAL, *El mar Negro,* Círculo de Lectores, Barcelona, 2004.

BAEZA, A., *La increíble historia del Estado Vaticano,* ABL Editor, Madrid, 1995.

BAGUÉ, E., *Pequeña historia de la humanidad medieval,* Editorial Aymá, Barcelona, 1953.

BERGUA, J.B., *Jeschua,* Clásicos Bergua, Madrid, 1980.

BIGORDÁ, J. Y OTROS, *El Concilio Ecuménico en la Iglesia,* Editorial Teide, Barcelona, 1959.

BLÁZQUEZ, J.M., "La vida estudiantil en Beyruth y Alejandría a finales del siglo V según la *Vida de Severo* de Zacarías Escolástico", Biblioteca Virtual Cervantes, en *Libro de fuentes de Historia Medieval,* Sociedad Chilena de Estudios Medievales, Edición en línea.

BRETON, G., *Historias de amor en la Historia de Francia,* Bruguera, Barcelona, 1970.

CARCOPINO, J., *La vida cotidiana en Roma en el apogeo del Imperio,* Círculo de Lectores, Barcelona, 2004.

CASARIEGO, A., *Los papas pecadores,* Celeste Ediciones, Madrid, 1992.

CHAMBERLIN, E.R., *Los malos papas,* Círculo de Lectores, Barcelona, 1975.

COMNENA, A., *The Alexiad,* Paul Rotuledge Kegan, Londres, 1928.

DE ARANA, J.I., *Historias curiosas en la Iglesia,* Espasa Calpe, Madrid, 1995.

DE AUSEJO, S., *La Bilia,* (dirección, redacción definitiva, introducciones, notas, vocabulario y apéndices), Editorial herder, Barcelona, 1975.

DE CESAREA, E., *Historia eclesiástica,* Editorial Clie, Edición digital.

DE CESAREA, E., *Vida de Constantino,* Editorial Gredos, Madrid, 1994.

DE LA CHÂTRE, M., *Historia de los papas y de los reyes,* Editorial Clie, Barcelona, 1993.

DE LA CHÂTRE, M., *Historia de los papas,* Montero, Madrid, 1869.

DE VILLEHARDOUIN, G., *Memoirs or Chronicle of The Fourth Crusade and The Conquest of Constantinople,* J.M. Dent, Londres, 1908.

DELPERRIÉ DE BAYAC, JACQUES, *Carlomagno,* Aymá Editora, Barcelona, 1977.

DUBY, GEORGES, *El caballero, la mujer y el cura,* Editorial Taurus, Madrid, 1999.

Enciclopedia católica, Aci-Prensa, Edición en línea.

FALCÓN, MARÍA ISABEL Y OTROS, *Antología de textos y documentos de la Edad Media,* Editorial Amurar, Valencia, 1976.

FARRINGTON, KAREN, *Atlas histórico de los Imperios,* Editorial Edimat, Madrid, 2006.

FAVIER, J., *Los grandes descubrimientos,* Fondo de Cultura Económica, México, 1995.

FERNÁNDEZ DÍAZ, M. DEL C., *Iglesia y mujer,* Unicopia, Lugo, 2003.

GARCÍA DE CORTÁZAR, J.A., *Historia general de la Edad Media,* Editorial Mayfe, Madrid, 1984.

GARCÍA LAHIGUERA, F., *Los Concilios Ecuménicos,* Cosmos, Valencia, 1959.

GIBBON, E., *Historia de la decadencia y caída del Imperio Romano,* Círculo de Lectores, Barcelona, 2001.

GONZÁLEZ ESTEFANI, J.M., *La Edad Media,* Escelicer, Madrid, 1953.

GREGOROVIUS FERDINAND, *Roma y Atenas en la Edad Media,* Fondo de Cultura Económica, Méjico, 1946.

GUANELLA, LUIGI, *Da Adamo a Pio IX. Quadro delle lotte e dei tronfi della Chiesa universale distribuito in cento conferenze e dedicato al clero e al popolo II,* Bibliotheca Guanelliana Intra Text, Edición en línea.

HEARDER, HARRY, *Breve historia de Italia,* Alianza Editorial, Madrid, 2003.

HERRERA, H. Y MARTÍN, J., "El Imperio Bizantino. Introducción histórica y selección de documentos" en *Cuadernos Byzantion Nea Hellás,* Serie Byzantiní Istoría I, Centro de estudios griegos, bizantinos y neohelénicos "Fotios Malleros" de la Universidad de Chile, Edición en línea.

HERRIN, J., *Mujeres en púrpura,* Taurus, Madrid, 2002.

JULIANO, *Contra los galileos,* Editorial Gredos, Madrid, 1982.

KAYDEDA, J.M., *Los Apócrifos y otros libros prohibidos,* Rea Editorial, Madrid, 1986.

KRYVELEV, A., *Historia atea de las religiones,* Biblioteca Júcar, Madrid, 1982.

LE JAN, R., *Famille et pouvoir dans le monde franc,* Publications de la Sorbonne, París, 1957.

LORTZ, J., *Historia de la Iglesia,* Ediciones Cristiandad, Madrid, 1982.

MARTOS, A., *Historia de la Psiquiatría,* Editorial Temispharma, Barcelona, 2002.

MARTOS, A., *Los pecados de la Iglesia,* Grupo Libro 88, Madrid, 1994.

MARTOS, A., *Pablo de Tarso, ¿apóstol o hereje?,* Editorial Nowtilus, Madrid, 2007.

MONTANELLI, I. Y GERVASO, R., *Historia de la Edad Media,* Random House Mondadori, Barcelona, 2002.

MONTANELLI, I., *Historia de Roma,* Plaza y Janés, Barcelona, 1963.

MONTERO ALONSO, J., *Historia de la mujer española,* Coleccionables de *Semana.*

PAGOLA LANZ, MIGUEL, *Cuerpo y alma de Italia, la Ciudad del Vaticano,* Editorial Pueyo, Madrid, 1958.

PÉRNOUD, R., *La mujer en el tiempo de las catedrales,* Editorial Andrées Bello, Barcelona, 1999.

POSADAS, J.L., *Historia de Bizancio,* Adebarán Ediciones, Madrid, 2002.

PROCOPIUS, *Secret History,* Chicago, 1927.

PUENTE OJEA, G., *Imperium crucis: consideraciones sobre la vocación de poder en la Iglesia Católica,* Editorial Kaydeda, Madrid, 1989.

---. *Fe cristiana, Iglesia, poder*, Editorial Siglo XXI de España, Madrid, 1992.

---. *Ideología e historia: la formación del cristianismo como fenómeno ideológico*, Editorial Siglo XXI de España, Madrid, 2001.

RIU, M. Y OTROS, *Textos comentados de época medieval,* Editorial Teide, Barcelona, 1975.

ROYIDIS, E., *La papisa Juana,* Editorial Edhasa, Barcelona, 1978.

Summa Artis, Espasa Calpe, Madrid, 1964.

TOSCANO, M., *Mujeres en busca del amado,* Ediciones Obelisco, Barcelona, 2003.

VIDAL, G., *Juliano el Apóstata,* Editorial Salvat, Barcelona, 1994.

ZIBAWI, M., *Los iconos, sentido e historia,* Editorial Libsa, Madrid, 1999.